O HOMEM QUE VENCEU AUSCHWITZ

O HOMEM QUE VENCEU AUSCHWITZ

Denis Avey e Rob Broomby

Uma história real sobre a Segunda Grande Guerra

Tradução: Vania Cury

Título original: The Man Who Broke Into Auschwitz

Editora Nova Fronteira Participações S.A.
Rua Nova Jerusalém, 345 – Bonsucesso – 21042-235
Rio de Janeiro – RJ – Brasil
Tel.: (21) 3882-8200 – Fax: (21) 3882-8212/8313

Texto revisto pelo novo Acordo Ortográfico

CIP-Brasil. Catalogação na fonte
Sindicato Nacional dos Editores de Livros, RJ

A97h Avey, Denis
O homem que venceu Auschwitz : uma história real sobre a Segunda Grande Guerra / Denis Avey e Rob Broomby ; tradução Vania Cury. - Rio de Janeiro : Nova Fronteira, 2011. 23 cm

Tradução de: The man who broke into Auschwitz
ISBN 978-85-209-2665-9

1. Avey, Denis. 2. Auschwitz (Campo de concentração). 3. Holocausto judeu (1939-1945) - Narrativas pessoais. 4. Guerra Mundial, 1939-1945 - Judeus. I. Broomby, Rob II. Título.

CDD: 940.5318
CDU: 94(100)"1939/1945"

À memória de Ernie Lobet e de um homem que conheci apenas por Hans.

Prefácio

Este livro é muito importante e representa uma advertência oportuna dos riscos que ameaçam qualquer sociedade quando a intolerância e o racismo assumem o controle. Denis Avey, que tem agora 93 anos de idade, quer que seu livro relembre que o fascismo e o genocídio não desapareceram — como ele mesmo disse, "Isso poderia acontecer hoje". De fato, isso pode acontecer em qualquer lugar em que se permita que o verniz da civilização venha a se extinguir ou que seja arrancado pela má vontade e pelos impulsos destrutivos.

É bom que Denis Avey agora se sinta capaz de contar sua história. Muitos daqueles que sofreram os traumas dos anos de guerra, inclusive sobreviventes judeus do Holocausto, assim como ele, acharam que em 1945 "ninguém queria escutar". Sessenta e cinco anos depois, o então primeiro-ministro britânico Gordon Brown o recepcionou no número 10 da Downing Street a fim de ouvir sua história, de exaltar sua coragem e de lhe dar uma medalha cuja inscrição enuncia "A Serviço da Humanidade".

É preciso bravura para ser uma testemunha. Até hoje, Denis Avey relembra, com horror, entre tantas outras coisas terríveis, um menino judeu "em posição de sentido, coberto de sangue, levando pancadas na cabeça". Este livro deveria ser lido por todos aqueles que anseiam pelo relato de uma testemunha ocular do pesadelo que representou o campo de trabalho escravo de Buna-Monowitz, na parte exterior de Auschwitz, onde os prisioneiros judeus, em particular, eram submetidos aos tratamentos mais duros e eram assassinados no exato momento em que se mostravam fracos demais para trabalhar para seus supervisores da SS.

As experiências de Denis Avey com o tratamento dado aos judeus pelos nazistas são perturbadoras — como deveriam ser, uma vez que a mente humana tem dificuldade de entrar num mundo dominado pela crueldade, e onde um pequeno gesto como o de Denis Avey em relação a um detento judeu holandês significa um raro lampejo de luz e de conforto. Ele nos conta ainda de seu tempo antes de se tornar prisioneiro de guerra, combatendo no Deserto Ocidental. Aqui também ele faz uma narrativa vigorosa, sem omitir os horrores e a morte de seu amigo Les, que explodiu a seu lado. "Les era um cara de olhos brilhantes. Eu tinha feito toda a viagem, desde Liverpool, junto com ele, eu havia dançado com sua irmã Marjorie, sentado à mesa da cozinha com sua família, rido de suas piadas e compartilhado sua comida." E, agora, a primeira reação que teve ao perceber "metade do pobre Les" em cima de si foi a de "Graças a Deus que não fui eu". Aquela reação o incomoda até hoje.

A honestidade deste livro engrandece seu impacto. A descrição de Buna-Monowitz é dura e verdadeira. Ao trocar seu uniforme do Exército britânico pelas vestes listradas esfarrapadas de um prisioneiro judeu, e ao entrar na seção judaica daquele vasto campo de trabalho escravo, ele se transformou numa testemunha. "Eu tinha de ver com meus próprios olhos o que estava acontecendo", escreve ele. Nosso conhecimento acerca de um dos piores recessos do reinado da SS se aprimorou porque ele fez isso. Este livro é um tributo tanto a Denis Avey quanto àqueles cuja história ele decidiu contar — arriscando a própria vida para tanto.

SIR MARTIN GILBERT
8 de fevereiro de 2011

Agradecimentos

Eu gostaria de agradecer a Audrey por sua infinita paciência, amor e apoio nesses muitos anos que temos passado juntos; pela sua compreensão e, acima de tudo, por manter meus pés no chão, com firmeza, e por ficar ao meu lado nos bons e nos maus momentos. Ela é minha crítica mais rigorosa e minha melhor amiga. Sou muito grato a Sir Martin Gilbert, por encontrar tempo em sua agenda atribulada para fazer essa avaliação generosa do manuscrito, que foi recebida com a maior gratidão. Agradeço a Lord Janner, a Karen Pollock e à equipe do Holocaust Educational Trust, pelo contínuo auxílio e apoio. O trabalho que fazem não tem preço. Agradeço a Gordon e a Sarah Brown, por me receberem em Downing Street, e a Iain Duncan Smith, Michael Gove e Ed Balls, por seu interesse em minha história. Gostaria de acrescentar um tributo especial ao trabalho da Cruz Vermelha, cujos pacotes de comida deram aos prisioneiros de guerra esperança e nutrição salvadora, na mesma medida.

Denis Avey

Eu gostaria de acrescentar meus agradecimentos a Audrey, por sua paciência e hospitalidade, durante os infindáveis dias de entrevistas, por seu afeto, sua franqueza e sua capacidade ilimitada de se divertir. Aquilo que desenterrei nem sempre foi fácil de enfrentar, mas ela se comportou de forma extraordinária o tempo inteiro. Encarou tudo com grande senso de humor e nos distraiu a todos em diversas noites maravilhosas de discussões honestas e gargalhadas, regadas a sucos de frutas. Espero que isso possa continuar.

Quero também agradecer a Regi e às crianças Jan e Anja, por me apoiarem num ano decisivo. Foi barra pesada, e vocês foram maravilhosos — como sempre, em especial quando estou sob forte pressão. Agradeço ainda a Mark James, Simon Enright, Jonathan Chapman, Saleem Patka, Wanda Petrusewicz, Richard Jackson e Andrew Whitehead, da BBC, por facilitarem meu caminho e reduzirem minha carga horária para que eu pudesse trabalhar no livro, numa época em que o BBC World Service — a joia da coroa — está sofrendo tão amargamente com os cortes no orçamento. Uma menção especial a Patrick Howse — que captou a significância do testemunho de Denis desde o princípio —, por seu trabalho árduo e por sua amizade. Ele é um homem de entusiasmo ilimitado, que se reveste dos melhores ideais da corporação. Agradeço igualmente a David Edmonds, por seu aconselhamento sábio, a Kevin Bakhurst, do canal BBC News, e a Jeremy Skeet e Kirsty Reid, de Bush House, por seu entusiasmo pela história. Agradeço também a Joanne McNally, que me pôs a par da história dos campos de prisioneiros de guerra próximos de Auschwitz há muitos anos.

Acima de tudo, gostaria de prestar um tributo a meu amigo e mentor James Long, por seus constantes conselhos e orientações, conduzindo-me pelo mundo das publicações, acudindo com pesquisas e ajudando a editar e a estruturar o manuscrito. Sempre disponível, ele foi uma fonte de grande inspiração e energia, e acalmou meus nervos em inúmeras ocasiões. Quer auxiliando-me numa tentativa frustrada de invadir de madrugada um hotel que já estava fechado, quer consertando um motor enquanto falava sem parar sobre carros, ele estava sempre lá. Quando um grito "desesperado" chamava por James, ele se encontrava a postos. Eu não teria conseguido sem sua ajuda.

Rob Broomby

Juntos, gostaríamos de expressar nossa mais profunda gratidão a Susanne Timms, uma mulher verdadeiramente notável, que, ao lado de

Peter James e Lynn Amari, ofereceu sua confiança, amizade e encorajamento. Foram eles que forneceram o elo que faltava à história e proporcionaram grande alívio. Suas informações são imensuráveis. Apenas gostaríamos de ter tido a chance de conhecê-los mais cedo.

Agradecemos ainda a Shirley Spector, pelas palavras amáveis — espero que possamos nos encontrar algum dia —, e a Henry Kamm — um novo amigo —, por sua sabedoria e aconselhamento, e, acima de tudo, por entrar em contato conosco em primeiro lugar e por receber um estranho em sua casa, com toda cordialidade. Nessa nota, uma menção à família Warwick, pela participação que teve na solução do mistério, e a Michael Wood, que abriu a porta no momento certo e salvou o dia; sem ele, tudo teria se perdido. Um agradecimento muito especial se deve, é claro, ao Shoah Foundation Institute for Visual History and Education, da Universidade do Sul da Califórnia, pelo seu trabalho maravilhoso, sem o qual tantas histórias teriam sido perdidas para sempre, e pela sua gentil permissão de utilização do testemunho de Ernie Lobet (n° 4365), sem o qual partes desta história jamais se tornariam conhecidas. E também um agradecimento à equipe do Arquivo Auschwitz, por suas informações, e a Freddie Knoller, por seus comentários.

Nós somos imensamente gratos a Rupert Lancaster, da Hodder & Stoughton, por sua presciência, sabedoria e confiança no livro desde o começo, e, é claro, à nossa agente Jane Turnbull, que facilitou o caminho, permitindo que tudo isso acontecesse tão depressa.

ROB BROOMBY E DENIS AVEY

Prólogo

22 DE JANEIRO DE 2010

Um microfone foi enfiado na minha cara, assim que saltei do táxi junto aos portões fortificados de Downing Street. O que eu poderia lhes dizer? Estava ali por causa de algo que havia feito na guerra — não por ter combatido no Deserto Ocidental, não por ter sido capturado pelos alemães, mas em função daquilo que aconteceu em Auschwitz.

Lá atrás, em 1945, ninguém queria ouvir, então parei de falar sobre o que aconteceu durante a maior parte dos últimos 65 anos. Minha primeira mulher presenciou os piores momentos. Eu acordava ensopado de suor, com os lençóis encharcados, assombrado pelo mesmo sonho. Ainda posso ver aquele pobre rapaz, em posição de sentido, todo ensanguentado e levando pancadas na cabeça. Eu revivo isso todos os dias, até hoje, quase setenta anos depois. Quando conheci Audrey, minha segunda mulher, ela percebeu que havia algo de errado, e que tinha a ver com Auschwitz, mas não consegui falar sobre isso com ela durante décadas. Agora, não paro de esmiuçar o assunto, e ela acha que estou preso ao passado, que preciso seguir adiante, olhar para frente. Em minha idade, isso não é fácil.

Em Londres, a porta lustrosa do número 10 da Downing Street — residência oficial do primeiro-ministro britânico, que eu sempre via nos noticiários a enquadrar os dirigentes do país — abriu-se e eu entrei. No saguão, eles tiraram meu casaco e me conduziram pelas escadas, passando pelos retratos emoldurados dos ex-primeiros-ministros. Num determinado ponto, encarei a fotografia de Churchill, e pensei com meus botões que se tratava de uma imagem surpreendentemente pequena para um líder assim tão gigantesco. Parei para respirar, apoiado em minha bengala de metal, antes de passar pelos primeiros-ministros do pós-guerra, com Thatcher, Major e Blair próximos ao topo.

Desabei sobre uma cadeira — eu tinha 91 anos e precisava de tempo para me recuperar da subida. Olhei em volta, espantado com a grandiosidade da sala Terracota, com seu pé-direito muito alto e seus candelabros. Soube que o primeiro-ministro Gordon Brown havia anunciado, naquela manhã, que testemunharia sobre a guerra do Iraque perante a comissão de inquérito Chilcot, e, com a proximidade das eleições gerais, eu me perguntava se ele teria tempo de se encontrar comigo.

O clima mudou de repente. O primeiro-ministro entrou na sala, dirigiu-se a mim diretamente e apertou minha mão. Ele falou com suavidade, quase sussurrando. A sala então se encheu de gente, mas ainda assim me pareceu um momento profundamente íntimo.

— Temos muito, muito orgulho de você. Para nós, é um privilégio tê-lo aqui — disse ele. Fiquei comovido.

Sua esposa, Sarah, se apresentou a mim. Eu não sabia o que fazer, então beijei sua mão e lhe disse que ela era ainda mais bonita do que na televisão. Ela era, mas, de qualquer maneira, eu não deveria ter dito aquilo. Felizmente, era um tipo de indiscrição da qual um velho de 91 anos podia se safar. Rapidamente, procurei um terreno mais seguro e acrescentei:

— Gostei do seu discurso de outro dia.

Ela sorriu e me agradeceu.

Os fotógrafos da imprensa e as equipes de TV queriam instantâneos de nós dois juntos. Eu achava que o primeiro-ministro estava passando por um período político difícil, e disse a ele que não apreciava o fato de que seus colegas o apunhalassem por trás, oferecendo-me para trabalhar como seu guarda-costas, caso precisasse. Ele sorriu e respondeu que se lembraria disso.

— Eu não queria o seu cargo por nada — afirmei. Posso não ter votado nele, mas era um homem decente e me impressionou com sua sinceridade.

A atenção de Gordon Brown era intensa e total, e durante um tempo pareceu que todas as outras pessoas da sala tinham sido excluídas. Eu tenho um olho de vidro — outro legado de Auschwitz — e lutei para focalizar o primeiro-ministro com meu olho bom. O sr. Brown também tem visão parcial, e nós nos sentamos tão próximos que, enquanto conversávamos, nossas testas quase se tocaram.

Ele falou de "coragem" e "bravura", e eu comecei a lhe contar de Auschwitz, IG Farben, SS, tudo o mais, despejando os detalhes sem qualquer ordem especial. Num determinado ponto, lutei para encontrar uma palavra e falei *"Häftling"* — prisioneiro, em alemão.

— Isso me acontece quando relembro aqueles dias — disse um sobrevivente do campo de concentração que estava na festa.

Receber as honras como um dos 27 "Heróis do Holocausto" britânicos, logo depois disso, foi deprimente. A maioria recebeu a homenagem postumamente. Somente dois estavam vivos; o outro era Sir Nicholas Winton, que salvou mais de seiscentas crianças na Tchecoslováquia. Apareci com uma sólida medalha de prata, com a inscrição "A Serviço da Humanidade". Na saída, disse a um jornalista que agora morreria feliz. Precisei de quase setenta anos para ser capaz de afirmar isso.

Agora que consigo falar daqueles tempos horríveis, sinto como se aos poucos estivesse tirando um peso. Posso pensar com clareza no momento da mudança em seu âmago.

Meados de 1944

Eu sabia que tínhamos de ser rápidos. Aguardei escondido na pequena cabana. Eu nem sequer tinha certeza de que ele viria, mas ele veio, e, assim que ele se curvou para entrar, tirei minha jaqueta. Ele fechou a porta diante do tumulto daquela área de construção hedionda e se livrou de seu uniforme listrado encardido. Jogou as toscas vestimentas para mim, e eu as vesti sem hesitação. Em seguida, observei-o a trajar meu uniforme de combate britânico, lançando olhares para a porta por cima de seu ombro.

Ele era um judeu holandês, e eu o conhecia como Hans. Com aquela simples troca entre nós dois, abri mão da proteção da Convenção de Genebra: eu tinha dado meu uniforme, minha tábua de salvação, minha melhor chance de sobreviver naquele lugar pavoroso, a outro homem. Dali em diante, usando as roupas dele, eu seria tratado da mesma forma que ele vinha sendo tratado. Se eu fosse apanhado, os guardas me matariam como impostor. Sem dúvida alguma.

Eram meados de 1944 quando entrei em Auschwitz III, por livre e espontânea vontade.

Capítulo 1

Não me alistei para lutar pelo rei ou pela pátria, embora fosse bastante patriota. Não, eu me alistei pelo simples prazer de fazê-lo, pela aventura. Não tinha a menor ideia do inferno que iria encontrar.

Não havia noção de partida heroica quando saí para a guerra. Deixamos Liverpool no navio militar *Otranto*, numa bela manhã de agosto, em 1940, sem a menor ideia de aonde iríamos chegar.

Eu olhava para o Royal Liver Building, do outro lado da margem de águas marrons do rio Mersey, e me perguntava se voltaria a ver os pássaros verdes que ficam no topo daquele prédio outra vez. Até então, Liverpool ainda não tinha sofrido muitos bombardeios. Um mês depois de minha partida, a cidade receberia sua cota, mas até aquele momento era bastante pacífica. Eu tinha 21 anos e me achava indestrutível. Como prometera a mim mesmo, se eu perdesse um membro, não voltaria para casa. Eu era um soldado ruivo, com um temperamento forte que me meteria num monte de problemas, mas esse era o meu jeito.

Eu me alistei no Exército porque estava ansioso para entrar na Royal Air Force (RAF), a força aérea da Grã-Bretanha. A papelada demorou muito. Esse foi meu primeiro golpe de sorte. Ao observar os aviões Spitfire cruzando os céus, eu ainda sentia vontade de voar, mas o ingresso na RAF, naquele momento, teria significado morte certa. Os pilotos da RAF eram os cavaleiros do ar, mas depois que a Batalha da

Inglaterra começou, os pobres-diabos não duraram muito tempo e eu tive a sorte de ficar de fora.

Eu me alistei no dia 16 de outubro de 1939 e, como era bom de tiro, fui selecionado como o atirador Denis George Avey, nº 6914761, para fazer parte do 2º Batalhão, a Brigada do Rifle, e enviado para as barracas de treinamento em Winchester.

Com chuva ou com sol, era bastante rigoroso. Os "veteranos" trataram de dar aos novos recrutas uma vida de dureza. Fazíamos uma quantidade pavorosa de exercícios, além de treinamento físico e intermináveis corridas de obstáculos, de modo que todas as noites caíamos exaustos em nossos beliches, e acabamos totalmente em forma no final. Aprendemos a usar todos os tipos de armas disponíveis no Exército britânico, mas eu havia crescido rodeado por elas. Meu pai me deu minha primeira espingarda, uma 410, quando eu estava com oito anos. Ela tinha uma coronha especialmente curta, de maneira que eu conseguia colocar meus braços em sua volta, e ainda a tenho pendurada na parede.

Meu pai mantinha rigorosa disciplina com as armas de fogo. No campo, não se tem aquele "é, talvez" — tudo é preto no branco. Cresci num mundo de certezas morais e fui preparado para fazer as coisas certas. Ele me ensinou a respeitar os homens e os animais. Abatíamos pássaros para nos alimentar, e não por esporte. Aprendi a atirar em pombas de barro, e em pouco tempo eu mesmo as jogava para o alto, apanhava a arma e as abatia antes que caíssem no chão.

Os disparos com os rifles do Exército eram bem diferentes, mas eu logo peguei o jeito e comecei a acertar os alvos em distâncias de até quase seiscentos metros.

No fim de um dia particularmente longo de treinamento físico, nós estávamos na área de treino de Winchester. Apertei o gatilho do rifle Lee-Enfield .303, senti a pressão e acertei o olho do touro no alvo, sem problema.

Os sujeitos que operavam os alvos ficavam escondidos atrás de um monte de terra. Eles apontavam os tiros com uma longa vara que tinha um disco branco de uns trinta centímetros na ponta. Quando o sujeito levantou sua vareta de forma hesitante em direção ao alvo, para marcar o meu tiro, puxei o ferrolho e atirei no disco branco próximo a sua mão.

O homem do alvo não passou por perigo algum, mas tenho vergonha de admitir que estava me exibindo. Recebi uma severa reprimenda, mas me tornei popular entre os soldados rasos. Acabei virando uma "estrela" por conta de minha destreza na arte do tiro e passei a usar uma insígnia em meu uniforme para comprová-la.

O treinamento com baioneta era apavorante. As baionetas são conhecidas como "espadas" na Brigada do Rifle. Estávamos sendo preparados para matar pessoas a uma distância em que se podia sentir a respiração de um homem e observar se ele havia feito a barba pela manhã. Recebíamos ordem para correr em direção a efígies humanas, a uma distância de quase trinta metros, gritando e esbravejando ao atacar. Enfiávamos a lâmina em suas vísceras, puxávamos de volta e virávamos o rifle de cabeça para baixo, de modo que fosse possível golpear seus corpos enquanto passávamos.

O sargento Bendle nos olhava com reprovação. Ele era um homem atarracado, baixo e forte.

— Mais alto, mais alto — bradava ele contra nós, até ficar com o rosto vermelho. E não se sentia feliz enquanto não gritássemos tanto quanto ele.

Era guerra psicológica, e gritar nos ajudava a enfrentá-la, mas ainda tínhamos de repetir tudo aquilo inúmeras vezes, até que atingíssemos a proficiência. Eu sabia que entre mim e o outro camarada, não seria eu a estrebuchar em agonia.

A esgrima homem a homem com as baionetas era melhor porque, pelo menos, parecia um esporte. Com um mecanismo de mola, fixávamos espadas aos rifles, com um enfeite protetor na borda pontiaguda. Se levássemos um golpe sem que ela estivesse bloqueada, a lâmina deveria se retrair, mas os soldados davam um empurrão a mais, depois da parada, provocando uma terrível dor nas entranhas. Era uma forma de lembrar o que estava em jogo, caso alguém baixasse a guarda.

Após Winchester, fomos para Tidworth, na planície de Salisbury. Lá, tinha um oficial que era especialmente popular com a rapaziada. Ele era um sujeito muito garboso, muito bem-apessoado com seu bigode escuro e cabelo engomado. Na época, ele era segundo-tenente, creio eu, e ótimo oficial, mas era mais conhecido entre nós como Raffles, o ladrão cavalheiro. O filme havia sido lançado pouco antes da guerra e os cartazes ainda estavam expostos. O oficial era David Niven, o agradável e sofisticado ator de cinema.

Assim que terminamos um exercício, reunimo-nos à volta dele para uma sessão de interrogatório, pois todos queriam saber as fofocas do mundo encantado do cinema. Ele se sentia à vontade com os fãs, mas havia treinado em Sandhurst antes da guerra, e agora estava se readaptando à vida militar. Ele contracenara com Olivia de Havilland, em *Raffles*, mas falou mais sobre Ginger Rogers, sua parceira em *Bachelor Mother*,[1] e todos sabiam de quem se tratava. Já se passara um bom tempo de conversa e brincadeira quando um dos rapazes disse animadamente:

— Aposto que o senhor preferia estar em qualquer outro lugar que não aqui.

Houve um momento de silêncio, e ele então falou:

— Vamos dizer que em breve estarei alisando os peitos da Ginger.

Na quarta semana de maio de 1940, a realidade bateu, e centenas de soldados foram especialmente selecionados para marchar em direção à estação de trem de Tidworth, sem saber o motivo. Sabíamos que as coisas não iam bem na França. Fui encarregado de mais ou menos vinte homens e fiquei responsável pelo armazenamento dos morteiros, dos rifles e das metralhadoras Bren.

Após uma hora, o trem chegou, levantando nuvens de fumaça e vapor. Subimos junto com os civis e começamos nossa jornada rumo à costa.

A Força Expedicionária Britânica estava em séria dificuldade, Calais estava sitiada, e o cerco germânico se apertava. O 1º Batalhão foi fixado ali, e nossa unidade do 2º Batalhão ficou de sobreaviso para socorrê-lo se fosse necessário.

Sentamos ali, no lado errado do Canal. Olhando para a intensa luz do litoral sob a proteção da Inglaterra, era difícil imaginar o desastre que se desenrolava do outro lado daquela estreita faixa de água, mas podíamos ouvir o impacto das grandes artilharias — um som apavorante, melancólico.

O 1º Batalhão estava há apenas dois ou três dias na França, esforçando-se para manter o porto de Calais aberto e para ajudar o nosso exército a escapar. Eles opuseram uma firme resistência e lutaram até a última munição de suas armas. Um punhado de sobreviventes foi trazido de volta pela Marinha Real, e o restante foi morto ou capturado.

[1] No Brasil, *Mãe por acaso*.

Tempos depois, Winston Churchill lhes agradeceria. Ele afirmou que sua ação havia desmantelado pelo menos duas divisões armadas da Alemanha, enquanto os "pequenos navios" apanhavam muitos homens em Dunquerque.

Nossa entrada representaria um suicídio. Teríamos sido aniquilados dentro d'água. Felizmente, os comandantes compreenderam isso, e o plano foi abandonado. Se é que eu tinha um anjo da guarda, ele apareceu novamente. Eu contaria esse como o meu segundo golpe de sorte, depois da tentativa frustrada de ingressar na RAF.

No final, eu entraria no continente europeu, mas como prisioneiro.

Em seguida, partimos para o norte, rumo a Liverpool, ao campo Aintree Racecourse, lar da famosa corrida de cavalos Grand National, que agora era um mar de soldados à espera de seu despacho sabe-se lá para onde.

Dormíamos ao relento e mesmo no começo do verão acordávamos com o corpo dolorido e o saco de dormir molhado de orvalho. Adormecer na Curva do Canal, um dos principais obstáculos da pista de turfe, com sua grande cerca em noventa graus a ser saltada pelos competidores, era uma alegria para um rapaz que tinha vivido cercado de cavalos na fazenda. Três semanas depois, mudamo-nos para um grande prédio público e, finalmente, saímos da umidade.

Foi ali que encontrei Eddie Richardson pela primeira vez. Ele era um companheiro agradável, oriundo de uma tradicional família de militares, e nós o chamávamos de Eddie Regimental, "Reggie", para simplificar. Ele era muito educado, talvez um tanto elegante se comparado ao resto da tropa, e nós dividimos o quarto. Meses depois, ele passaria por problemas no deserto, na mesma ocasião em que minha sorte virou infortúnio.

O treinamento em Liverpool assumiu dimensões diferentes. Estávamos sendo preparados para o combate casa a casa, em ruas destinadas à demolição. Aprendemos a esmerada arte de fazer e atirar coquetéis Molotov, garrafas de vidro cheias de combustível. Adquirimos maestria com a bomba Mills, uma granada de mão com uma carapaça segmentada de aço e a aparência de um pequeno abacaxi. Nos meses seguintes, eu obteria grande familiaridade com ambos. Eles eram maus e simples. Era possível alterar o comprimento do estopim, para ganhar três, sete ou nove segundos antes da detonação, mas era preciso calcular o tempo corretamente. A última coisa que se desejava era receber o artefato de volta, atirado pelo adversário. Era puxar o pino, correr e atirar com um movimento firme do braço enquanto se caía de estômago no chão. Se você não explodisse junto, a granada acabaria criando um grande buraco onde a explosão seria relativamente contida. Quando eu tinha 16 anos, era capaz de atirar uma bola de críquete a uma distância de quase cem metros. Aquilo também era um jogo.

Quando partimos de Liverpool, no *Otranto*, sabíamos que estávamos deixando a Grã-Bretanha num estado lastimável. A França caíra sob domínio alemão em junho, a Itália tinha declarado guerra aos Aliados, havia batalhas aéreas entre a Luftwaffe, a força aérea alemã, e a RAF no sul do território inglês, e a própria Batalha da Inglaterra estava só começando.

Assim que subi no navio, observei que as suas duas chaminés escuras lançavam bastante fumaça no ar e tudo na brisa a minha volta era o som caótico de homens à procura de um ancoradouro. Alguns carregavam as suas mochilas de lona e procuravam as cabines, outros chamavam pelos companheiros e tentavam se achar dentro do barco. Abaixo de nós, iam os veículos e o equipamento pesado.

Les Jackson estava lá desde o começo. Ele era cabo, na época soldado regular — um sujeito de primeira, com um brilho especial nos olhos e um malicioso senso de humor. Era mais velho do que a maioria, tinha mais de trinta anos, mas criamos um laço desde o princípio e ficamos juntos até o final também. Dezoito meses depois, eu estaria junto com ele, quando nos deparamos com uma linha de tiros de metralhadora.

Les me apresentou sua família, em Liverpool, e eu fiquei encantado com sua irmã, Marjorie. Ela era uma garota loira muito atraente, com um leve sotaque da cidade, gentil e boa dançarina. Saí com ela algumas vezes, mas éramos a inocência personificada. Naquele tempo, era possível caminhar durante horas com uma garota até chegar a sua casa, no final da noite, e o máximo que se podia esperar era um beijo no rosto. Mesmo assim, era especial. Aquela família me recebeu com enorme hospitalidade. Ele gostava de suco de frutas, o Les querido, mas ainda demoraria cinco anos para que eu cruzasse a soleira daquela porta outra vez e o levasse para tomar uma cerveja, e não seria uma ocasião feliz.

Eu tinha pendurado o retrato de Marjorie na parede da minúscula e sufocante cabine do piso inferior que eu dividia com outros quatro soldados, mas ele não era o único. Eu tinha um monte de namoradas, e uma grande coleção de retratos, naquela época.

Eu dormia na parte de cima do beliche, e Bill Chipperfield, embaixo. Ele era uma pessoa modesta e vinha de uma família muito pobre do Sul; era honesto e sempre foi uma boa companhia. Havia ainda outros dois rapazes, mas os pobres-diabos tinham de dormir no chão. Estávamos amontoados como sardinhas, e era impossível se mexer no escuro sem pisar em alguém.

Antes do embarque, ganhamos uma folga de 24 horas para voltar para casa, embora eu tenha passado a maior parte desse tempo indo e voltando. Minha família vivia mais ao sul, no povoado de North Weald, em Essex. Eles eram fazendeiros bem-sucedidos, e, graças a isso, nunca passamos necessidades e eu pude ter uma infância confortável no campo.

Minha mãe chorou bastante enquanto me beijava durante nossa despedida. Posei para fotos com minha irmã, Winifred. Ainda tenho aquela fotografia, seu cabelo escuro, ondulado, flutuando na brisa. Ela usava um vestido tricotado e um colar de contas no pescoço. Eu estava de uniforme, calças cingidas no alto, minha jaqueta curta amarrada na cintura e um quepe adornado com estilo no topo da cabeça. Ao dizer adeus, não me ocorreu que eu poderia não triunfar. Eu me achava capaz de cuidar de mim mesmo. A juventude é assim. Winifred guardou suas emoções em local profundo. Não sabíamos o que a guerra iria trazer, então para que nos preocuparmos?

O único que sabia, mas não disse nada, foi meu pai, George. Ele combatera na Primeira Guerra Mundial e sabia o que vinha pela frente: lama, sangue e desventura. Ele apenas apertou minha mão e me desejou sorte. Era um homem bom, orgulhoso, e tinha os cabelos espessos e escuros — um cristão com elevados valores morais, e músculos salientes para defendê-los. Meu pai jamais demonstrou muito ardor, mas parte do que aconteceu depois eu devo a ele, porque me fez crescer com a ideia de que os princípios devem ser postos em prática. Ele foi funcionário da municipalidade numa época em que o posto representava respeito e onipotência locais, mas se tornou popular no vilarejo pela disposição de ajudar qualquer um que estivesse em dificuldades. Eu soube mais tarde que ele pagou do próprio bolso os impostos de alguns dos residentes mais pobres.

Meu pai achava difícil demonstrar afeição em casa, e distribuía elogios com parcimônia. Quando ganhei um cobiçado prêmio esportivo na infância, tudo o que ele disse foi "Muito bem, rapaz", e jamais voltou a tocar no assunto. Só me dei conta do quanto ele pensava em mim após a guerra. Logo depois que parti, ele também se alistou para combater, mentindo sobre sua idade. Eu fiquei sabendo, mais tarde, que ele sempre perguntava por mim em todos os lugares em que estacionava, tentando descobrir onde eu estava. Acho que ele tinha a ilusão de poder tomar conta de mim, mas nós nunca nos encontramos. Ele foi capturado em Creta e levado a realizar trabalhos forçados na Alemanha, construindo uma ferrovia nas montanhas, apesar de ter tido pneumonia. Ele passou a maior parte do tempo atirando parafusos e porcas morro abaixo, para provar que não se abatera. Ele às vezes era temperamental, tudo bem. Deve ter sido com ele que aprendi.

De volta ao convés, observei a tripulação se preparando para as ameaças que vinham pela frente, submarinos e minas presentes sob as ondas, esperando para abrir um buraco no nosso bordo e nos mandar para o fundo. A única proteção verdadeira contra as minas era o paravane, mecanismo em forma de torpedo com barbatanas afiadas. Apoiado na balaustrada, eu o via sendo baixado pelo lado, para dentro das ondas.

O objeto, que se parecia com um tubarão, ganhou vida no contato com a água, e as barbatanas o puxaram para baixo e para longe da embarcação. O seu cabo pesado foi desenrolado até uma distância que parecesse boa e ficou paralelo ao navio. Esse cabo se destinava a arrancar as minas de seus ancoradouros, para que fossem metralhadas quando atingissem a superfície ou para que deslizassem por ele até se chocar contra o paravane, explodindo numa torre de água branca, mas poupando o navio. Isso nos confortava.

Eu ficava fascinado com aquelas geringonças. Sempre gostei de brincar com automóveis e motocicletas, mas me deixava encantar pelos conhecimentos de engenharia quando ainda estava na escola. Mesmo naquela época, eu era irrefreável, e tinha de dar as ordens o tempo inteiro. Sempre foi assim. Ainda na infância, eu tinha meu próprio exército, e nós marchávamos com armas de verdade nos ombros, mas sem munição. Eu me tornei o líder da escola; tinha força para controlar os valentões, e controlava. Tempos depois, minha mulher, Audrey, brincava comigo dizendo que eu havia me tornado um valentão. Acredito que ela estivesse brincando. Eu era certamente destemido.

Passei para o Leyton Technical College, a leste de Londres, e fui bem. Em 1933, na época em que Hitler se tornou chanceler da Alemanha, subi ao palco do Leyton Town Hall para receber um prêmio pelos meus estudos, das mãos de um homem que estava de pé atrás da mesa. Eu tinha apenas 14 anos e deveria ter ficado um pouco mais impressionado com ele. Tratava-se de Siegfried Sassoon, poeta e soldado da Primeira Guerra Mundial, então com seus quarenta e poucos anos, cabelos ainda escuros, que cobriam sua testa alta. Ele me disse algumas palavras de congratulações e me entregou dois volumes cor de vinho, com um escudo e uma espada em relevo dourado. Eu tinha escolhido os livros de Robert Louis Stevenson e Edgar Allan Poe.

Aquilo foi há muito tempo. A bordo do navio, a terra firme se dissipava na névoa esfumaçada. O mundo civilizado que eu conhecera até então, com suas regras e costumes, seu senso de decência, também se esvanecia lentamente.

Capítulo 2

Les Jackson sempre soube qual era a menor distância entre dois pontos; ele era esse tipo de sujeito. Assim que o *Otranto* ganhou o mar, ele entrou em nossa cabine, passando sobre os corpos que dormiam no chão e acordando-os do mesmo jeito. Ele olhou para a fileira de garotas que eu havia pregado na parede, inclusive sua irmã Marjorie. Fiquei esperando no mínimo um comentário sarcástico, mas não veio. Ele sabia da minha queda por Marjorie, mas tinha outra coisa em mente.

— Avey, tenho um trabalho para você. Limpeza dos vasos sanitários.

— O quê? Você não pode estar falando sério, meu velho.

— Vai valer a pena.

Ele convenceu Eddie Richardson também. Eddie era um sujeito de escola pública que mal conseguia pronunciar as palavras "vaso sanitário", que dirá limpar um. Quando ele descobriu que a arma a ser usada era a escova de lavar a privada, não ficou satisfeito, mas Les estava certo. Meia hora de limpeza diária dos banheiros nos garantia uma festa digna de um rei. Sanduíches de ovos com bacon — tantos quantos pudéssemos comer. Esplêndido. Para ser mais exato, também ficamos desobrigados de todas as demais tarefas, durante a viagem inteira. Les era um ótimo operador. Ele navegava sempre a favor do vento.

Naquele dia, 5 de agosto de 1940, 17 navios tinham zarpado. Um deles retornou com problemas no motor. Todos os demais lançaram o seu vapor pelo mar da Irlanda, com sua escolta naval. Ainda não tínhamos ideia do nosso destino; essa informação era restrita, inclusive para nós. Mal nos afastamos da terra firme quando escutamos o som vibrante de uma sirene, que trespassou o ar acima da pulsação firme das máquinas. Era um alarme de U-boat, submarinos alemães que torpedeavam as embarcações por toda a região do Atlântico. Dentro do navio, houve uma explosão de atividade, com homens correndo em todas as direções. Abri caminho no meio daquela confusão, para chegar até minha posição de embarque nos botes salva-vidas. Homens com as feições pálidas perscrutavam as ondas em busca de um periscópio ou, pior ainda, de um torpedo. Eu via os sinais de luz emitidos pelo *Otranto* desenhando formas cinzentas no horizonte. Conforme o tempo passou, arrefeceu o estado de alarme, pois nada se viu. Ainda nos deixaram de sobreaviso durante horas. Em seguida, a vida no navio entrou em sua rotina monótona.

Acordei de um sono profundo com uma puxada violenta no braço. A cabine estava cheia de soldados barulhentos, e eu fui empurrado de meu beliche.

— Acorde, Avey, temos algo para você. É hora de ganhar seu dinheiro — ouvi alguém dizer.

Antes que eu pudesse me concentrar direito, fui carregado no meio da multidão de uniformes. A minha volta, os homens cantavam e gritavam com bom humor.

— Essa eu quero ver — comentou alguém. — Espere só até ele olhar para este sujeito.

Eu sabia que estava sendo levado para algum lugar, provavelmente para o sacrifício. Andamos por corredores estreitos, passamos por incontáveis portas de cabines e subimos as escadas até o convés. A brisa do mar tocou meu rosto e eu finalmente acordei. Fui levado pelo convés e passei pelos botes salva-vidas, que ficavam pendurados com suas tiras e remos lembrando gigantescos bocais em forma de tubo dos velhos telefones. Descemos para a popa. A minha direita, um rapaz de rosto sardento socava o ar animadamente. Comecei a pintar o quadro.

Vi um ringue de boxe na traseira do convés, com todas as cordas. Um mastro enorme ficava sobre ele. Correu a fama de que eu era pugilista e de que, naqueles dias, eu teria lutado com qualquer um a qualquer hora, dentro ou fora do ringue. Em geral, eu vencia, mas costumava conhecer meu adversário.

Calçaram minhas luvas antes que eu tivesse olhado para ele, e logo percebi que haviam montado uma armadilha para mim. Ele avançou para o ringue. Não era muito alto, talvez tivesse um metro e oitenta, mas tinha boa compleição e força. Era membro do grupo Black Watch, regimento vigoroso de Highland, e ficou claro que se esperava que eu levasse uma surra.

Sem dúvida, ele era lutador, possivelmente pugilista profissional, mas, enquanto eu me preparava, olhei com firmeza para ele, e meus nervos se acalmaram. Ele tinha cicatrizes nas sobrancelhas, orelhas de couve-flor e nariz achatado. Qualquer um que tivesse apanhado daquele jeito ou não era bom ou não era rápido. Alguém havia sido mal-avaliado, e não fora eu.

Desde menino, eu frequentava clubes de boxe e era rápido. Enquanto eu era ágil, ele se desajeitava no ringue. Quase levei alguns socos, mas tive força na esquerda com um golpe rápido seguido de um gancho esquerdo afiado. Não bati na cara dele, mas na metade do segundo round dei uma pancada com toda a força na base do seu esterno e ele caiu, ofegante, com dificuldade para respirar. Terminou.

Depois disso, fiquei no convés para ver a ação, mas não foi bom. Um oficial do grupo Black Watch logo foi induzido a lutar com um de seus próprios homens. Ele era visivelmente impopular e hesitou bastante — e com razão. Quando ele finalmente entrou no ringue, foi golpeado sem piedade, coitado.

Fora isso, a maior parte das lutas de boxe a bordo foi justa e amigável. Eu sempre lutava alguns rounds com Charles Calistan, o velho e querido Charles. Ele fez o treinamento comigo, e nós nos gostamos assim de cara. Ele era um homem bonito, com uma vasta cabeleira escura e ondulada, um anglo-indiano que falava urdu e que demonstrou depois ser um verdadeiro herói. Ele deveria ter recebido a Cruz Vitória. Ele também era um pugilista talentoso, e eu sempre boxeava com ele a bordo.

Ao cabo de 11 dias, lançamos âncora em Freetown, Serra Leoa, primeiro pedaço de terra que avistamos desde que partimos das Ilhas

Britânicas. Estava claro que iríamos circundar o cabo e seguir para o norte, rumo ao Egito. Dois dias depois, e sem que tivéssemos colocado os pés em terra, navegamos de novo para a Cidade do Cabo, onde avistei a Table Mountain, montanha de topo plano, tão familiar nas aulas de geografia da escola, e ousei acreditar, por um breve instante, que o paraíso era possível.

Era bom pisar novamente em terreno seco, e era a primeira vez que eu colocava os pés num país estrangeiro, sem contar uma viagem de críquete que fiz a Sheffield. A Cidade do Cabo era muito fria naquela época do ano, mas era um lugar fascinante. No cais, fomos divididos em grupos. Eddie, eu e outros dois camaradas fomos entregues a um ricaço sul-africano branco de meia-idade, de terno claro e carro escuro. Ele se inscrevera como voluntário, para mostrar a cidade aos rapazes.

Tudo era novo para mim. Eu tinha visto um único homem negro anteriormente, que vendia alguma coisa no mercado de Epping. Ele era propenso à verborragia. Disse que podia olhar diretamente para o sol sem prejudicar os olhos.

Como primeiro gostinho do estrangeiro, a Cidade do Cabo fez a sua graça, e nós ficamos na boa vida, depois de termos vivido engaiolados os quatro numa cabine projetada para dois. O homem do terno alinhado nos levou para uma residência colonial num grande terreno e sugeriu que usássemos os chuveiros do lado de fora, ligados à piscina. Isso fez Eddie se perguntar se estávamos fedendo tanto. Após semanas a bordo, tomando banho de mangueira com água do mar, fiquei debaixo daquele jato de água fresca e limpa e senti que os dias de sal e suor tinham sido escoados. Para mim, foi muito difícil sair do chuveiro.

Mais tarde, naquele mesmo dia, como cortesia de nosso guia, entramos num dos restaurantes mais finos que tínhamos visto, bem no coração da cidade. Lá, no teto acima das nossas cabeças, havia um céu inteiramente projetado, com nuvens que se moviam. Ficamos pasmos, e tivemos uma refeição decente para completar o dia.

No fim de quatro dias, demos adeus à Cidade do Cabo. A Table Mountain se desfigurou numa silhueta, e o comboio partiu mais uma vez, levando o *Otranto* como uma de suas dez unidades, para circundar o cabo e subir a costa leste da África. Chegamos à ilha vulcânica de Perim, na entrada do mar Vermelho, no dia 14 de setembro. Dali, iniciamos a última etapa da jornada, na escuridão e ainda protegidos por quatro navios de combate. Em pouco tempo, estaríamos ao alcance dos aviões italianos e das forças navais que operavam em Massawa, na Eritreia. Todas as luzes do *Otranto* foram apagadas, fazendo com que a tripulação se locomovesse desajeitadamente dentro do navio. O apagão foi completo, mas o céu noturno estava todo estrelado, e, nas águas fosforescentes do golfo de Aden, reconheci o contorno ameaçador de uma gigantesca arraia manta.

Nós éramos reforços muito necessários. Ancorados em porto Taufiq, na entrada do canal de Suez, circundados por navios de guerra, frotas mercantis, rebocadores enferrujados que soltavam fumaça negra lado a lado com barcos árabes a vela e pesqueiros, fomos levados até Genefa, um amplo campo de tendas, próximo aos Grandes Lagos Africanos. A batalha contra a sede começara, mas havia imensos potes de barro colocados em toda a extensão do campo, grandes o bastante para afogar um sargento e totalmente cheios de água fresca. Essa era a boa notícia. A má era que fomos postos para marchar, no dia seguinte à nossa chegada, por quarenta quilômetros dentro do deserto e em torno de uma área pedregosa e estéril, apelidada de "A Pulga". Alguém achou que precisávamos de distração.

Quando eu ainda estava na Inglaterra, apunhalando bonecos de palha com espadas, o 2RB, como nós denominávamos o 2º Batalhão, tinha sido mandado para o deserto.

O ditador italiano Benito Mussolini ainda não havia declarado guerra, mas estava quase. Durante seis semanas, Mussolini fez discursos bombásticos, e o batalhão ficou à espera, sem ter o que fazer. Lembro-me de ter visto uma fotografia numa revista mostrando alguns desses soldados de elite pulando sobre uma fileira de baionetas bem-afiadas, e de ter dito para mim mesmo que sempre existe o imponderável.

No dia seguinte à declaração de guerra, a 7ª Divisão Blindada, que incluía o 2º Batalhão, dirigiu-se imediatamente para a fronteira da Líbia. Não era a força mais moderna do mundo. Alguns dos carros blindados ainda eram os velhos Silver Ghosts da Rolls-Royce, que Lawrence da Arábia havia utilizado durante a Primeira Guerra

Mundial, mas eles rapidamente tomaram postos avançados ao longo da fronteira.

Mussolini fez seu primeiro movimento real quando nosso comboio se preparava para a travessia do mar Vermelho. *Il Duce*, como era chamado, percebeu o que a Alemanha havia conseguido na Europa e queria um pouco de ação para si mesmo. Ele mirava o Nilo, o canal de Suez e as rotas de suprimento britânicas para a Índia e além. Ele ordenou ao marechal Graziani — alcunhado de "Carniceiro do Deserto" por conta de sua selvageria no massacre de uma rebelião árabe — que atacasse o Egito e os britânicos. No dia 13 de setembro de 1940, 85 mil soldados italianos foram despejados no Egito, vindos da Líbia, e a força britânica, muito reduzida, foi obrigada a se retirar. As tropas italianas não descansaram até chegar a Sidi Barrani, um assentamento no litoral, cerca de uns cem quilômetros Egito adentro. Il Duce logo declarou na sua propaganda por radiodifusão que eles agora tinham bondes andando pela cidade novamente. Bondes? Eles não sabiam nem soletrar essa palavra. O lugar tinha apenas um punhado de prédios e um conjunto de cabanas de barro. Jamais tiveram uma estrada apropriada, que dirá uma linha de bonde.

Os italianos construíram uma cadeia de posições fortificadas e elaboradas, começando na costa e avançando para o sudoeste, em profundidade, dentro do deserto. Seus campos tinham nomes românticos, aromáticos — Tummar, Rabia e Sofafi —, como se estivessem dispostos numa prateleira de especiarias. Agora, eles eram 250 mil, e nós chegamos para ajudar as forças aliadas, que eram muito numerosas no ar, mas que, em terra, contavam com um total de apenas cem mil.

O Cairo foi nosso último interlúdio antes que a guerra se tornasse real, a última chance para relaxar antes que a verdadeira dureza começasse, o processo que iria me preparar bem para o cativeiro e para tudo o que se seguiu. Eu, Charles Calistan e Cecil Plumber saímos para descobrir os dúbios deleites da cidade, e fomos acompanhados por alguns soldados mais velhos que sabiam andar por lá. Cecil era um sujeito atencioso, com uma testa larga e um olho arguto. Eu o conhecia como brilhante defensor de meu time local de críquete, em Essex. Agora, aqueles dias animados nos campos do vilarejo tinham ficado para trás. Em vez de melros e cotovias, gaviões negros cruzavam o ar de uma cidade tão exótica quanto misteriosa, que estava apinhada de soldados aliados: neozelandeses, indianos e australianos, assim como britânicos.

Uma carroça puxada por cavalos nos ultrapassou, carregada de rapazes vestidos de roupa cáqui, todos muito bem-humorados e prontos para uma boa noitada. Fiquei penalizado ao ver a aflição dos animais presos entre as hastes. Os rapazes se ergueram à nossa frente, gritaram "Três brindes ao condutor da carroça", e fugiram sem pagar.

Havia camelos levando cargas improváveis, burros sendo fustigados com varas por montadores cujos pés tocavam o chão, e em todo lugar havia meninos de rua pedindo "Baksheesh, baksheesh". Garotos pequenos vendiam berloques de valor duvidoso. Outros nos pressionavam para comprar sucos de frutas de aspecto estranho e figos de segunda categoria. Um bonde empoeirado se chacoalhava com velocidade, soltando faíscas de suas rodas. Havia uma névoa amarelada por toda parte, uma mistura de fumaças e partículas de areia que corriam pelo ar, sendo que tudo era acentuado pelo cheiro do esgoto a céu aberto.

Andando por uma rua barulhenta, onde veículos puxados por cavalos brigavam com os caminhões pelo espaço, chegamos ao Melody Club. Ele era chamado de Sweet Melody, Doce melodia. Certamente, por alguém com senso de humor. A entrada era coberta por duas cortinas escuras bolorentas, embora do lado de fora houvesse luzes azuis da rua e lâmpadas que brilhavam das janelas e das portas ao redor. Quando passei pela primeira cortina, tropecei em alguma coisa que parecia estar dentro de um saco, no chão. Na escuridão, reconheci o corpo de um soldado australiano inconsciente, junto aos meus pés.

Passamos pela segunda cortina e chegamos à luminosidade fraca e fumarenta de um bar sombrio. Uma banda estava tocando no minúsculo palco que ficava atrás de uma barreira de arame farpado. Ela era necessária. O grupo tentava se fazer ouvir naquela atmosfera estridente. O lugar estava lotado, com rapazes prestes a partir para o deserto em busca de alguma diversão. Havia buracos de bala no teto e sabe-se lá o que mais no chão. Normalmente, os australianos eram acusados dessas coisas. Eram homens de primeira classe no deserto, mas, no Cairo, bêbados, podiam ser os piores.

Havia uma excitação destrutiva no ar. Aquele lugar não servia para relaxar. Assim que pegamos nossos drinques, ouvimos gritos vindos de uma mesa no canto. O rapaz, no meio da comoção, apanhou uma cadeira e ergueu-a na parte de trás da cabeça, para jogá-la sobre outra mesa de pândegos. Um de seus companheiros conseguiu detê-lo com um gancho de direita. Ele talvez estivesse concluindo uma disputa anterior, ou impedindo uma briga pior. As coisas se acalmaram, e o atirador de cadeiras inconsciente foi levado para fora, onde se juntou ao sujeito que bloqueava a entrada. Os demais ajeitaram as cadeiras e seus uniformes, e o ruído voltou aos seus níveis estrepitosos iniciais.

Os oficiais iam automaticamente para os bares do famoso hotel Shepheard, onde se reunia a alta sociedade do Cairo. Meros cabos, como nós, tinham de vestir-se muito bem para serem admitidos. O conforto do bar do terraço era outro mundo. Um homem de terno tocava um piano digno; poltronas de vime ficavam dispostas sobre o piso de cerâmica; garçons egípcios vestidos com longas túnicas serviam drinques em bandejas brilhosas que equilibravam em uma das mãos. Era bem melhor. Eu era cabo, na época, e estava mais para líder do que para seguidor. Decidi conquistar minha promoção a um posto superior, e o Shepheard era o tipo de vida que eu queria.

Mais tarde, no alegre atropelo da noite, atravessamos a Ponte Inglesa sobre o Nilo, guarnecida por quatro enormes leões de bronze.

— Viu aquilo? — disse um dos rapazes. — Toda vez que uma virgem atravessa a ponte, eles rugem, observe.

Houve uma gargalhada desconfortável. Com a aproximação da ida ao deserto, as conversas sobre garotas se tornaram infindáveis. O fato de sabermos que muito em breve seríamos confrontados com tiros nos corroía. Não é de surpreender que se falasse tanto em sexo. A maioria era virgem e não se importava de admitir. Eu tinha 21 anos e não cogitava o sexo antes do casamento. Hoje em dia, as pessoas não acreditariam. Muitos rapazes estavam no mesmo barco. Já tínhamos idade para morrer, mas sexualmente ainda éramos inocentes. Eu era muito saudável e ficava totalmente exausto ao final de um dia de treinamento, de modo que não pensava nisso. Para uns, era uma verdadeira obsessão.

Um nome de rua estava sempre na boca dos soldados. Berka era onde se concentrava a mais antiga profissão, no Cairo. Era um lugar fora dos limites para qualquer um, circundado por grandes placas brancas e cruzes negras, que sempre sofria investidas da polícia militar. Nada disso impedia os rapazes, mas de alguma forma aquilo me ofendia. Eu entendia que os jovens prestes a entrar em ação quisessem passar por lá antes, mas aquilo me assustava, e eu nunca os acompanhei. Então, na véspera de partir para o deserto, compreendi bem no fundo que estava começando a me fechar. Uma distração poderia acarretar um tiro, e eu estava decidido a sobreviver, independentemente de tudo o que atirassem contra mim. Isso exigia concentração.

— Peguem seus papagaios e macacos, está na hora de partir.

A ordem soava cômica, mas sabíamos o que representava. Estávamos partindo para o deserto. Eles chamavam isso de ir "para o azul" porque era um mar exótico, seco, um lugar assombroso para um menino que vinha de um país verde e chuvoso. Íamos nos reunir à 7ª Divisão Blindada, resiliente e nômade, os Ratos do Deserto.

O trem vagaroso passou por estações de nomes muito engraçados, como Zagazig. Em seguida, foi para o oeste, ao longo de dunas deslumbrantes de areia branca bordejadas por um mar azul cristalino, cruzou um posto de treinamento chamado El Alamein, cujo nome não significou nada para nós naquele momento, e uma estação chamada Fuka, que despertou muito mais comentários.

Chegamos a Mersa Matruh, onde os britânicos haviam se posicionado, criando uma fortaleza e vivendo uma existência troglodita, em antecipação ao posterior avanço italiano. Estávamos ali para aborrecer os italianos, então entramos no deserto com mais profundidade. A precária estrada para o sul logo se alargou, à medida que os comboios de caminhões derrapavam nos trechos mais espinhosos.

Minha fantasia sobre dunas de areia ondulantes, esculpidas pelo vento, foi substituída por uma dura realidade: árida e inóspita, com eventuais arbustos e áreas de areia monotonamente colorida. Era conhecida como "país de mingau", e aquele seria o nosso cenário de batalha.

Uma imensa escarpa de grande importância estratégica dominava a paisagem. O Haggag el-Aqaba, de quase duzentos metros de altura, corre paralelamente ao mar, a leste de Sollum, onde suas colinas de pedra se projetam sobre o Mediterrâneo, com as curvas acentuadas da passagem de Halfaya. Os ingleses já haviam se envolvido em conflitos por ali, pois os italianos seguiam avançando. Nós a rebatizamos de Passagem do Fogo do Inferno.

O batalhão averiguava as posições italianas com patrulhas noturnas. Eu estava na Companhia B, e, no final de outubro, começamos a cortar fios telegráficos e estradas minadas, a fim de deter os reforços italianos que vinham dar assistência às remotas fortalezas do deserto.

Eu começava a compreender melhor o deserto, sentindo a imensidão da África com seus 180 graus de céu e temperaturas diurnas muito elevadas, que podiam despencar para níveis quase congelantes quando deitávamos na noite cravejada de estrelas. Não havia como escapar das tempestades de areia. O vagalhão de areia formado pelo *khamsin* pode chegar a uma grande altura, a ponto de esconder o sol, como se fosse uma montanha móvel, e é capaz de arrancar pedaços da pintura de um automóvel como se fosse um sopro de limadura quente. Os grãos de areia em movimento penetram as roupas e pinicam. Durante as tempestades de areia, é necessário se cobrir. A única água disponível era a dos velhos poços e cisternas, sendo que alguns remontavam à era romana. No melhor dos casos, a água era salobra, mas numa ocasião nos deparamos com um burro morto boiando. Aquilo espantou nossa sede, mas não por muito tempo.

Quando a noite caía, nós fazíamos um cerco estacionando os veículos, principalmente caminhões e carregadores de metralhadoras Bren, num imenso quadrado defensivo. Vigias eram postados no lado de fora, e eram trocados a cada duas horas, enquanto os demais tentavam dormir nas noites que ficavam cada vez mais frias. Não havia fogueiras na escuridão, apenas casacos pesados para aquecer, caso se tivesse algum.

Ao cabo de alguns meses, passei a conhecer muito bem o carregador de metralhadoras Bren. Ele era um veículo blindado cortante e estreito, totalmente aberto, com um poderoso motor Ford V-8 no meio. Havia espaço para uma e às vezes duas metralhadoras Bren na parte de trás, e tinha um rifle antitanque Boys manejado pelo comandante, que se sentava no banco da frente ao lado do motorista.

A oleosa parte de baixo do blindado também se tornou bastante familiar para mim, pois toda noite eu cavava um buraco na areia, estacionava o carro sobre ele e me contorcia para entrar ali, buscando proteção contra estilhaços, bombas e tiros. Então, esticava o meu saco de dormir, que não era nada além de um grosso cobertor enrolado num lençol de plástico, conferia se o meu revólver .38 estava comigo e se as granadas estavam ao alcance das mãos, e deitava a cabeça.

Éramos acordados antes do raiar do dia com o chamado do guarda, e uma pancada da cabeça contra o fundo oleoso do blindado geralmente dava início ao meu dia. O campo despertava lentamente para a vida enquanto os motores eram ligados, nem sempre de primeira. Levantávamos o cerco ainda sonolentos e com frio, e entrávamos pelo menos uns cem metros no deserto, onde aguardávamos um ataque no amanhecer. Ninguém pretendia ser alvo fácil para os bombardeiros italianos Savoia. Examinávamos o horizonte na espera gelada. Somente quando a luz do dia brilhava e os contornos do deserto gradualmente surgiam é que conseguíamos relaxar e pensar no café da manhã.

Eu preparava a primeira bebida do dia como se a vida dependesse daquilo. Sentia fome e frio, e precisava dela imediatamente, então agia nos moldes do deserto. Cortava uma velha lata de gasolina ao meio, enchia-a de areia, derramava combustível dentro dela e colocava a chaleira com água por cima. Em seguida, guardando certa distância, eu jogava um fósforo na engenhoca. Bum!, uma nuvem de fumaça negra subia pelo ar. Aquela explosão impressionante propiciava o primeiro calor do dia e fazia a chaleira ferver em pouco tempo.

No princípio, festejamos a temperatura mais baixa à noite, mas estava ficando cada vez mais frio, e não era nem um pouco divertido. A chuva também passou a cair durante a noite, como se nossos humores necessitassem de mais umidade ainda. Nossa guerra continuava sendo de araque, então mergulhamos outra vez em mais treinamentos: provas físicas, leitura de mapas, exercícios com armas e aptidão em patrulha noturna. Todas essas habilidades estavam prestes a se tornar úteis.

Capítulo 3

Entramos em ação. Certa noite, um pelotão de 12 homens, sob o comando do sargento Endean, foi enviado para detonar um depósito de combustível italiano, com três especialistas em explosivos para fazer o estrago. O deserto nos pertencia durante a noite, pois os italianos não se movimentavam muito. Uma boa navegação fazia toda a diferença, como, por exemplo, saber onde parar os caminhões para que não nos ouvissem, mas perto o bastante para que os alcançássemos em tempo hábil. Antes da partida, examinamos todos os detalhes visíveis. Qualquer coisa que brilhasse nos uniformes podia ser localizada e atrair a artilharia sobre nós. Em seguida, trabalhando em duplas, sacudimos os bolsos. Chaves e moedas tilintantes podiam pôr tudo a perder, pois o som viaja à noite.

Já havia anoitecido quando terminamos de conferir as armas e iniciamos a jornada com os três caminhões na paisagem rochosa. A uns 15 quilômetros do alvo, descemos dos caminhões e, guiados por Endean e sua bússola infalível, fizemos o resto do percurso a pé, em silêncio. Quando chegamos, estávamos esgotados, mas a surpresa era tudo.

Logo que avistamos o contorno do depósito, Endean fez o sinal, e nós engatinhamos para assumir nossas posições no cascalho. Depois de outros gestos com a mão, nós nos juntamos num semicírculo. Era mais seguro assim. Caso um tiroteio se iniciasse, a última coisa que desejávamos era atingir nossos próprios parceiros.

Eu estava deitado na escuridão, mirando o depósito com o Lee-Enfield. Tentava me sentir confortável. A espera poderia ser longa.

A minha direita, dava para ver o vulto dos homens dos explosivos iniciando a empreitada e avançando lentamente de cócoras, enquanto suas sombras desapareciam na escuridão. Os minutos passaram. O silêncio era sempre bom. Mais espera. De repente, lá estavam eles, os três, com a missão cumprida e correndo rápido. Ficamos atentos ao campo e esperamos o início dos disparos. As duas primeiras explosões foram pequenas e lançaram lampejos luminosos no céu escuro. Houve uma pausa estranha, de talvez apenas alguns segundos, antes da enorme explosão e da bola de fogo que deixou a noite cor laranja. Pressionei a areia com mais força, enquanto os rostos ao meu lado subitamente se iluminaram.

Foi nessa hora que imaginamos que tudo iria ferver. Normalmente, os italianos começariam a atirar de modo incontrolável por toda a noite. Dessa vez, foi moleza, e nós voltamos ao deserto. Se alguém sobreviveu, não se preocupou em nos caçar.

Num local predeterminado, a uma distância segura, reencontramo-nos, conferimos se todos estavam bem e iniciamos o longo retorno para os caminhões. Antes dos primeiros sinais do amanhecer, já estávamos de volta, seguros e mortos de sono.

Quando olho para trás, consigo identificar as experiências que me modificaram e que me prepararam mentalmente para as privações de Auschwitz. A vida no deserto quase sempre significava sentir frio e fome, sem nada de melhor para aguardar além de carne enlatada e biscoito salgado — biscoito de cachorro, melhor dizendo. Em seguida, vinha o ensopado de carne com vegetais. Nas trincheiras da Primeira Guerra Mundial, eles também comeram isso. Muito ocasionalmente, abatíamos uma gazela e fazíamos uma festa, que podia durar dias. Alguns rapazes tentavam atirar nos animais com os veículos em movimento, mas o deserto não era muito plano. Quicando sobre os montes que nós chamávamos de corcovas de camelo, eles perdiam os alvos. Como fui criado em fazenda, sabia que o melhor era fazer isso a pé e saía espreitando.

Às vezes, negociávamos com os beduínos, mas isso era raro, e os mal-entendidos podiam se tornar assustadores. Seu aceno de saudação era com as palmas das mãos viradas para trás, balançando os dedos como se estivessem chamando a pessoa. Se você correspondesse, eles ficavam confusos, imaginando o que você queria. O mal-entendido valia a pena se o prêmio fosse um ovo ou dois, mas frutas e vegetais, de que nós realmente necessitávamos, eram inexistentes. Algumas vezes, capturamos suprimentos italianos de comida, atum em lata ou arroz, mas, em geral, era somente massa de tomate. Eles não pareciam comer muito mais do que isso.

Nossa dieta era pavorosa, e nós estávamos lamentavelmente subnutridos, portanto ficávamos doentes com facilidade. Um arranhão logo se transformava numa ferida supurada que demorava a fechar, e podia acabar contaminando o sangue. As lesões do deserto nos incomodaram durante toda a campanha. Médicos eram escassos, e o único tratamento que ofereciam era tirar a casca e esperar pelo melhor. Mesmo após setenta anos, ainda tenho cicatrizes em meus antebraços.

A higiene era pouca, como se pode imaginar, com tantas moscas. Com frequência, éramos abatidos pela "dor de barriga egípcia", e diarreia no deserto não é brincadeira. Fazer o básico já era complicado o bastante. Era cavar um buraco e se agachar. Em poucos segundos, besouros de esterco começavam a bater em nossos traseiros. Sua precisão era mais acurada do que a dos bombardeiros de mergulho da força aérea alemã, os Stukas, mas, ao passo que eles lançavam bombas e sumiam, esses besouros eram capazes de voar direto no seu traseiro oscilante. Esse era o seu método preferido de aterrissagem. Em seguida, eles caíam ruidosamente na areia e começavam a se enroscar no conteúdo de nossos intestinos, antes de bater em retirada com aquilo, sabe-se lá para onde.

Quando fazíamos uma parada mais prolongada em algum ponto, esculpíamos uma privada no deserto, abrindo um buraco no topo de um caixote de madeira usado para transportar combustível. Eles tinham quase um metro de altura, e era possível sentar ali feito um rei, observando os movimentos da areia.

A água era fornecida numa base de quatro litros para cada um, mas tínhamos de encher os radiadores e fazer todo o resto com ela, de modo que não restava muito para beber. A água vinha em frágeis recipientes de metal revestidos de cera, que invariavelmente se quebravam quando as latas nos eram jogadas. O gosto era de ferrugem ou de vela.

O banho era um luxo que não podíamos bancar em combate. Quando as coisas se acalmavam um pouco, lavávamos as mãos e o rosto da melhor forma que podíamos e usávamos um pincel de barba para aplicar pequenas quantidades de água no resto do corpo. Em geral, a água acabava antes de terminarmos a tarefa.

Quase sempre dependíamos do fornecedor de água. Nunca cheguei a saber o nome dele. Para todo mundo, ele era apenas o fornecedor de água, pura e simplesmente. Ele vagava pelo deserto num caminhão-tanque italiano capturado, completamente à vontade, em busca de água. Ele se afastava durante dias, sempre sozinho. Era um homem pequeno e misterioso, que sabia ler o deserto e que conversava tranquilamente em árabe com os beduínos. Viver daquele jeito o encantava. Quando ele voltava, se visse alguém sentado numa das privadas improvisadas em caixotes de combustível, ficava maluco, sacava o revólver .38 e atirava no caixote, no meio das pernas do coitado. Ninguém entendia aquilo. Apesar da indignidade de ter uma privada de madeira alvejada debaixo das pernas, ele nunca fez mal a ninguém, e, embora fosse louco, todo mundo o aceitava.

Mas o maior show estava por vir. O general Wavell decidira fazer um ataque surpresa à fortaleza italiana no deserto. Os detalhes foram mantidos em segredo, é claro. Tudo ficou na base da "necessidade de saber", e os rapazes não tinham necessidade de saber. As coisas eram assim. A parte que nos cabia era sair e mapear os campos minados italianos e as demais defesas em torno de seus acampamentos, para que os tanques que liderassem o assalto pudessem atacar diretamente pelas brechas.

No dia 7 de dezembro, vastas colunas de homens e equipamentos tomaram posição sob a proteção da escuridão, pois o inverno no deserto já começava a fustigar, deixando os soldados nervosos e trêmulos diante da batalha. Dois dias depois, bem no início da manhã, tanques, armas e infantaria foram conduzidos à primeira linha de ataque, sendo a rota dos veículos marcada com lampiões protegidos dos inimigos por latas de gasolina cortadas e inclinadas sobre eles. Os soldados estavam tão próximos que podiam sentir o cheiro de café e de outros aromas do desjejum que exalava dos campos italianos. Às sete horas, nosso armamento formou uma barreira maciça, e o ataque sobre suas posições começou. Os tanques italianos eram inúteis, de metal muito fino. Abatemos 23 desses nos primeiros 15 minutos, e depois capturamos mais 35 e fizemos dois mil prisioneiros contra uma perda de 56 homens. Na aritmética sombria da guerra, aquele tinha sido um bom começo.

A informação reunida pelas nossas patrulhas noturnas ajudou a tornar o ataque um grande sucesso. Alguns dos nossos oficiais começaram a medir o número de prisioneiros por acres, em vez de fazê-lo por milhares. A julgar pelos documentos que vi desde então, as mensagens de congratulações circulavam pelas altas patentes. Não me lembro de um único "muito obrigado" transmitido aos garotos do deserto, durante todo o tempo em que estive em ação. Acho que os superiores não viam necessidade disso.

O 2º Batalhão encontrou um ótimo cozinheiro entre os prisioneiros italianos. Nossos oficiais o escamotearam e o puseram a trabalhar em sua caótica cozinha, onde ficou conhecido como Atirador Antônio. Isso durou apenas quatro semanas, quando ele então foi descoberto por um oficial superior, embora já tivesse compartilhado uma caverna com um coronel durante um bombardeio aéreo.

Capturamos Sidi Barrani, aquele forte decaído, com seu muro danificado e um punhado de cabanas, onde Il Duce se gabara de haver colocado os bondes para trafegar. Isso foi no dia 10 de dezembro, e, em menos de 24 horas, o deserto recebeu a notícia com uma tempestade de areia monumental.

Não fizemos tudo ao nosso gosto. A força aérea italiana tinha o hábito de estragar a festa, então, quando havia cheiro de avião espião no ar, recebíamos ordem para seguir rumo ao deserto. Nós nos afastávamos a salvo de nossa força principal e zanzávamos de modo frenético em volta, deixando rastros por toda parte. Nossa nuvem de poeira subia pelo ar e criava a impressão de uma força muito maior. Em seguida, nós nos retirávamos com a poeira cobrindo nossos rostos e tapando nossas bocas, e esperávamos que o circo voador começasse e bombardeasse o deserto aberto. Normalmente, eles nos faziam este favor.

Mas nem sempre funcionou. Nós já tínhamos voltado para a reserva quando um combatente italiano gritou no alto, e depois outro. Não deu tempo de fugir. Corri até a cobertura, enchendo minha boca com areia do deserto e esperançoso de que o piloto tivesse bebido bastante café. Contei cerca de doze CR42 ao todo, aviões biplanos feios com o corpo achatado, mas estava preocupado mesmo era com os grandes bombardeiros Savoia. Em pouco tempo, eles estavam acima de nós, um trio de bestas pesadonas com seus três motores extravagantes. As primeiras explosões balançaram o chão, mas as bombas caíram longe do alvo. Antes que eles armassem um novo golpe, a ajuda chegou. Eles tinham um número muito maior de aviões do que nós, mas um punhado de Hurricane tinha sido enviado para substituir os velhos biplanos Gladiator. A perseguição se deu bem acima de nós, e em pouco tempo ficamos sozinhos no deserto outra vez.

Três dias depois, eles voltaram com toda força, às 11 horas. Dessa vez, havia dez Savoia e nenhum Hurricane nos céus. Todos nós alcançamos a cobertura, e uma bomba caiu a menos de trinta metros de mim, numa pequena depressão no deserto ondulante. Assim que o céu clareou e conseguimos nos levantar outra vez, pude ver, pela comoção que havia perto de mim, que alguém tinha sido atingido, um camarada muito agradável chamado Jumbo Meads. Ele era um sargento popular, muito alto, loiro e bonitão, e não um daqueles oficiais de baixo escalão asquerosos. Sentimos sua perda, é claro, mas não podíamos afundar na tristeza. Nunca sobrava tempo.

Os bombardeiros Savoia eram uma chateação, especialmente à noite, quando se revezavam jogando uma bomba de cada vez, para atrapalhar nosso sono. Foi por isso que me habituei a dormir debaixo do carro de combate.

Logo depois disso, passei um dia inteiro dirigindo para o terceiro-tenente Merlin Motagu Douglas Scott. Ele era neto do duque de Buccleuch, parente da família real e oficial de primeira classe, meticuloso e pedante. Estávamos indo na direção da passagem de Halfaya e de Sollum, para verificar se o inimigo estava lá. Montagu Douglas Scott tinha o hábito de chegar muito perto da oposição. Alguns dias antes, ele havia tomado aquela mesma rota no meio de uma tempestade de areia, com praticamente nenhuma visibilidade, para verificar se os italianos ainda estavam controlando um grande campo em Halfway House, no topo da escarpa. Ele descobriu o campo escondendo-se no redemoinho de areia. Havia um muro baixo de pedra em torno dele, e o local parecia completamente deserto, com trincheiras rasas cobertas com lonas e pedras empilhadas ao lado para protegê-las. Eles devem ter fugido às pressas. Aqueles abrigos pequenos continham garrafas, sacos de dormir, cartas, fotos — todo tipo de coisa. Havia ainda duas torres de sentinela balançando ao vento. Tudo o que se podia ouvir eram chiados e o movimento das lonas batendo sob a força da tempestade de areia.

Em seguida, ele recebeu novas ordens pelo rádio. Os italianos do campo estavam batendo em retirada a alguns quilômetros dali. Ele os perseguiu com seus quatro carregadores, capturando retardatários em números cada vez maiores, até que se limitou a desarmá-los e a deixá-los na estrada. Em pouco tempo, começamos a passar por caminhões abandonados, por falta de combustível ou por conta de pneus furados. A tempestade ainda estava em ação, e o ar se encontrava repleto de areia avermelhada. A uns 15 quilômetros dali, alguma coisa escura surgiu na névoa: dois grandes caminhões italianos rebocando armas, cercados por mais ou menos trinta homens. Ele capturou esse grupo também, mas logo em seguida a tempestade cessou e revelou a última coisa que ele teria gostado de ver. Ele tropeçara numa guarnição italiana completa, com centenas de homens marchando adiante, numa longa coluna. Todo mundo imediatamente começou a atirar, e ele teve de bater em retirada com toda velocidade.

Nessa ocasião, voltamos a ficar próximos, vendo caminhões e motocicletas inimigas pela frente, aparecendo e reaparecendo nas aleias do pequeno porto de Sollum. Podíamos enxergar a artilharia italiana no topo da escarpa, mas, quando nos aproximamos dos caminhões, as armas se voltaram contra nós e tivemos de sair dali bruscamente.

Montagu Douglas Scott era um camarada estranho. Ele não deixava coisa alguma escapar. No meio de tudo aquilo, ele nos contou que ficara impressionado com as estradas que os italianos construíram no deserto. Ele nos ajudou a vencer aquela dificuldade, e sentimos um grande alívio quando escureceu e nós seguimos novamente deserto adentro, para acampar durante a noite.

Eu não me impressionei com as armadilhas da hierarquia militar, mas sabia que podia fazer as coisas de um jeito melhor do que os soldados regulares. Já tinha visto um sujeito que eu realmente não reputava virar capitão. Naquele tempo, promoção ou sucesso podiam vir da substituição daqueles que pereciam, mas os rapazes comuns não aproveitavam a chance. Isso não estava certo. Eu chegara a cabo por mérito, em virtude de minha habilidade de atirador, e era assim que tinha de ser.

Naquela época, o sargento Endean era a desgraça de minha vida. Ele não tinha muito tempo para recrutas como nós. Ele era militar de carreira e nos tratava como se fôssemos meros civis. Muitos eram mesmo, mas também havia muito preconceito naquele tempo. Pessoas como ele não viam a força dos outros.

Numa noite, recebemos ordem para seguir em frente, protegidos pela escuridão, e como eu era o encarregado, sentei ao lado do motorista do caminhão, com seis sujeitos na traseira, rumo à aridez do deserto. O motorista dirigia num terreno pedregoso, perscrutando a noite para evitar o pior e seguindo o veículo da frente, quando sentimos um baque implacável e paramos. Saltei do caminhão, olhei embaixo e descobri que tínhamos golpeado o cárter. Por um tempo, não seguiríamos adiante.

Ficamos bastante vulneráveis ali, sem proteção alguma, mas o batalhão nos deixara por conta própria, para que nos defendêssemos e avançássemos.

Organizei uma guarda para que pudéssemos descansar. Pela manhã, ordenei aos rapazes que utilizassem as rações de chá emergenciais, para que bebessem alguma coisa e se aquecessem. Graças à claridade do dia e ao clima mais ameno, conseguimos fazer o veículo andar novamente, mas antes de avançarmos muito, ouvimos o som ameaçador dos aviões sobre nossas cabeças. Um punhado de Savoia arremeteu. Não havia baterias antiaéreas, então estávamos por nossa conta. Tratei de pegar um fuzil no qual confiava e deixei o pente frouxo. Mesmo àquela distância, ele não teria efeito. Foi uma coisa desastrada. Conseguimos chegar à cobertura, mas as bombas explodiram longe dali. Logo, o céu ficou limpo, e eu respirei aliviado. Eles tinham alvos melhores naquele dia.

Continuamos a nos mover e finalmente alcançamos a companhia sãos e salvos. Imediatamente, segui o major Endean e pedi permissão para repor as rações de chá emergenciais no estoque. Deveria ter sido uma formalidade. Os rapazes estavam com frio e parados no deserto, e precisavam de algum calor. Foi a decisão que tomei, e ela estava certa. Endean recusou.

Ele considerou aquilo como quebra de regulamento, e foi agressivo desde o começo. Sempre tive a cabeça quente, mas não aguentaria mesquinharias. E não estava disposto a aceitá-las. Ele mantinha sua distância e se colocara atrás de uma rede de camuflagem. Ele sabia que eu podia pegá-lo, sendo ele oficial ou não. Eu fiquei furioso, mas deixei por isso mesmo; disse apenas que os pais dele deveriam ter se casado mas não procriado. Eu havia dado uma ordem que interessava aos homens. Pelo amor de Deus, era só uma caneca de chá, e não uma festa.

Eu sabia que ele voltaria a investir contra mim e não demorou muito. Estávamos sempre antecipando um ataque na madrugada, e então assumimos posições bem cedo. Eu estava com diarreia há dias, mas lutei para ficar de pé e organizei a guarda, como de costume. Meu estado era terrível, de modo que desabei de dor em meu saco de dormir. Eu estava sentado na hora em que Endean chegou. Ele me acusou de frouxo, e fui colocado a postos imediatamente. Eu havia obedecido às ordens e a guarda estava no lugar, mas isso não fez a menor diferença. Doente ou não, ele me pegara.

A audiência disciplinar veio logo em seguida, mas eu estava tão furioso que me recusei a pedir atenuante. Não pude contestar; sabia o que estava realmente em questão e não tinha nada a ver com aquela acusação forjada. Eu sentara em meu saco de dormir porque estava doente; simples assim. E não quis implorar ou me retorcer para eles, mas sabia que seria prejudicado. Eles tiraram meu distintivo de patente e acabaram com minha sorte. Aceitei tudo aquilo, mas, mesmo depois de tantos anos, ainda me ressinto. A justiça é uma coisa que me é cara, e eu não faria concessões a isso, nem diante de um oficial. Eu sabia também que não havia lugar para sangue ruim no deserto. Tive de ser hábil para confiar nos rapazes que ficaram ao meu lado, e para que eles também confiassem em mim. Segui em frente, mas até hoje ainda sinto essa mágoa.

Nos dias que se seguiram, perseguimos os italianos de modo a expulsá-los do Egito. Eles se retiraram para o oeste e se fixaram na Líbia, em dois portos marítimos bem guarnecidos. O primeiro era Bardia, no litoral logo acima da passagem de Halfaya. O outro se chamava Tobruk — nome que desconhecíamos até então —, que ficava a uns 120 quilômetros mais a oeste.

Mussolini encarregou o vívido general Bergonzoli de defender Bardia, e ele era chamado pelos italianos de Barba Elétrica, por causa de sua extraordinária barba vermelha forqueada. Nós fomos um pouco menos respeitosos e o chamamos de "Fiapos Elétricos". Mussolini ordenou que ele defendesse o porto até o último homem.

Mas ele não defendeu.

Bardia ficava situado numa pequena baía cercada de penhascos íngremes. A guarnição italiana se espalhara num arco de cerca de trinta quilômetros em torno dele. A marinha e a RAF lançaram bombas sobre ele durante dois dias e, em 3 de janeiro de 1941, o ataque se iniciou. Nossa missão era circundá-lo por trás, dar a entender que seríamos a principal investida vinda de longe e deter qualquer fuga.

Estávamos nos recuperando de um ataque a uma posição da artilharia italiana quando observei estranhas marcas na areia, em forma de garras, perto do corpo de um soldado italiano morto, deitado de barriga para baixo. Com a vida se esvaindo de seu corpo, ele conseguira cavar a areia para esconder ou enterrar alguma coisa. Vi algo brilhante, mas seria uma arma ou uma armadilha? Examinando o local em busca de pistas, andei adiante cautelosamente. Não era metal. O sol cintilava sobre um objeto de couro bastante polido então, escavei a areia para entrever um estojo fino de talvez um metro e meio de comprimento. Dentro dele, havia uma linda bandeira de seda dourada, bem dobrada para permanecer guardada em segurança. Ela tinha alfinetes dourados no bastão e uma águia decorativa no topo. Nos seus momentos finais sobre a terra, o artilheiro italiano havia sido encarregado de impedir que ela caísse nas mãos de seus inimigos. Deixei-a com ele, enterrada em algum lugar nas areias do deserto.

Meses depois, deparei-me com uma velha fotografia do papa, em Roma, vestido com toda a pompa. Ele abençoava alguma coisa. Era o mesmo estandarte dourado com sua águia ornamentada no topo.

Bardia caiu. Eles se renderam quase até o último homem. Dizem que fizemos cem mil prisioneiros. O "Suíças Elétricas" foi aquele último homem e escapuliu.

Depois disso, fomos para Tobruk, a fim de fazer a mesma coisa novamente. Agora, nossa tarefa era obter um panorama completo das defesas italianas fora do porto, e isso significava patrulhas permanentes, que geralmente terminavam em tiroteios no escuro.

Foi então que experimentei, pela primeira vez, a sensação de chegar muito próximo ao coração do inimigo. Bem no meio da noite, aproximamo-nos de uma posição italiana. Suspeitávamos de que ela continha artilharia pesada, mas não tínhamos ideia de quão bem-defendido era aquele campo. Quando o ataque começou, a última coisa que os rapazes desejavam era correr em direção a algo horrendo. Como de costume, a diligência começou com a vistoria e a inspeção do barulho.

Agachado no escuro, o chefe decidiu que apenas eu e ele iríamos entrar, deixando os demais de guarda do lado de fora, para dar a proteção necessária caso tivéssemos de bater em retirada com rapidez. O risco de alvejar um de seus próprios homens era grande numa operação como aquela. Nossa única forma de identificação era um pequeno artefato de metal que estalava sob pressão e que utilizávamos para nos reconhecermos.

As defesas italianas da parte de fora eram feitas de dois ou três postos de metralhadoras de cada lado, atrás de muros simples de pedras. Eles ficavam em pleno deserto, sozinhos e vulneráveis, mas a uma distância curta de seus camaradas. Um grito teria lançado toda a artilharia sobre as nossas cabeças, e nós certamente perderíamos o café da manhã.

O chefe fez gestos em silêncio, e nós continuamos a nos arrastar e a avançar de cócoras vagarosamente, ouvindo os sussurros italianos na noite. Não era raro encontrar esses guardas adormecidos, mas naquela noite eles estavam conversando e prestavam pouca atenção. Um pigarro ou o despenhamento de uma pedra fariam com que eles se alertassem e se dessem conta. Da área principal do campo, ouvia-se a música que se espargia no ar do deserto, saída de um gramofone. Cerca de quarenta metros adiante, comecei a entrever mais posições fortificadas, feitas de círculos de pedras que protegiam barricadas com metralhadoras pesadas, destinadas a retalhar o avanço dos homens de infantaria.

Numa das fortificações mais próximas, houve um movimento brusco. Será que eles ouviram alguma coisa? Nós congelamos, as cabeças baixas sobre a poeira. Meu peito se contraiu, eu mal conseguia respirar. Mas tudo passou, e nós continuamos seguindo em frente devagar, memorizando o traçado da base enquanto a percorríamos. Ainda estávamos agachados quando nos aproximamos da parte central do campo. Procurando um local para escalar o muro baixo, paramos num ponto a meio caminho da fortificação de metralhadora mais próxima e deslizamos sobre as nossas barrigas.

Uma grande arma se agigantava à frente; era uma das peças de artilharia deles, capaz de localizar direções e que podia captar a fonte de um sinal de rádio e mandar uma grande bomba para estragar a festa. Isso parece letal, mas antecedeu a era dos computadores. Era tecnologia tosca.

Havia ainda mais dois postos de metralhadoras no campo central, que me preocupavam menos, agora que já tínhamos entrado. Eu era bom nisso. Todos os sentidos do meu corpo estavam em alerta; meus batimentos cardíacos estavam acelerados, mas eu sabia me controlar. Essa era a educação do deserto. Eu me recusava a deixar o medo turvar minha capacidade de discernimento, mas sabia que se eles tocassem o alarme nós teríamos de atirar para escapar.

Homens circulavam entre as tendas. Eles se sentiam seguros. Havia cheiro de cigarro saindo das tendas dos oficiais, de alho, nas áreas da cozinha, e acreditei estar sentindo o aroma de água de colônia. As vozes agora eram mais altas, pairando sobre o campo. Nas forças armadas italianas, sempre houve uma grande diferença entre os oficiais e os demais homens. Aqueles ali eram oficiais, e claramente passavam bem. Mas tinha também um barulho que havia muito tempo não escutava. Acima das vozes mais graves, captei o som do riso de mulheres. Não sei se eram prostitutas ou civis comuns, mas lá estavam elas, nítidas e inconfundíveis. E pareciam estar gostando da festa.

Provavelmente, deveríamos ter feito o caminho de volta. Para mim, o movimento dentro da base era muito grande, e nós ficaríamos cada vez mais comprometidos conforme avançássemos para o seu interior, até que, bem perto de nós, uma tenda se abriu e lançou um facho de luz sobre o campo. Embora ainda estivéssemos na sombra, não havia escolha. Nós dois sabíamos que a única saída era para frente. No deserto, ambos os exércitos pareciam surrados, e a identificação no escuro não era fácil, apesar dos nossos bonés de lã marrom. Os italianos usavam todo tipo de coisa — nós, inclusive, encontramos redes de cabelo num dos campos que tomamos. Devia ser moda em Roma, mas provocou muita gargalhada.

Não havia escolha. Ficamos de pé e, sem lançar muitos olhares para a esquerda ou para a direita, andamos calmamente e, com toda a compostura que pudemos reunir, passamos pelas tendas e por todo o interior do campo até que chegamos de novo às zonas de sombra e conseguimos sair pelo outro lado. A base inteira abrigava umas duzentas pessoas, e nós passamos pelo centro dela sem qualquer risco. Só então percebi que o chefe tinha estado com a lanterna acesa dentro do bolso o tempo todo.

Essa era a rotina: patrulhas durante a noite e depois dormir o tempo que fosse possível, porque havia a chance de ser escalado para sair novamente, na noite seguinte. Essas patrulhas nem sempre foram tranquilas, e não demorou para que eu passasse por um aperto. Sofri um pequeno ferimento em meu antebraço, que não sarava. Embora estivesse enfaixado, a areia penetrava em tudo e me atrapalhava. A manga de meu uniforme mantinha a bandagem branca escondida e garantia que ela ficasse protegida, permitindo que eu saísse à luz do luar para patrulhar.

Numa noite, fomos enviados para capturar prisioneiros num posto afastado. Se pudéssemos persuadi-los a cantar, essa inteligência teria sido inestimável quando atacamos. Nós nos espalhamos numa grande área, de modo que eu estava essencialmente sozinho. Ouvi um clique de metal a uma pequena distância, e então percebi que um dos rapazes estava ficando nervoso.

Entrei um pouco mais fundo numa vala de mais ou menos um metro e meio e olhei em volta à procura de um ponto de observação melhor. Conhecimento era poder nas patrulhas noturnas, e era preciso conhecer toda a história para conseguir se mexer. Após percorrer uma boa distância na vala, comecei a subir lentamente, fazendo um grande esforço para não despenhar pedra alguma. Ouvi um barulho e parei, pressionado contra a lateral da cova rasa. Era o som de botas sobre chão pedregoso. Havia alguém ali em cima. Ouvi mais um passo ser dado na direção da beirada da vala. Então, avistei um vigia italiano olhando para baixo na escuridão e, embora ele estivesse olhando na minha direção, não enxergava nada, ou assim eu esperava. Eu estava a poucos centímetros abaixo dele e posicionei o dedo no gatilho de meu revólver. Mirava nele e, daquela distância, não perderia o tiro, mas eu sabia que o barulho acordaria todo o acampamento e nós seríamos transformados em massa de tomate.

Todas as alternativas que me passavam pela cabeça representavam catástrofes. Eu podia subir e usar a faca, mas ele não ficaria ali de pé, educadamente, enquanto eu escalasse a cova. Pelo que eu sabia, era provável que houvesse um pelotão inteiro por ali, fumando distraidamente. Fiquei parado. Eu atiraria caso ele fizesse algum barulho, mas isso podia significar um verdadeiro confronto direto.

Ainda escondido na escuridão da vala, movi ligeiramente meu braço e o senti enrijecido. Imediatamente, percebi que havia exposto um pedaço da bandagem branca logo acima de meu pulso. "Droga", disse para mim mesmo. Devo atirar, correr e me arriscar? Não conseguia ver o rosto dele na escuridão, mas nós dois corríamos um risco mortal e sabíamos disso. Ele trazia o rifle de lado. E levaria alguns segundos para erguê-lo e atirar, o que me permitiria apertar o gatilho e correr para trás pela vala, antes que ele atingisse o chão. Em vez disso, ele ficou parado no mesmo ponto, quase sem poder respirar. Nós dois estávamos numa cilada.

Em todas as situações perigosas no deserto, eu disse a mim mesmo que pensar demais era perda de tempo e podia custar um tiro. Não era necessário pensar, mas agir. Esse era o meu mantra de sobrevivência. O instinto me disse que a opção correta era ficar parado naquele lugar. Esperei. Os segundos correram, mas ele não deu o alarme. Em vez disso, olhou para um lado e para o outro e andou lentamente para trás, para longe da beirada da vala, deu a volta e partiu. Eu me deixei cair de novo na vala e rapidamente retornei para junto do pelotão. Eu sabia que ele tinha me visto e que daria o alarme mais cedo ou mais tarde. Nós havíamos nos comprometido de modo desesperado e nos precipitamos dentro da noite.

Durante aquela patrulha, capturamos quatro prisioneiros. Eu agarrei um deles e foi brincadeira de criança. Ele estava dando uma volta sozinho, sem perceber que tinha gente por perto. Embora fosse italiano, ele era alto e, apesar da escuridão, pude ver que ele tinha se barbeado e usava um casquete cinza-azulado. Eu queria apanhá-lo de surpresa e precisei tocaiá-lo até me achar em condições de atacar. Peguei o revólver com a mão esquerda e pulei sobre ele por trás, puxei seu braço direito para as costas e apertei a arma contra suas costelas, podendo retirá-la rapidamente caso ele se virasse. O terror em seus olhos me garantiu que ele havia entendido a mensagem.

Não houve luta, e eu não precisei dizer uma única palavra. Ele percebeu que havia perdido e se rendeu em silêncio. Mas é aí que as coisas podem se complicar. Tão logo o prisioneiro supera o choque inicial e sabe que não vai morrer, se for um soldado de verdade, sempre tenta virar o jogo. Tive sorte. Meu prisioneiro estava petrificado e permaneceu assim até o momento em que o entregamos à guarda, tarde da noite, e nos jogamos sobre o saco de dormir.

As patrulhas estavam se transformando em batalhas pela sobrevivência. Nem todos os italianos eram bonzinhos, embora muitos achassem que sim, e qualquer confronto com os inimigos, em geral, terminava em matar ou morrer. Eu tratei de me concentrar. De vez em quando, recebíamos cartas de casa, que nos chegavam sujas e amassadas. Muitos garotos se emaranhavam para pegar suas cartas, antes de correr para sentar junto à roda de algum caminhão a fim de lê-las, com sorrisos de reconhecimento tremulando no rosto diante das lembranças trazidas de casa.

Eu não conseguia. O meu lar era conforto e civilização, e eu estava num lugar não civilizado. Eu espiava as cartas escritas por minha mãe e as punha de lado, sem lê-las. Quando você fala uma língua, você pensa naquela língua. Minha mãe, que Deus a tenha, falava a linguagem do lar. Aquilo não se encaixava no deserto, então, por pura autopreservação, eu me recusei a ler suas mensagens. Elas teriam enfraquecido minha determinação e tornado minha sobrevivência menos provável — nem que fosse por um milésimo de segundo, pois isso já seria tempo suficiente para morrer. Eu havia me fechado ainda mais. Todos nós havíamos, de diferentes maneiras. Carreguei um maço enorme daquelas cartas comigo e não as li até voltar ao Cairo.

As circunstâncias de uma determinada patrulha seriam marcantes para mim. O pior de tudo é que, setenta anos depois, mal posso recordar onde estávamos ou o que fazíamos, mas consigo sentir tudo muito bem. Tenho toda aquela sensação, ainda hoje. As patrulhas já tinham virado rotina, e cada uma começava como a anterior e terminava com o nosso desmoronamento sobre os sacos de dormir, pouco antes de a luz do amanhecer apagar as estrelas. Sei que estávamos fazendo o reconhecimento de uma posição italiana em algum lugar na periferia de Tobruk. Era um acampamento de tamanho considerável, com forte sistema defensivo, e eu tive receio de que houvesse algumas surpresas.

Passei a levar uma faca nas patrulhas. Não era uma arma de tipo padrão, mas era útil. Apanhei-a bem cedo, junto com a pistola automática Beretta 9mm que eu havia tirado de um oficial italiano aprisionado. Carregava a pistola num coldre pequenino sob o braço, e levava a faca num estojo que eu mesmo tinha feito. Ela tinha apenas 15 centímetros, mas era bem afiada e tinha a ponta muito fina. Eu havia removido o cabo para segurar melhor, e sabia como utilizá-la. Não se deve jamais agarrar uma faca no punho, voltando-a para baixo, como os assassinos de Hollywood. Faça isso e será morto: na mesma hora em que você levantar a lâmina, provavelmente vai receber um golpe nas vísceras. Uma lâmina de combate deve ser sempre segurada para cima, com a empunhadura apertada na palma da mão e o polegar firme sobre o aço.

O pelotão se espalhou pelo acampamento, e cada um de nós recebeu uma ordem diferente. Eu detestava patrulhas em que ficávamos assim, tão separados. A solidão era total. Eu sabia que, se me metesse em algum problema, teria de resolvê-lo rápida e silenciosamente. Tiros poderiam acordar o campo inteiro. Eu não tinha intenção alguma de terminar num buraco raso com areia jogada sobre a cara.

Eu estava num determinado ponto das defesas exteriores, agachado, quando o avistei de pé na sombra, a apenas alguns metros de distância. Não havia qualquer outra proteção além da noite, mas ele ainda não tinha me visto. Eu sabia que aquilo era ruim, muito ruim. A qualquer momento, ele me localizaria e o tiroteio iria começar. Se eu tomasse uma decisão errada, estaria acabado. Peguei a faca. Ouvi um som. Ele se mexeu; ele havia me visto. Da escuridão, saltei sobre ele empunhando a lâmina para cima e a cravei em sua caixa torácica. Ele arriou em silêncio, e, momentaneamente, senti seu peso em meus braços, enquanto ele tombava no chão.

Minha primeira reação foi de alívio. Ele teria me matado, mas sobrevivi. Todo aquele treinamento com baionetas em casa não me preparou nem um pouco para isso. Os gritos, os berros e a agressão tinham como objetivo levá-lo a fazer aquilo sem pensar. Isso foi diferente — silencioso, nas sombras, e eu senti o peso do corpo dele sobre mim na escuridão. Era ele ou eu. É assim na maldita guerra. Você arranja desculpas para si mesmo o tempo inteiro.

Na hora, pensei apenas que tinha me safado, que estava vivo. Só queria voltar para o deserto e para o restante da patrulha o mais rápido possível. Evitei que a operação fosse comprometida e relatei o ocorrido. Houve pouco mais do que um obrigado.

Aquele foi o único homem que matei somente com as mãos, mas o incidente me afetou bastante. Você nunca esquece uma coisa dessas, nunca. Há uma lembrança alojada em minha mente, mas existe um sentimento que habita meu corpo inteiro. E tenho carregado comigo o sentimento daquela noite pelas últimas sete décadas.

Capítulo 4

Nós nos preparávamos para atacar Tobruk, atormentando o inimigo durante a noite com as armas Bren e com um bombardeio naval próximo, destinado a afrouxar as defesas italianas. Ainda havia alguma luz quando estacionamos nossos carregadores. De um lado da trilha havia um penhasco de aproximadamente quinze metros de altura. Do outro lado, podíamos avistar o mar Mediterrâneo.

O instinto é uma coisa muito boa durante a guerra, e vale a pena segui-lo. Tive uma sensação estranha e sugeri que movêssemos os carregadores para mais adiante na estrada. Minutos depois, houve uma explosão ensurdecedora, provocando ondas de choque nos carregadores e nas pessoas que estavam dentro deles. O som retumbou por toda parte, reverberando nas pedras e em nossos ouvidos, que ficaram zumbindo com aquele som forte e possante produzido após um estrondo. Nosso linguajar não se pode repetir. A Marinha Real era capaz de detonar um golpe devastador, e era melhor não estar a sua frente. O disparo inicial caiu bem perto de onde estávamos alguns minutos antes.

Normalmente, eu teria dito para mim mesmo "quase fazer é o mesmo que não fazer", mas aquele tinha sido o primeiro projétil, e um bombardeio naval não é algo que se deva testemunhar assim de tão perto. Antes de a poeira baixar, botei o carregador para funcionar e fomos em frente. Foi uma decisão correta, pois logo em seguida um segundo projétil foi lançado na rocha que ficara bem atrás de nós. Não paramos.

O ataque começou logo cedo pela manhã, com os australianos atingindo as defesas pelo sul. Podíamos ver a espessa fumaça negra que vinha das docas, onde os italianos atearam fogo nos tanques de gasolina. *San Giorgio*, o cruzador italiano, encontrava-se no porto depois de ter sido seriamente danificado pela RAF. Ele havia sido arrastado para fora d'água e também estava em chamas.

Tom Bird, um de nossos oficiais, avançou pelas defesas com os carregadores da Companhia S e capturou montes de armas, dois mil prisioneiros e, o melhor de tudo, todas as provisões do rancho dos oficiais italianos. Os tanques chegaram depois dele, e bandeiras brancas começaram a aparecer por toda parte. Eles fizeram mais de 25 mil prisioneiros em Tobruk, mas o "Suíças Elétricas" não foi um deles. Ele escapara outra vez.

Os italianos tinham feito um grande estrago no porto, mas a melhor notícia foi a de que havia muita água nos reservatórios para aplacar a nossa sede.

Agora que Tobruk havia sido tomada, pudemos retornar à vida nômade, e eu vim então a conhecer um de nossos melhores oficiais, o segundo-tenente Mike Mosley. O começo não foi promissor. Eu dirigia um caminhão e ele vinha no banco do passageiro, quando caímos em areia fofa e os pneus começaram a girar sem resultado. O eixo ficou prejudicado, e não pudemos andar depressa. Ele não ficou exatamente satisfeito.

— Você não viu aquilo? — perguntou ele. — Que tipo de motorista é você, Avey? Você tem de olhar por onde anda.

Fiquei irritado. Não levava aquele tipo de desaforo para casa, nem mesmo vindo de um oficial. Eu me considerava um bom motorista, e o comentário ficou pior ainda porque partiu de um oficial que eu realmente respeitava. Mordi os lábios, o que era raro naquela época. Enquanto Mosley observava, começamos a desenterrar o caminhão, retirando as caixas de areia de metal perfuradas para dar mordedura aos pneus, e logo voltamos à estrada.

Normalmente, eu dirigia um carregador de armas Bren. Alguém insinuou que eu era bom mecânico. Os carregadores eram bastante potentes, podiam alcançar 65 quilômetros por hora e, apesar de seu aspecto desajeitado e de seus painéis de metal, eram manejáveis. Era possível guiá-los com leves movimentos das rodas. Virar à esquerda para brecar a esteira esquerda e fazer um giro, virar à direita e fazer o oposto.

Pouco depois, chegamos a uma encosta empoeirada. Uma grande coluna de caminhões havia estacionado ao longo de uma trilha escarpada e se imprensava com força contra o lado alto da estrada. A outra margem era demarcada por um penhasco tão inclinado que dava até tontura.

Mike Mosley me localizou no carregador.

— Leve-me até o final da coluna e me traga de volta — disse ao subir no carro e se colocar com firmeza no banco de comando.

Era óbvio que ele queria ser visto pela tropa, como se estivesse aguardando uma saudação durante sua passagem. Era a oportunidade que esperava. Liguei a luz da ignição e pressionei o botão de partida. O motor V-8 ganhou vida. Engrenei a marcha e saí. Logo comecei a acelerar sem medo, e Mosley se agarrou ao painel metálico, tentando segurar o café da manhã e olhando para o vazio. Com uns trinta centímetros de folga de cada lado, atingi a velocidade máxima com os olhos fixos na pista estreita, e Mosley ficava cada vez mais nauseado. Um pequeno esbarrão num dos caminhões teria travado uma das esteiras e nós voaríamos pelos ares. Aquilo o abateu. Manobrei no final da coluna e repeti o trajeto antes que as nuvens de poeira tivessem baixado. Ele saltou do carro, mal proferindo um contido "obrigado". "*Touché*", disse para mim mesmo. Eu tinha dado o meu recado. Depois disso, ele se tornou muito educado.

A Companhia B estava sob o comando do major visconde Hugo Garmoyle, e nós fomos enviados antes do restante do batalhão. Estávamos atrás dos tanques, seguindo pelo deserto a caminho de Bengasi, o próximo alvo importante. A paisagem ficava cada vez mais estéril à medida que nos afastávamos do mar. Adentrando o território em cerca de oitenta quilômetros, a vegetação era escassa, e o cenário era seco e pedregoso, com áreas de areia fina e vermelha, colinas esparsas e grandes depressões, ou *nullahs*, que haviam sido escavadas na paisagem.

Era bom seguir ao lado de Les novamente, pela primeira vez desde que começamos a ação. Como sargento lanceiro, ele era o comandante do carregador. Ele sabia fazer as coisas e confiava em mim. Nem mesmo as feridas do deserto, a comida pavorosa e a falta de sono restaurador tiravam seu bom humor. Ele ainda estava afiado.

Na noite de 23 de janeiro, os blindados à nossa frente entraram em confronto com os italianos a caminho de Mechili. Eles estavam diante de setenta tanques, que iniciaram seus disparos imediatamente. Nosso grupo abateu nove desses tanques, mas pagou um preço elevado. Quando os alcançamos, estava tudo acabado. Os tanques italianos tinham sido esmagados e ficaram apodrecendo no deserto. "Deus ajude a quem estiver lá dentro", pensei, enquanto olhava para um M13 italiano incendiado. Sua carroceria parecia um queijo. Quem estava dentro foi simplesmente frito.

Um dos soldados escalou um M13 que, à primeira vista, não pareceu estar muito danificado.

— Meu Deus, olha isso. Há alguém vivo dentro deste.

O soldado estava parado ao lado da torre de tiro e tinha uma das mãos sobre seu cano curto, olhando pela portinhola, sem conseguir se mover.

Entrei por baixo do tanque e olhei para dentro. O comandante ainda estava lá sentado. Suas vísceras se espalhavam escuras e rubras sobre o seu colo. Ele se moveu um pouquinho. Seria ridículo tentar levantá-lo. Ele teria entrado em agonia e não viveria por muito mais tempo.

Por um instante, voltei aos meus 17 anos em Essex. Eu caçava faisão com meu pai e uns amigos. Andávamos com os cachorros à nossa volta em meio à vegetação rasteira. Eu estava contente com a temperatura agradável e a companhia dos adultos. Ouvimos um bater de asas distante, quando um dos cachorros assustou um faisão macho e o fez voar. Levantei a espingarda de caça e atirei, sentindo o recuo no ombro. Vi o pássaro cair e percebi que o havia matado. Os cães o recolheram, e eu caminhei com firmeza pela grama comprida em direção ao pessoal, segurando-o pelas penas do rabo, sorrindo com orgulho. No entanto, quando olhei para o rosto de meu pai, vi que algo estava errado.

— Suponho que você achou bom o seu tiro — falou ele.

— Sim, achei — respondi.

— Mas não foi, posso lhe dizer. Àquela distância, foi meramente acidental — respondeu ele, e achei melhor não protestar. — Você podia ter ferido o pássaro, e ele levaria dias sofrendo. Agora saia daqui.

Meu pai sempre me ensinou a respeitar as pessoas e os animais, mas me senti humilhado na frente de todos aqueles homens. Ele estava certo, é claro, mas odiei aquilo. Virei-me e saí, envergonhado.

Naquele momento, nem tantos anos depois, eu estava de pé sobre um tanque italiano, olhando para baixo e vendo um homem que havia sido inimigo, mas que naquele momento era um ser humano em sofrimento, sem perspectiva de vida.

Jamais vi o rosto dele, felizmente, mas ergui minha arma e fiz o que achei certo. Fui questionado por aquilo e tive de me apresentar diante de um oficial superior no final do dia. Ele estava sentado numa pilha de caixotes e quis ouvir toda a história. Como era um soldado maduro, acho que entendeu. Nunca mais se falou sobre o assunto.

Naquela noite, decidi não dormir debaixo do carregador e cavei minha cama usual em forma de cova longe dos veículos, mas ainda dentro do campo, em local seguro. Conferi minhas armas e dormi junto com os outros — não companheiros de armas junto a fogueiras vigorosas sob o céu do deserto, apenas homens esgotados dormindo na areia.

No deserto, sempre dormi com os ouvidos atentos. Qualquer barulho estranho e eu estava lá, esperto e preparado. Quanto mais patrulhas eu fiz, pior fiquei. Sabia como era fácil escorregar para dentro de um acampamento durante a noite, sem ser visto; mover-se pelas sombras, sentindo cheiros familiares e até ouvindo "O sole mio" cantado por homens que se sentiam completamente seguros. E também sabia que um soldado que entrava em campo inimigo à noite seria capaz de atirar, apto a matar para escapar. Ele faria o que eu fiz.

Foi o som desgraçado da chuva que me acordou. Tateei na areia molhada e escura até que minhas mãos alcançaram as metálicas e frias granadas Mills, e respirei um pouco mais aliviado. A Beretta ainda estava debaixo do meu braço e o .38 também estava ao meu alcance. Preparado, voltei ao meu cochilo, ouvindo a batida da chuva e o som distante dos roncos. Mais tarde, acordei tremendo de frio, com um peso inesperado em cima de mim. O saco de dormir estava retesado, e eu mal consegui me mexer. Estava coberto de gelo.

A seguir, partimos rumo ao forte Mechili. Pretendíamos expulsar os italianos, mas os perdemos. Nossos mapas não eram muito bons, e eles conseguiram nos despistar por um caminho que não conhecíamos. Eles abandonaram a posição por completo, durante a noite, deixando veículos e estoques para trás. Mais uma vez, bateram em retirada.

Essas longas jornadas num carregador não eram agradáveis. Eram arriscadas. O assento do motorista podia se perder durante um combate, de modo que você ficava debaixo do painel blindado, mas se expunha completamente enquanto dirigia e o movimento fazia um vácuo, que enchia tudo de areia. Estávamos bem próximos do forte Mechili quando começou uma violenta tempestade de areia, vinda não se sabe de onde. Como sempre, teríamos carne enlatada e cascalho para o jantar.

O comboio parou por um breve instante e, antes que eu saltasse do carro, Eddie Richardson já estava a meu lado.

— Você não vai conseguir entrar no Shepheard vestido desse jeito, meu camarada — disse ele.

A areia grudada em meu rosto se lascou quando sorri. Saltei do carro, tirei a poeira do cabelo espetado com as duas mãos, bebi sofregamente uma água sebenta e fui trabalhar. As esteiras de um carregador Bren precisam de muita atenção, especialmente quando trafegam sobre chão pedregoso. Comecei conferindo os parafusos do eixo que ligavam cada segmento das esteiras entre si. Um carregador sem as suas esteiras era como um alvo parado, então eu precisava trocá-los. Arranquei o velho parafuso com um martelo pesado, batendo com força para substituí-lo. Aquilo funcionaria por mais alguns quilômetros.

No dia 28 de janeiro, instalamo-nos para controlar o forte e para manter os carregadores, e o restante do 2º Batalhão nos alcançou em alguns dias. Eles passaram por maus momentos com a força aérea italiana, sendo metralhados pelos aviadores e escapando por pouco de muitas bombas. Eles foram informados de que teriam uma folga, e nós, de que não precisaríamos fazer qualquer movimento pelas próximas duas semanas.

No fim das contas, isso não passou de brincadeira. Duas semanas acabaram sendo mais ou menos duas horas.

Os caminhões estavam com os capôs abertos, os rapazes se lavavam e se barbeavam. Alguns oficiais tinham saído de folga, ou se preparavam para sair. Foi aí que chegou o poderoso general "Jumbo" Wilson. O burburinho logo se espalhou. Alguma coisa muito grande estava para acontecer. A RAF tinha avistado longas colunas de inimigos partindo de Bengasi, e o alto comando intuiu corretamente que os italianos estavam deixando toda a área, abandonando a província líbia de Cyrenaica. Nós estávamos bem no interior, no meio de uma protuberância da África, ao norte da qual se encontrava o mar Mediterrâneo. Os italianos saíram pelo lado inferior desse relevo, marchando pela sua margem esquerda. Havia uns 250 quilômetros de deserto entre nós. Uma investida audaciosa teria representado um golpe decisivo, mas se tratava de uma viagem que, como nos disseram depois, nem os comboios de camelos se atreveriam a fazer. Tratamos de dormir o quanto pudemos.

Foi uma correria. Nas primeiras luzes da manhã, os motores roncaram e a coluna começou a se deslocar, tanques, carros blindados, caminhões e carregadores numa longa fila, espalhados para evitar o ataque aéreo. Se todo o exército italiano estivesse de fato em movimento, nós seríamos muito menos numerosos, ainda que chegássemos lá a tempo de bloquear o caminho dele. Os primeiros 120 quilômetros foram um verdadeiro purgatório. A paisagem era insuportável, marcada por valas e pedras largas e chatas, além de trechos cobertos com areia muito fina. Se alguém caísse num deles, ficaria lá até o próximo Natal. Veículos com esteiras, como o que eu estava dirigindo, quicavam e empinavam sobre os pedregulhos, valetas e corcovas de camelos, sob o risco permanente de soltar uma das esteiras. Tive de substituir pelo menos 12 parafusos só para manter o carregador em marcha durante aquela jornada. Era imperativo cuidar disso. Sem pés, sem cavalos, só isso. Todos os nossos veículos necessitavam, há tempos, de um bom reparo. Os tanques mais leves enguiçaram o tempo todo e tiveram de ser deixados com suas equipes pelo meio do caminho, à espera de conserto.

O clima também contribuía para tornar difícil a expedição. A visibilidade era terrível diante do infindável bafejo de areia e poeira, e havia também tempestades de chuva gelada. Os comandantes pegavam a pior parte, de pé na traseira dos caminhões como marinheiros do deserto, totalmente congelados. Em pouco tempo, nosso combustível começou a escassear, o que também era arriscado. Em seu melhor desempenho, os carregadores faziam oito quilômetros a cada três litros. Naquele terreno ruim, isso chegava a dois ou três quilômetros apenas, sendo que as pancadas pelo caminho acabaram danificando nossas latas sobressalentes. Se os tanques de combustível ficassem vazios, os resíduos de areia no fundo seriam sugados pelo carburador, e nós estremeceríamos a cada parada. Nossa água também estava se reduzindo, e chegava a apenas um copo por dia para cada homem.

Perto de Msus, a uns cem quilômetros da costa, a coluna parou. Nossa aeronave também tinha perdido seus motores sobressalentes, mas um único Hurricane em ação relatou a presença de uma longa formação de veículos italianos marchando ao sul de Bengasi.

Recebemos novas ordens. Os tanques e os carregadores não conseguiriam avançar com rapidez suficiente. Repentinamente, eles reuniram uma força especial nos veículos mais rápidos para correr rumo ao sudoeste e bloquear o caminho dos italianos. Dois mil homens foram escolhidos para essa "Força de Combate", comandados pelo tenente-coronel John Combe, dos 11º Hussardos. Deixamos os carregadores para trás, para que seguissem depois.

Peguei cintos de munição e meu saco de dormir, e subi na traseira do caminhão que estava mais próximo, deixando todo o resto para trás, dentro do carregador. Por volta da uma da tarde, estávamos avançando novamente, dessa vez com maior rapidez.

Ao cair da noite, tivemos de parar porque os italianos haviam espalhado bombas térmicas ao longo de nosso caminho. Eram pequenos cilindros grosseiros em forma de frasco a vácuo, mas que não eram brincadeira. Ao nascer do sol, partimos novamente num compasso acelerado para cortar a estrada em Sidi Saleh, com os motores fervendo. O deserto ia dando lugar a uma paisagem menos inclemente, com um pouco mais de verde e alguns sinais de cultivo. Estávamos saindo da aridez para ingressar num lugar que havia sido o celeiro do Império Romano.

Durante uma parada que fizemos para descansar, três bombardeiros italianos surgiram no céu com suas metralhadoras flamejantes. Nós nos jogamos no chão, mas o rugido das hélices logo se transformou num zumbido distante. Eles não conseguiram atingir ninguém, mas agora sabiam onde estávamos. Tendo em vista que a correria tinha sido planejada para apanhar os italianos de surpresa, ficamos preocupados.

No começo da tarde, por volta das duas horas, chegamos à estrada perto da vila abandonada de Beda Fomm. Em quase um dia e meio, tínhamos percorrido cerca de 250 quilômetros, num dos terrenos mais acidentados que o deserto poderia nos oferecer. E não foi só isso: não enxergávamos nada pelo lado norte. Chegáramos ali antes dos italianos, mas, como descobrimos depois, somente um pouco antes.

A estrada percorria um terreno arenoso, com encostas baixas circundando-a de norte a sul. O mar e as dunas litorâneas ficavam a três quilômetros de onde estávamos, a oeste. Fizemos um grande esforço para dispor os armamentos em ambos os lados da estrada. O capitão Tom Pearson era o encarregado e começou a preparar um campo minado. Mal tivemos tempo de cavá-lo, antes da chegada firme do inimigo.

Os primeiros italianos se aproximaram e imagine como se sentiram. Eles pensavam que o inimigo mais próximo estaria a uns 150 quilômetros de distância e, assim, acreditaram que os veículos a sua frente seriam amistosos, até que a nossa artilharia abriu fogo contra eles. Foi um choque total. Eles saíram às carreiras da estrada, tentando escapar do ataque, e então o tiroteio começou de verdade. Eles eram muito mais numerosos do que nós, mas, felizmente, não sabiam disso. Eles desfecharam alguns golpes violentos e nós devolvemos na mesma hora, mas uma quantidade cada vez maior de suas tropas avançava pela estrada.

No fim da tarde, nossos blindados chegaram, saindo de sua formação original para atacar pelo norte, a meio caminho da longa coluna italiana. Ao anoitecer, havia veículos italianos incendiados por toda parte, e nós também já tínhamos feito cerca de mil prisioneiros, mas uma quantidade ainda maior de italianos estava a caminho. O que não sabíamos, até então, era que "Suíças Elétricas" se encontrava nessa coluna e recebera ordens para escapar da armadilha. Não deveria ser tão difícil para ele, porque o território não era grande para uma batalha assim tão desequilibrada, com terreno plano esparramado nos dois lados da nossa barricada. Nossas ordens eram claras: não permitir que os italianos abrissem caminho entre a estrada e o mar.

Tom Pearson era um de nossos melhores oficiais e sabia que precisava aproveitar a escuridão para convencer os italianos de que nós éramos muito mais numerosos, ou eles acabariam nos cercando. Durante a noite, ele decidiu enviar uma força para fustigar a coluna italiana.

Para cumprir a missão, Mike Mosley pegou dois pelotões, incluindo o meu, e uma pequena seção de artilharia. Eu estava aliviado de partir para a batalha junto com Mosley. Ele era uma espécie de enigma: filho único de um bispo, Mosley estava sendo conduzido para a igreja quando a guerra estourou. Homem naturalmente curioso e soldado brilhante, ele não tinha um pingo de medo em seu corpo durante a batalha. Desde que lhe preguei um susto no carregador, senti que começamos do zero. Confiava nele como em qualquer outro oficial. Naquela noite, ele ganharia a Cruz Militar.

Tranquei a maçaneta lateral do Bren, conferi o seu pente curvo e subi na traseira do caminhão mais próximo. Mosley escalou depois de mim, puxou o revólver e deu uma pancada no teto da cabine para que zuníssemos na escuridão.

Devia ser quase meia-noite quando o ruído do escapamento dos motores nos avisou que outra coluna estava se aproximando, pelo norte. Minha visão noturna se apurava, e podíamos ver o vulto dos caminhões, tanques e armas pesadas a uma distância de aproximadamente 250 metros. Havia duzentos veículos ou mais estendidos pela trilha. Éramos muito poucos para que conseguíssemos surpreendê-los, então começamos a criar uma ilusão.

Baixei meu Bren para permitir o recuo que sempre o levanta acima do alvo. Era necessário forçá-lo para baixo com pressão na maçaneta lateral. Mosley apontou o alvo com seu revólver e deu a ordem:

— Rajadas de cinco, quando estiverem prontos.

Àquela distância, era bastante preciso. De imediato, as chamas engolfaram os primeiros caminhões e apanharam os que vinham atrás na luz alaranjada, facilitando o seu abate. Em segundos, figuras indistintas corriam para além da areia.

Nossas armas mais pesadas iniciaram o lançamento de explosivos na direção do inimigo, e começamos a nos mover ao longo da coluna, parando algumas vezes para mirar, mas, em geral, apenas atirando durante o deslocamento. Alguns atiradores gostavam de pulverizar balas com violência. Jamais atirei mais do que cinco de cada vez; não era necessário. Em algumas ocasiões, usávamos os projéteis luminosos para ver como andavam nossos tiros, e os víamos arqueando na escuridão.

Aquela coluna era a melhor parte de uma extensão de três quilômetros, e nós a fizemos parar. Quando chegamos ao final, giramos e nos preparamos para causar mais problemas na jornada de volta. Eles contra-atacaram, é claro, mas não deu muito certo. Conseguimos manter a ação por três horas, mas alguns de nossos caminhões enguiçaram, e tivemos de recuar para consertá-los. Nossos alimentos e munições também começaram a escassear. Houve rajadas de vento e pancadas fortes de chuva, o que deixou a visibilidade ruim. A artilharia não podia avançar porque os blindados precisavam de gasolina e algumas das armas tinham apenas trinta cartuchos restantes.

Os italianos não pareciam desistir. Aquilo durou o dia inteiro, com ataques esporádicos, tiroteios e explosão de veículos com soldados agachados atrás deles. O comandante do quartel da nossa companhia chegou durante uma calmaria incomum e decidiu que nossa maior necessidade era uma tenda para abrigo, e então ergueu uma grande barraca branca do nosso lado. Que imbecil! Formou-se um lindo alvo, e as bombas italianas começaram a pipocar imediatamente. A batalha principal agora acontecia a uns cinco quilômetros ao norte, onde os nossos tanques atacavam os italianos na estrada, em torno da colina que apelidamos de "A Espinha". Nós éramos a "bucha de canhão", a rolha da garrafa, e eles continuavam tentando forçar a passagem.

Nós nos esticávamos cada vez mais. Um grupo de tanques italianos se dirigia diretamente ao quartel do batalhão, e nós só conseguimos pará-lo quanto faltavam apenas uns cem metros. Bandeiras brancas começaram a aparecer, e, no fim do dia, cerca de dez mil prisioneiros tinham sido capturados, mas o restante da tropa ainda continuava atacando.

Na área das dunas, perto do mar, um de nossos subalternos, sargento Jarvis, estava vigiando quinhentos prisioneiros com a ajuda do soldado Gillan. Eles viram dois grandes tanques italianos se aproximando e decidiram botá-los para correr, dois homens a pé contra os tanques. Ao verem uma chance de fugir, os prisioneiros italianos se juntaram à correria, e o perplexo oficial italiano que conduzia o tanque dianteiro abriu a portinhola de sua torre de tiro para ver o que estava acontecendo. Jarvis o acertou na cabeça com seu rifle e depois atirou para dentro, pelas fendas, fazendo a tripulação se render. Gillan fez a mesma coisa com o outro tanque, e ambos foram capturados. Os dois soldados foram condecorados pelo feito, mas, quando um dos oficiais o cumprimentou, Jarvis apenas respondeu:

— Sim, tudo correu bem, senhor, porque eu e o soldado tínhamos um lugar quente e agradável para passar a noite.

Na escuridão, ouvíamos o ruído surdo dos motores dos veículos. Estava claro que eles planejavam alguma coisa. Pouco antes do amanhecer, nós os vimos. Uma grande força capitaneada por trinta tanques se aproximava do bloqueio da estrada, onde se dispersou rapidamente para circundar a barreira. Era a última cartada dos italianos e, quando avançamos por nossas posições dianteiras, pareceu que iria funcionar. Os rapazes não tinham outra escolha, a não ser recuar. Tínhamos 11 canhões antitanques no começo e, conforme íamos abatendo os tanques, eles derrubavam nossos canhões. Por fim restou apenas um canhão em ação, e o pessoal responsável por ele tinha cinco tanques para enfrentar com seus últimos cinco cartuchos. Não tenho certeza de que foi tão perto assim, mas o derradeiro tanque italiano só foi parado por nós a cerca de vinte metros da tenda de nosso quartel-general.

Enfrentamos a artilharia que se seguiu aos blindados, e, naquele momento, todos puderam ouvir os tanques que vinham do norte para se juntar a nós. Bandeiras brancas começaram a aparecer ao longo da estrada, e soldados italianos vieram à tona, muitos deles felizes com o fim de tudo aquilo. Mantive pressão no gatilho. Ainda poderia haver confusão. Mais tarde, ouvimos um oficial contar que fora atacado com um machado por um prisioneiro que já havia se rendido. Era bom ter cuidado.

O homem caminhava ao longo da coluna quando o avistei, passando por caminhões incendiados e tanques horrivelmente distorcidos. Mais soldados italianos com bandeiras brancas apareceram enquanto ele passava. Há relatos diferentes, mas ainda posso vê-lo vestido com uma longa capa aberta, na fronte. Tivemos pequenos relances de seu uniforme encoberto, e era possível observar uma quantidade extravagante de tranças douradas sobre ele. O general Annibale Bergonzoli, "Suíças Elétricas" em pessoa, estava se rendendo. Ele havia escapado em Bardia e em Tobruk, mas agora se encontrava em nossas mãos junto com um punhado de outros generais.

Com a retirada de sua capa, pude ver que ele ainda trazia consigo algo que se parecia com uma pistola automática com cabo de marfim. Dei um passo à frente e apontei para a arma a seu lado. Ele me encarou de forma desafiadora, sabendo o que eu queria. Quase imediatamente, deu um tapinha na pequena arma com a mão direita e depois sacudiu os dedos, em sinal de negação. Eu entendi logo de cara. Ele só iria entregar sua pistola e se render formalmente para um oficial. Fiquei a seu lado e acenei para os oficiais, apontando o general. Acho que foi o capitão Tom Pearson que finalmente apanhou a arma dele.

E essa foi a batalha de Beda Fomm. Em apenas dois meses, aprisionamos 130 mil homens. Nossa correria desabalada pelo deserto nos tinha permitido encerrar as atividades do 10° exército italiano por inteiro, mas não houve júbilo em nosso acampamento, apenas alívio.

Dois dias após o fim do tiroteio, andei pelo monte de metal emaranhado e de carcaças retorcidas de veículos. O perigo que havia me mantido alerta e concentrado durante a batalha passara. Corpos destroçados se espalhavam na poeira, já atraindo as moscas. Havia pernas e braços arrancados por uma imensa área, cortados pelos explosivos ou mesmo pelos tiros sucessivos de metralhadora. Italianos feridos se escoravam em pedras de formatos estranhos, como mourões. Havia uma árvore solitária. A maior parte dos feridos tinha sido levada embora, mas alguns ainda se encontravam deitados na poeira, tão fracos que não podiam nem gemer. Era uma situação pavorosa.

Acredito que cada um supera essas coisas de seu jeito. Dei de cara com Mike Mosley outra vez. O grande herói de guerra perambulava entre as dunas olhando para o chão. Ele endireitou a postura e veio até mim.

— Sabe, Avey — disse ele. — Encontrei mais de 12 espécies de flores silvestres só aqui nesse pequeno pedaço de areia. Incrível.

Capítulo 5

Apesar da surra que os italianos levaram durante a batalha, nós capturamos poucas armas e veículos intactos. Recebi uma recomendação para listar todas as vestimentas úteis dos italianos que poderíamos salvar. Havia carros particulares naquela última coluna desesperada. Seus para-lamas polidos estavam agora cobertos com uma poeira grossa. Havia alguns ônibus também, que transportavam as prostitutas dos bordéis italianos de Bengasi. As mulheres foram despachadas junto com os outros civis para o lugar de onde vieram, para o desgosto de alguns rapazes.

Mais tarde, Bergonzoli alegou que tinha perdido, em parte, porque todos aqueles civis, que ultrapassavam o milhar, tinham cruzado o seu caminho. Ridículo. Mas ele teve a elegância de admitir que aquilo que denominou "a extraordinária pontaria certeira da Brigada do Rifle" também tinha algo a ver com isso.

É surpreendente o que se vê após uma derrota. Eu me deparei com uma esplêndida coleção de chapéus de penachos, com seus floreados de plumas. Os generais não precisariam mais deles. Guardei um para mim. Em seguida, num estojo de couro feito à mão, vi um jogo de instrumentos cirúrgicos lindamente elaborados, com marcas de sangue nos bisturis. Eu estava mais interessado em água. As rações não tinham melhorado muito, e minha sede era desesperadora.

Em pouco tempo, meus olhos foram desviados para um grande grupo de caminhões intactos. Eles carregavam centenas de caixotes de madeira quadrados com sessenta centímetros de largura e vinte de profundidade. Fiquei subitamente eletrizado com a ideia de que os caixotes poderiam conter comida ou bebida. Tinha um outro camarada comigo. Escalamos o primeiro caminhão.

— Venha, anime-se — disse eu. — Enfie sua espada aqui.

Ele abriu um buraco no compensado. Fiquei instantaneamente desapontado. Não havia nem garrafas nem latas, apenas papel timbrado. Ele arrancou toda a tampa.

— Deus todo poderoso, olhe para isso — falei.

O caixote estava abarrotado com milhares e milhares de notas novinhas de dinheiro italiano.

O conteúdo do segundo caixote foi idêntico, e assim por diante. Os caminhões pertenciam ao serviço de pagamentos do Exército italiano, e havia dinheiro suficiente para pagar um batalhão completo, mas, para nós, aqueles milhões de liras não significavam nada. Mais tarde, eu descobri que podíamos trocá-las no Cairo, onde seiscentas liras equivaleriam a uma libra, mas eu teria sido capaz de barganhar o lote inteiro por algumas garrafas de água limpa e fresca e um rango decente.

Relatei o ocorrido e foi só. Jogamos alguns caixotes dentro do jipe e não pensamos mais nisso. Muitos rapazes usavam o dinheiro italiano para acender cigarros, e levavam punhados dele para o deserto, a fim de limpar o traseiro, divertindo-se com aquilo. Ficamos mais impressionados com o arroz e o purê de tomate que conseguimos salvar. Eram bem comestíveis.

Esperamos alguns dias para receber o apoio de uma coluna que descia do norte. No final, veio a ordem para chegar até Bengasi e tentar um contato com a coluna durante o percurso. Os caixotes com o dinheiro ainda estavam no carro quando partimos.

Era uma jornada de uns 110 quilômetros, com visões do mar de tempos em tempos para nos lembrar que o mundo todo não era só poeira. Ficamos parados num engarrafamento na periferia de Bengasi. Então, acima dos sons dos escapamentos e das buzinas estridentes, um tiro pipocou, seguido de outro e do som vigoroso de uma bala desviando de alguma coisa dura. Havia um atirador de tocaia por ali. Virei o jipe e recuei rapidamente para voltar pela estrada. Dirigi até o ponto em que as ruas estavam mais calmas e parei na porta de um bar de aparência chique.

Naquela época, eu não fazia questão de bebidas — o álcool não me impressionava nem um pouco —, mas com a garganta muito seca foi difícil resistir. Nós cinco entramos e levamos conosco o caixote de liras.

Era o lugar mais lindo que vi desde que saíra do Cairo, um salão fresco e arejado, com pelo menos trinta metros de comprimento e dez de largura. As paredes e o teto eram cobertos com espelhos finamente bisotados. Num dos lados, havia um longo balcão de mármore no bar, que estava lotado.

Ouvimos um grito abafado de uma das mulheres presentes, enquanto o restante da clientela prendia a respiração. Todos olhavam para nós e pareciam aterrorizados. Um breve relance na parede de espelhos e percebi por quê. Éramos homens vindos do deserto, encardidos e com as marcas da batalha, prontos para detonar o lugar.

Não ficamos por ali. Dois dos rapazes foram checar a cozinha e os cômodos de trás, em busca de qualquer coisa suspeita. Alguém tentara atirar em nós havia apenas dez minutos, e a última coisa de que necessitávamos eram mais surpresas. Quando ficamos satisfeitos, dirigimo-nos para uma das mesas, e seus ocupantes rapidamente nos deram o lugar. Com os olhos voltados para a porta, sentamos nas cadeiras de metal polido.

Um sujeito pequeno se aproximou com cautela e disse alguma coisa em italiano que eu não entendi. Ele devia ter uns quarenta anos e usava um bigode preto cuidadosamente aparado e um paletó branco. Desconfiamos de que fosse o proprietário.

— Uma rodada de drinques — falei, apontando para um copo e indicando o ambiente com a mão. Ele entendeu, estalou os dedos e pronunciou algumas palavras em italiano.

Os drinques começaram a chegar, inclusive a cerveja dos rapazes, e a atmosfera se desanuviou um pouco. Os fregueses não conseguiram relaxar completamente diante de um grupo de soldados inimigos, saído do campo de batalha e fazendo piadas entre si. Em sua maior parte, os fregueses eram civis italianos que tinham todo o direito de se sentir apreensivos. Eles estavam presentes na evacuação de Bengasi. Muitos deles tinham presenciado a batalha antes de os mandarmos de volta para cá.

— Pessoal — disse eu para os rapazes, recostando na cadeira —, creio que podemos comprar esse lugar imediatamente, o que vocês acham?

Um sorriso atravessou o rosto deles. Estávamos recuperando nosso senso de humor, depois de alguns meses bastante difíceis. Pusemos o caixote sobre o mármore do bar e chamamos o proprietário.

— Quanto você quer pelo estabelecimento? — perguntei com um sorriso, apontando em volta. Ele olhou estupefato para mim. Tentei de novo, um pouco mais devagar, exagerando nos gestos das mãos. — Queremos comprar o bar. Ele todo: mesas, cadeiras, tudo. Temos liras, quanto custa?

Ficou ainda sem entender.

Puxei minha espada, o que o fez recuar. Abri a tampa do caixote e apontei para o seu conteúdo.

— Olhe, dinheiro, o seu dinheiro. Liras, liras, muitas liras.

Os olhos dele se abriram, ele certamente se interessou. Para nós, eram apenas pilhas de papel, mas o homem de bigode começou a enxergar as possibilidades.

Ficamos ali durante meia hora e foi tempo suficiente para que as notícias corressem. Não tínhamos ideia se a área era segura e chegara a hora de pedirmos desculpas e sair. O proprietário e sua família escaparam antes que partíssemos e levaram o caixote de liras com eles. Tenho certeza de que foi mais do que um preço justo e até hoje ainda digo que tenho uma propriedade na Líbia.

Retornamos ao caos ordenado do batalhão. Os rapazes achavam que devíamos seguir para Trípoli enquanto estávamos no auge, mas os comandantes pensavam de outro modo. Eles começaram a planejar nossa retirada. Eles tinham certa razão, porque nossos veículos há muito precisavam de bons reparos. A totalidade da Sétima Divisão Blindada se encontrava mecanicamente destroçada.

Ainda nos deleitávamos com o brilho da vitória esmagadora quando surgiu um presságio no céu. No dia 12 de fevereiro, às 6h30, um avião bombardeiro foi visto pela patrulha voando a apenas 15 metros ao longo da estrada. Ele despejou diversas bombas pesadas e desapareceu na névoa distante. Não era um trimotor Savoia desajeitado. Era um Junkers Ju 88, com cruzes negras nas asas. A Luftwaffe chegara. Naquele mesmo dia, Rommel voara para Trípoli a fim de assumir o comando da guerra no deserto, e os alemães começaram a reunir uma nova força de combate, chamada de Afrika Korps. Dessa vez, não seria tão fácil.

Bem no início da manhã do dia 21 de fevereiro, e com um aviso de menos de 24 horas de antecedência, partimos para o Cairo via Tobruk. Eu ia com Charles Calistan. Pareceu uma eternidade, já que exploramos o Cairo juntos. Dali em diante, manchamos nossas mãos de sangue. O avanço era lento. Tínhamos de dirigir em fila, com uma distância de noventa metros entre os veículos, remanchando numa velocidade de 25 quilômetros por hora quando o caminho estava bom, e de pouco mais de dez quilômetros por hora nas piores partes do deserto. Tom "Dicky" Bird era o navegador confiável do batalhão. A bordo, tínhamos rações e água para dois dias, mas era um percurso longo e seco. Nenhum veículo enguiçado deveria ser deixado para trás. Nada podia ser desperdiçado. Se fosse possível, rebocaríamos tudo de volta para casa.

No segundo dia, houve uma explosão muito vigorosa. Um dos carregadores atingiu alguma coisa. Perto dos escombros, pareceu que um dos companheiros já tinha morrido. Vimos outro colega se contorcendo no chão, em agonia, e gritando muito. Era George Sherlock, um velho soldado e exímio boxeador do batalhão. A reação natural era correr para ajudar, mas aquilo podia ser mortal, caso eles tivessem caído em campo minado. O ajuntamento num mesmo local também representava um alvo melhor se começasse um ataque, então, após uma explosão, era necessário descobrir o que tinha acontecido antes de fazer qualquer coisa estúpida. Nós nos aproximamos com cuidado, gritando para que ele aguentasse, mas seus apelos ficaram cada vez mais frenéticos. Podia ter sido uma mina ou uma armadilha, mas vimos depois que se tratava de uma bomba térmica que havia sido lançada 15 dias antes. George sangrava muito, mas tinha energia suficiente para continuar gritando, o que era um bom sinal. Sua perna parecia estraçalhada, e seu braço não estava muito melhor. Durante um bom tempo, ele não daria mais golpe algum. Ele ficou ainda mais agitado quando me aproximei.

— Não! Não! Não deixem o Avey perto de mim — vociferou ele, fazendo com que eu parasse. Fiquei atônito. Ele precisava de ajuda urgente. — Não deixem que ele se aproxime, ele vai atirar, eu sei que vai, ele vai atirar!

Agora eu sabia que ele tinha ouvido falar do comandante do tanque italiano.

Ele estava em pânico e perdia muito sangue, mas fiquei surpreso com o medo que demonstrou de mim. Não quis tornar tudo aquilo ainda pior, e deixei que os outros o ajudassem.

Suas palavras ecoaram em minha mente. Ele foi levado para o hospital de Tobruk, onde havíamos deixado os caminhões italianos que capturamos. Trocamos nossos outros veículos por dez caminhões para fazer a última parte da viagem até o Cairo. Naquela noite, Tobruk sofreu um bombardeio pesado; os alemães estavam marcando sua presença muito bem. Eles foram gentis ao nos incluírem no itinerário, e também arremessaram algumas bombas contra nós enquanto faziam o caminho de volta para casa.

Como um homem que amava a velocidade, fiquei satisfeito ao ver que os caminhões podiam chegar a uma velocidade de trinta quilômetros por hora, mas comecei a me sentir doente. Com os meses de estresse, de labuta e de combate nas costas, minhas defesas tinham se exaurido. Eu realmente estava enfermo.

Na tarde do dia 28 de fevereiro, chegamos sãos e salvos a Mena, perto do Cairo, onde o grupo que nos antecedeu já adiantava a construção do acampamento. As tendas e as cabanas de madeira eram um luxo a se contemplar, mas eu tinha ido parar no hospital com uma doença misteriosa. O reaparelhamento começou, mas o deserto não queria nos abandonar. Enquanto eu permanecia deitado, suado e confuso, os outros tiveram os novos uniformes batizados por uma violenta tempestade de areia.

Aviões alemães despejavam minas nas cercanias do canal de Suez. O 2º Batalhão tinha de se alinhar nas margens e determinar o local onde as minas haviam caído. À noite, eles decidiram jogar uma rede sobre a água, para que de manhã pudessem enxergar os buracos por onde as minas haviam penetrado. A fim de demonstrar o princípio na luz do dia, duas aeronaves surgiram para lançar simulacros. Eles esperavam apenas uma. Levou algum tempo para compreenderem que o segundo avião era alemão e que a mina era verdadeira.

Não vi nada disso. O acampamento luxuoso acabou sendo uma faca de dois gumes. Sem que soubéssemos, as paredes erguidas com tijolos feitos de lama, para proteger as barracas dos bombardeios, constituíram um terreno perfeito para a criação de mosquitos. À noite, eles vinham nos picar. Minha resistência estava baixa. Peguei uma febre causada pelas picadas: temperaturas elevadas, dor de cabeça, dores nos membros, irritação nos olhos, uma lástima. O médico disse que meu fígado e meu baço estavam inchados. Levaria um tempo até que eu pudesse voltar ao trabalho. Houve uma epidemia naquele verão, que só terminou quando eles aprenderam a aspergir DDT.

Fiquei doente por um longo período. O batalhão permaneceu nas proximidades do Cairo até o final de abril, mas a guerra no deserto começou a adquirir uma feição distinta. Os australianos e neozelandeses foram levados para lutar na Grécia, e as forças remanescentes, com os seus equipamentos desgastados, tiveram de recuar. Em pouco tempo, o Afrika Korps de Rommel havia tomado todo o deserto, e nós havíamos retornado ao ponto de partida. Em abril, Rommel sitiou Tobruk. Em seguida, cruzou a fronteira egípcia na passagem de Halfaya, e o 2º Batalhão foi enviado novamente para o deserto, para enfrentar os tanques alemães Panzer.

O começo foi ruim. Rommel os empurrou de volta a Buq Buq. Foi ali que me encontrei com eles e fiquei sabendo que Montagu Douglas Scott, um oficial que eu respeitava, tinha sido morto em Halfaya, o mesmo lugar para onde eu o levara alguns meses antes. Mais uma vez, uma tempestade de areia se levantara, fazendo com que ele se aproximasse demais do inimigo, e naquela oportunidade ele não escapou. Ele foi o primeiro oficial de meu batalhão a morrer no deserto.

Buq Buq ficava à beira-mar, e quando recebíamos autorização para nos limpar não precisávamos ouvi-la duas vezes. A praia era linda: uma areia muito branca e fina, em toda a área em volta da baía. O mar era de um azul-celeste profundo e tinha ondas prodigiosas que se formavam e arrebentavam com um poder brutal.

Nós estávamos nos secando e farreando um pouco quando ouvimos um grito de socorro. Demorou um instante para identificarmos sua origem, quando vimos um homem claramente em apuros, debatendo-se em desespero a uns cem metros dentro do mar. Deve ter havido uma contracorrente.

Eu já tinha começado a me vestir, após meu banho salgado de boas-vindas. Arranquei minhas roupas outra vez e avancei pela praia para ter uma visão melhor. Meus olhos doeram com o brilho das ondas e do céu. O barulho violento das ondas quebrando bloqueava qualquer outro som.

Ele não era o único que estava lá. Uma forma mais distante aparecia e desaparecia nos altos e baixos, a uns trinta metros atrás dele, parecendo se afogar. Corri para o mar, pulando as ondas no raso e depois forçando minhas pernas para a frente. Quando não consegui mais caminhar, comecei a nadar contra as ondas.

Alcancei-o e dei um jeito de rebocá-lo pela água. Quando chegamos à parte rasa, alguns rapazes se aproximaram e me ajudaram a arrastá-lo até a areia.

Eu nem sequer tinha certeza de que ele ainda estava vivo; era apenas um corpo flácido na praia. Quis desmoronar, mas logo percebi que ninguém mais sabia o que fazer. Acontece que eu tinha comparecido a aulas de primeiros socorros para passar o tempo na longa viagem que começou em Liverpool. Fiquei firme e comecei a fazer respiração artificial, distendendo os seus pulmões com o esforço. Em pouco tempo começou a sair líquido pela sua boca.

Voltei minha atenção para o segundo homem no mar, mas não o vi mais. O homem que eu salvara era oficial da Artilharia Real. Agora, ele estava consciente e respirava. Foi Eddie Richardson que relatou o ocorrido. Acho que ele só queria que o velho soubesse o que eu havia feito. Eddie era assim.

O oficial subalterno me encontrou no momento em que uma tempestade de areia atingiu o batalhão. A grande massa de areia quente avançava com velocidade pela unidade, penetrando em tudo. Quase não se podia enxergar um palmo diante do nariz, e muitos soldados usavam cobertores sobre a cabeça para se proteger. Eu ainda reforçara minha proteção por uma bandagem enrolada em torno do nariz e da boca para filtrar o ar quente. Eu estava tão bem-escondido que alguém teve de me apontar quando ele chegou, protegido por um cachecol enrolado em seu rosto. Com tudo aquilo, a conversa foi abafada.

— Compreendo que você se fez útil na praia, Avey. Certo?

— Sim — respondi, tirando a bandagem do rosto para falar.

— Salvou um oficial, nada menos.

— Isso mesmo.

— Você certamente entenderá — ele agora estava quase gritando — que não posso lhe dar nada por causa disso.

— Sim.

— O que vou fazer é isso. Precisamos de mais alguém para escoltar os prisioneiros até a África do Sul, então junte suas tralhas, você vai partir.

— O quê, agora?

— Sim, agora. Evite problemas, e você pode ficar assim até o final da guerra. Está claro?

Não me lembro do que disse a ele, que logo se foi, mais uma sombra encoberta na tempestade de areia. Eu tinha boas lembranças da África do Sul, mas o destino foi cruel. Comecei a sentir tudo aquilo novamente. Minha cabeça latejou, meus músculos voltaram a se contrair.

Parti para o Cairo no comboio seguinte de caminhões de suprimento, com a tempestade de areia ainda soprando, a cabeça latejando e o rosto coberto, para evitar que os grãos de areia entrassem pelo nariz e pela boca. Havia alguns companheiros comigo, e logo fui jogado no chão do caminhão por uma tempestade que golpeava do lado de fora e por outra que dava golpes dentro de minha cabeça. Comecei a delirar: dessa vez, era malária.

Graças a Deus, aquilo me enfraqueceu. Não sei por que fiz isso, mas um dos companheiros me contou depois. O combate já tinha me levado a lugares terríveis. Não sei qual deles revisitei no piso duro daquele caminhão, mas, em meu delírio, sofri um súbito paroxismo de pânico e medo. Eles disseram que eu me arrastei para a frente, tentando arrancar o revólver de um dos rapazes, convencido de que a sobrevivência de todos nós dependia daquilo. Felizmente, fui dominado.

Eles me levaram rapidamente para uma tenda hospitalar. Perdi a conta dos dias, mas fiquei lá por pelo menos duas semanas, embora possa ter sido muito mais tempo. A equipe de enfermagem era fantástica; o tratamento à base de quinina era amargo e pavoroso. Isso é tudo o que consigo recordar, além do bombardeio pesado, é claro. Durante minha recuperação, muitas bombas foram lançadas e, quando se está debaixo da lona, isso é alarmante.

Eu me restabeleci e voltei a encontrar os rapazes. Pouco tempo depois, estava sentado na barraca do café da manhã quando um oficial ordenança me identificou.

— Que diabos você está fazendo aqui, Avey? Você deveria estar na África do Sul.

Pensei que o episódio da malária tivesse encerrado aquela pequena escapada. Ele desapareceu antes de ouvir minha explicação. Algumas horas depois, ele voltou.

— Certo, está resolvido. Tenho um navio para você, então pegue suas coisas e vá para o porto com outra pessoa. Eles precisam de dois homens. Você pode escolher alguém para ir junto, mas faça isso rápido.

Esquadrinhei as mesas de madeira e parei em Bill Chipperfield. Ele tinha estado em minha cabine no *Otranto*. Era muito honesto, e isso bastava.

Eles nos levaram até o porto de jipe. Eu precisava me barbear, meu uniforme estava nojento e manchado de óleo, e, quando vi o navio em que iríamos embarcar, senti-me totalmente desalinhado. Era o famoso *Île-de-France*, um transatlântico novinho em folha que tinha sido requisitado pelo Almirantado Britânico quando Paris caiu. Ele tinha três chaminés altas circundadas por largos deques de passeio, mas a tinta preta e branca que acentuava suas linhas elegantes havia se perdido debaixo de uma camada cinza que identificava os navios de guerra.

Ele se destacara pelo interior *art déco*, com suas pinturas e esculturas, além de um típico café parisiense, das piscinas e da sala de ginástica. Agora, era um transportador de soldados, mas ainda se podia detectar sua elegância e grandeza.

— Você vai ficar num dos quartos de luxo — anunciou o guia que nos conduziu.

Não era engano; aquele era um apartamento luxuoso flutuante.

Quase pude sentir o perfume das elegantes mulheres parisienses; fiquei imaginando como elas se vestiam para jantar num dos deslumbrantes restaurantes a bordo, de modo impecável, saindo antes para um passeio pelo deque.

Em vez disso, senti como nunca o arranhão da areia do deserto no meu uniforme sujo e rijo. Na cabine, passei minhas mãos calejadas pela maciez dos lençóis e sonhei. As feridas do deserto nos braços agora me pareciam mais um constrangimento social do que uma insígnia de serviço.

Ouvi um pigarro. Olhei para cima e vi dois funcionários indianos diante de mim.

— Está tudo ao seu gosto, senhor?

— É, primeira classe — murmurei com hesitação. Durante meses, recebi muitas ordens, tive poucas escolhas e nenhum conforto. Agora, as escolhas e os confortos chegavam para compensar o tempo perdido.

— O senhor tem tudo de que precisa?

— Tudo de que preciso? Sim, tudo.

— Muito bem. — Ele ainda não ficara satisfeito. — Qual a melhor temperatura para o seu banho, senhor?

Senti um sorriso amargo se desenhar em meus lábios.

Havia centenas de prisioneiros italianos a bordo. Nossa missão era guardar a prancha de embarque que levava a seus alojamentos para impedi-los de sair ou, pior ainda, de tomar a embarcação de assalto. Fiquei horrorizado quando me deram um rifle italiano para fazer o serviço. "Eles deviam ser capazes de fazer melhor do que isso", pensei, "nosso rifle Lee-Enfield é o melhor de todos". No entanto, a maioria dos italianos se sentia aliviada por sair da guerra, assim o risco não era tão grande.

Depois do deserto, tudo era tranquilo. Algumas vezes, fiz as refeições na mesa do capitão. Era a primeira vez que eu via pão branco após um longo tempo. No deserto, não comemos pão uma vez sequer.

Na chegada a Durban, deixamos que os prisioneiros fossem substituídos por outros e nos dirigimos ao acampamento de Clarewood, que ficava próximo. A primeira parte da missão tinha sido cumprida.

Naquele tempo, havia um ar de irrealidade sobre a África do Sul. Eu estava decidido a explorá-la, e me recomendaram o clube Navy League, um lugar muito fino em estilo colonial, com um bar amplo e bem-arejado. Lá havia, além da música, seres humanos tal como eu os conhecia, pessoas cujas preocupações cotidianas não se resumiam a encontrar uma forma de sobreviver. Algumas pessoas queriam notícias do deserto. Éramos pequenas celebridades. Aquilo ficou um pouco pesado para mim, mas, pelo menos, pude tomar chá e comer um pão decente também.

Ali, conheci uma linda garota chamada Joyce, gerente da Stinkwood Furniture Company, que fabricava mesas e cadeiras com um tipo caro de madeira de lei e que recebera tal nome em alusão ao odor que a madeira exalava quando era trabalhada. Logo fui convidado para conhecer os pais dela, e, após algumas visitas sociais, eles me sugeriram que ficasse hospedado em sua casa, em vez de permanecer nas barracas. Isso não era algo incomum, vários rapazes conseguiram se mudar para casas de famílias sul-africanas e muitos deles, como Bill, tiveram uma ótima temporada. A família Merrit morava num apartamento confortável numa rua larga, com palmeiras que conduziam à Esplanada.

A vida era boa e a guerra ficara a quilômetros de distância. Eu gostava de Joyce e acho que qualquer um poderia pensar que éramos namorados, pois de fato passávamos muito tempo juntos. Ela era boa iatista e me levava para navegar pela costa, e também era uma exímia nadadora que não se intimidava quando os alarmes soavam, alertando para a presença de tubarões. Era uma grande garota.

Minha atividade não durava mais do que meia hora por dia. Eu recebia uma lista com os números dos prisioneiros do acampamento de Clarewood e tinha de repassá-la ao quartel-general em Durban. Eu aproveitava a vida com a família de Joyce. Havia as idas ao cinema com o motorista dirigindo o carro, onde assistíamos a algum filme com um drinque na mão, sentados em poltronas em estilo Lloyd Loom, com garçonetes nos servindo com toda a categoria.

Joyce conseguiu uma dispensa no trabalho e sugeriu que fizéssemos uma viagem juntos, sabendo que eu me sentia infeliz sempre que me perguntavam sobre a guerra. O batalhão havia me enviado para um descanso, é claro, de modo que fiquei surpreso quando minha solicitação de uns dias de folga foi aprovada. Nós então partimos para uma jornada por toda a África do Sul. Ao norte, passamos pela Rodésia, que até então existia. A paisagem era paradisíaca, e sempre havia empregados para cuidar de nós. Dificilmente fazíamos qualquer coisa por conta própria. Era o verão de 1941, em plena guerra, e eu estava aproveitando a África.

Talvez eu estivesse me vangloriando. Talvez aquele fosse um lugar para me estabelecer no futuro, mas, quando voltei a Durban, alguma coisa se revolvia dentro de mim. Com frequência, via os homens vindo para os navios e se preparando para entrar na imensidão azul. Isso começou a perturbar minha consciência. Em seguida, passei por George Sherlock na rua e acho que isso foi a gota d'água. Eu estava com Joyce quando o encontrei. Ele gritou da outra calçada, e estava atravessando a rua com muletas, quando então consegui identificar a origem da voz. Foi maravilhoso ver o homem que eu encontrara pela última vez se contorcendo em agonia e gritando em pânico, agora com uma aparência tão boa, apesar de ter perdido o pé com a bomba térmica. Ficamos muito contentes de nos ver.

Aquilo mudou minha cabeça; eu precisava voltar ao batalhão. Descobri que o navio *Mauretania* estava zarpando para Suez e subi a bordo, no meio da multidão de rapazes. Eu planejava me apresentar assim que a navegação iniciasse.

Disse vagamente à família de Joyce que ficaria fora por um tempo. Não fiz estardalhaço a respeito disso. Para ser sincero, nunca disse exatamente a Joyce o que iria fazer, que estaria partindo para a imensidão azul e que talvez não voltasse. Durante a guerra, não se deve deixar alguém se apegar tanto a você; e é provável que eu tenha ultrapassado o limite. Eu estava prestes a trocar um mundo por outro. Tinha de ser como apertar um interruptor. Só conseguiria fazer aquilo dessa maneira. Tempos depois, escrevi para ela uma vez do Egito e tentei explicar, mas o que estava feito estava feito. Joyce esteve na Inglaterra cinco anos após a guerra e escreveu para saber como eu estava. Eu tinha me casado. Nunca mais a encontrei.

Eu ganhara um porto seguro na África do Sul e o abandonei, dirigindo-me de volta à batalha. Eu sentia que precisava fazer isso, e acabei por deixar Joyce para trás. Quem sabe o que poderíamos ter sido juntos, caso eu tivesse ficado? São essas as coisas estúpidas que fazemos.

O navio estava cheio de sul-africanos em clima de bravura e havia muita cantoria a bordo, a maior parte no idioma africâner. Jamais aprendi essa língua, mas as melodias que flutuavam sobre os deques escuros durante a noite ainda estão em minha memória.

Era difícil compartilhar o moral elevado deles. Eu sabia o que estava à espera, mas não quis atrapalhar a festa. Os sul-africanos haveriam de passar por tempos difíceis, e eu estaria ali como testemunha. Não seria fácil para nenhum de nós.

Quando já estávamos longe da costa, eu me apresentei a um oficial britânico a bordo. A resposta foi previsível e direta. “Bem, essa sua brincadeira foi muito idiota”, foi tudo o que ele disse. Ele ficou visivelmente perplexo. Logo encontraram uma cama para mim, mas com o calor que sentíamos era preferível dormir no deque.

Ocorreram mais problemas quando voltei para a imensidão azul. Ao retornar, eu havia desobedecido às ordens, porém *estar presente* sem partir era uma acusação difícil de manter. Levei a carraspana padrão, mas eles precisavam de homens com urgência. Os alemães estavam batendo à porta. Nossas últimas vitórias estavam mortas e enterradas. Pertenciam a uma outra guerra. Erwin Rommel, a Raposa do Deserto, era o nome que não saía de nossas bocas. Os alemães tinham bombardeado todo o caminho até a fronteira egípcia, e a guarnição de Tobruk estava sitiada.

Capítulo 6

Apanhamos os carregadores Bren, em Mersa Matruh, e seguimos para encontrar o batalhão. Agora eu me encontrava de novo entre alguns dos velhos companheiros, e, quando Les Jackson apareceu, nosso grupo ficou completo. Gostamos muito de nos reencontrar, mas não nos falamos muito. Achei bom ele não ter me perguntado por onde andei. Enquanto eu aprendia a velejar com uma bela iatista durante o dia e era servido com toda a categoria durante as noites, Les e os rapazes eram obrigados a engolir carne enlatada ou ensopado gordurento Maconochie no deserto. O areal agora pertencia a Auchinleck, porque Wavell tinha sido substituído como comandante em chefe no Oriente Médio após o fracasso de uma ou duas operações, para o meu grande espanto.

Les estava bem. Ele não gostava de se gabar, mas sempre conseguia fazer as coisas, e, se ele estava no comando do carregador, então eu iria dirigi-lo. Não tinha discussão. Ele confiava em mim e me deixou dar instruções ao novo atirador. Enchemos a traseira do carregador de munição e nos preparamos para partir, rumo à nossa última ação em conjunto.

A ofensiva para libertar Tobruk se tornaria famosa como a Operação Cruzado. Como sempre, fomos mantidos no escuro, mas agora já conseguíamos fazer boas estimativas. O objetivo era resgatar a cidade portuária e empurrar Rommel para trás, recapturando o território perdido. O principal assalto ocorreria em Trigh Capuzzo, uma longa trilha no deserto depois de Sidi Rezegh, ao sul de Tobruk. Ele tinha como objetivo forçar o inimigo a travar uma grande batalha de tanques, em terreno de nossa própria escolha. A guarnição sitiada em Tobruk deveria escapar e se juntar a nós.

Para mim, aquele nome, Sidi Rezegh, não queria dizer nada quando o ouvi pela primeira vez.

Eu ainda estava na Companhia B, sob o comando de Tony Franklyn, e nós fazíamos parte da Coluna de Hugo, batizada em homenagem ao major que nos liderava, Visconde Hugo Garmoyle. Nossa missão era entrar em combate com o inimigo a oeste do avanço principal.

Aquela parte do deserto era repleta de depressões profundas, em tal quantidade que os mapas listavam dez nomes alternativos para suas sutis variações. Um declive no chão podia ser chamado de *agheiret* ou de *agheret*, a menos que fosse um *ghot*, um *gof* ou um *got*. De forma alternada, podia ser denominado *hatiet*, *rugbet*, ou mesmo *sghifet*, e não deveria ser confundido com *deir*, que era o tipo de depressão na qual se podia acampar. As grandes poderiam ser úteis como esconderijos. As pequenas poderiam arrebentar o chassi.

Nós nos reunimos perto da fronteira líbia, a uns sessenta quilômetros ao sul do mar, numa paisagem ameaçadora, mas agora familiar, de areia e cascalho, com inúmeras e pequeninas poças de sal, que um dia chegaram a formar um lago. Às seis horas da manhã do dia seguinte, 18 de novembro, iniciamos nossa jornada. Quando o sol surgiu, ficou brilhante, mas não esquentou. Não havia miragens, e, por toda parte, podíamos ver os tanques e os demais veículos fluindo pelo deserto em direção a Tobruk.

Muitos haviam passado ali antes de nós. O cenário árido era pontuado de túmulos muçulmanos, grandes e pequenos, normalmente definidos por marcos de pedras; havia cisternas romanas e até mesmo poços escavados nas bases das rochas. Muitos passaram, mas alguns ficaram, e era possível enxergar por quê.

Mesmo nas melhores condições, os carregadores eram tão sedentos quanto os atiradores australianos no bar Sweet Melody, mas nós lutávamos em marcha lenta, sobrepujando terrenos de areia fina, e então consumíamos combustível como se não houvesse amanhã. Como sempre, eu me concentrava para manter o chassi a salvo, o motor funcionando e a areia fora dos meus olhos.

O alto comando do batalhão vinha cerca de três horas atrás de nós. Mais adiante, eles descreveram a "dócil atmosfera de excitação" que permeava a coluna. Não me lembro de ter me sentido especialmente animado. Les e eu formávamos uma unidade e apenas nos adequávamos a isso. O alto comando até encontrou tempo para tomar banho, fazer a barba e tomar café da manhã.

A RAF fazia um bom trabalho. Não vimos sinal de aeronave inimiga alguma durante todo o dia, embora tivéssemos passado pelos remanescentes de dois aviões Stuka abatidos e incendiados, o que nos deu certo conforto. Nosso primeiro contato real com o inimigo aconteceu no final da tarde, quando houve um rápido confronto com cinco tanques italianos. De volta ao quartel-general, os ânimos estavam elevados. Os soldados faziam piadas a respeito da "cerveja em Trípoli". Como vimos depois, eles teriam muita sorte se sobrevivessem para tomar uma cerveja no Cairo. Não me lembro do mesmo sentimento no local onde ficamos abrigados. Passamos a noite numa série de pequenas colinas circundadas por grandes depressões, dormindo em terra coberta por cascalho e pedra, numa paisagem pontuada de tumbas.

Seguimos em frente bem cedo, para que ninguém nos pegasse cochilando. Era uma manhã clara e fria, e começou com aquele tipo de ação costumeira, um ataque direcionado a alguns tanques italianos. Nós os perseguimos rumo ao norte, em direção ao poço de Bir Gubi, com os novos tanques Crusader da 22ª Brigada Blindada se juntando a nós. Gubi estava cercado pelos caminhões inimigos, um alvo tentador, mas o que aconteceu depois foi emocionante e pavoroso ao mesmo tempo.

Estávamos assistindo de camarote àquilo que mais se aproximava em toda a guerra de um ataque de cavalaria feito por tanques, mas aqueles tanques inimigos não eram exatamente o que pareciam ser. Eram um disfarce para canhões antitanques muito bem-enterrados. Em pouco tempo, tudo o que se viu foi poeira e fumaça. Nossos tanques se deslocaram entre as posições inimigas, passando por cima delas nas trincheiras, mas não faziam frente aos canhões antitanques, e foram dizimados no processo.

Recebemos ordem para entrar e recolher prisioneiros. Eles reivindicaram a captura de Gubi, mas a fumaça se dissipou para nos mostrar que aquele confronto não havia terminado e que tanto a artilharia quanto a bateria antitanque estavam bem ativas, de modo que o capitão Franklyn deu uma contraordem, para a nossa sorte. No final da tarde, a 22ª Brigada Blindada tinha abatido sessenta tanques italianos, mas perdera 25 Crusader novos. Não foi um bom presságio para quando fosse a hora de enfrentar os tanques alemães Panzer.

Conforme foi escurecendo, entramos para ver se alguns de nossos tanques danificados tinham conserto. Ainda havia fumaça saindo de alguns deles, e mortos e feridos de ambos os lados espalhados pelo campo de batalha. Pelo menos dois de nossos tanques haviam simplesmente perdido os chassis. Ouvia-se o barulho de muitos motores e gritos vindos de Gubi, e, ao escutar a aproximação de pessoas, conseguimos fazer um prisioneiro.

No dia seguinte, 20 de novembro, enterramos meu querido amigo Bill Manley. Pobre Bill. Deve ter sido um tiro certeiro, porque ele já estava morto quando o vi e não me lembro de ter encontrado seu corpo muito ferido. Simplesmente tivemos de lidar com isso. Nós o enterramos em pleno raiar do dia. Não houve cerimônia, nem ritual. Eu me ajoelhei e cavei o máximo de areia fina que pude, tentando evitar que ela entrasse de novo na cova rasa. Removemos metade da identificação de metal que ele trazia no pescoço e o pusemos dentro da cavidade rasa no deserto. Procurei não olhar para seu rosto enquanto jogava areia sobre ele. Bill era daqueles que falavam de casa, da família — das coisas que realmente têm importância —, e normalmente não se faz isso. Nenhum de nós queria ficar tão próximo e, em momentos como esse, joelhos na poeira, jogando areia sobre uma face humana, entendíamos por quê. Empilhamos o maior número de pedras que pudemos encontrar sobre a cova, para impedir que os cães selvagens o pegassem, e nos levantamos sem fazer uma oração sequer. Tirei o ferrolho do seu rifle, amarrei a espada no final e enfiei o cano da arma na areia, junto aos pés dele. Virei de costas e o deixei ali sozinho no deserto.

Tempos depois do fim da guerra, aqueles campos de batalha foram limpos. Os corpos ali enterrados foram levados para os cemitérios militares, mas muitos não puderam ser encontrados e acabaram sendo listados no Memorial de Alamein. O nome de Bill está lá, de modo que ele ainda repousa naquele lugar em que o deixei, em algum ponto das areias cambiantes ao sul de Sidi Rezegh.

Fomos enviados para adiante, a fim de verificar se Gubi ainda estava ocupado. Descobrimos isso assim que todos os tipos de artilharia pesada e fogo antitanque foram disparados contra nós. A Brigada Sul-Africana chegou logo depois disso, e nós tentamos alertá-los, mas sua companhia armada dianteira entrou diretamente na área de perigo e foi duramente massacrada. Sem dúvida, parte das baixas foi composta por alguns daqueles garotos cujas canções vigorosas elevaram nossos espíritos no navio *Mauretania*, enquanto navegávamos pela costa da África.

Felizmente, um de nossos oficiais conseguiu chegar ao corpo principal dos caminhões de transporte de tropas deles antes que nos alcançassem, e eles se entrincheiraram. Vinte e sete aviões bombardeiros Stuka, com sua escolta completa, apareceram no céu. Eles normalmente voavam com pilotos experientes, mas esse grupo despejava bombas numa área completamente vazia do deserto. Somente um deles fez o tradicional mergulho de ataque, embora tenha falhado na hora de reverter e despencado sua bomba direto no chão. Na gozação, chegou-se a insinuar que os pilotos fossem italianos, mas eu achei difícil de acreditar que os alemães autorizassem aviadores italianos a pilotar suas aeronaves. Talvez fossem novatos.

Estávamos nos aproximando de nosso objetivo. A serra que sobrepujava a trilha de Trigh Capuzzo ficava a uns 25 quilômetros ao norte. Naquela colina estava instalada a mesquita de Sidi Rezegh, um prédio branco com uma cúpula e um grande campo de aviação. A 7ª Brigada Blindada já tinha alvoroçado o lugar, destruindo aeronaves Messerschmitt e Stuka, esmagando sua fuselagem com os tanques. O número de vítimas foi bastante elevado. Meus amigos da Companhia A do major Sinclair sofreram, perdendo dois carregadores para a artilharia antitanques. Recordando, descobri que aquilo foi descrito depois como "uma das realizações mais extraordinárias da guerra no deserto".

O controle da serra permitiu que nossas forças passassem por cima da chamada estrada do Eixo em direção a Tobruk, mas o ataque fazia um progresso lento, insuficiente para permitir que a guarnição sitiada escapasse para se juntar a nós.

Li muitas histórias militares e agora sei o que deu errado. Os alemães não alimentavam nosso mesmo desejo de travar uma batalha de tanques. Eles escolheram a melhor ocasião e usaram suas armas superiores para nos confrontar separadamente, em combates isolados que nos custaram bem caro. Eles eram bons nisso. Naquela manhã do dia 21 de novembro, dirigi o carregador para fora da vala e, assim que subimos, vi um tanque alemão a quase um quilômetro de distância. O cano dele girou e atirou contra nós em instantes. Tive tempo apenas de dar uma derrapagem rápida e mergulhar de volta.

A Companhia A do major Sinclair se deparou com os alemães no começo da tarde, quando 75 tanques Panzer vieram diretamente na direção dela, numa confusão de poeira, estrondos de granadas e veículos incandescentes. Nossos homens eram muito menos numerosos, e nossos canhões antitanques foram destroçados. Os sobreviventes procuraram as valas para se proteger e foram rapidamente emboscados entre os tanques, no sul, e entre a infantaria, no norte, ao cair da noite. Em pouco tempo, o major e seus homens estavam emboscados.

Les e eu ficamos conversando aos murmúrios no carregador durante a maior parte da noite, com o restante da coluna de Hugo Garmoyle. De manhã, estávamos abrigados no vale ao sul do campo de aviação quando ouvimos mensagens desesperadas do quartel-general do batalhão, que estava encurralado. Eram apenas três jipes pequenos com mastros de telégrafo, completamente expostos no chão desguarnecido, e a equipe do quartel-general agachada atrás dos caminhões para se proteger. Ouvimos suas mensagens de desespero no rádio.

Cinco tanques Cruzader foram enviados para socorrê-los, mas foram incendiados logo em seguida. Com dois dos jipes queimando, o quartel-general informou pelo rádio que eles iriam cavar trincheiras. Entre as poucas armas que ainda funcionavam, havia uma bateria antiaérea Bofors, cujas bombas não obtiveram sucesso, apenas quicando sobre os tanques alemães. A tripulação de um canhão antitanque, instalada sobre um caminhão, foi totalmente abatida. Um de nossos oficiais, tenente-coronel Ward Gunn, correu mais de cem metros debaixo de fogo cerrado para substituí-la. Ele derrubou dois tanques inimigos antes de ser morto, e recebeu uma honraria póstuma por isso. Parte do quartel-general precisou engatinhar em busca de abrigo, enquanto a infantaria alemã avançava sobre eles com toda a agressividade.

Assim que o major Sinclair e seus homens foram trazidos, diversas bombas caíram bem no meio dos prisioneiros, e, no ensejo de poeira e confusão, ele correu. Encontrou então uma pequena fortificação de pedra, onde se escondeu debaixo de um impermeável até o anoitecer, enquanto os alemães saqueavam um caminhão a poucos metros de distância. Ele passou aquela noite fria sob as estrelas, antes de voltar. No fim das contas, estavam desaparecidos dois oficiais e quarenta soldados da Companhia A. Somente vinte conseguiram se salvar. A Companhia A não existia mais.

A Operação Cruzado ficou em total desalinho. Faltavam tanques e munições. O campo de aviação de Sidi Rezegh havia sido recapturado pelo inimigo, e isso traria consequências devastadoras para os homens que estavam a meu lado. Até então olháramos a uma certa distância enquanto as bombas caíam sobre o aeródromo, onde a Companhia A tinha sido encurralada, mas agora nós é que estávamos no centro da batalha.

A 4ª Brigada Blindada começou a se retirar por meio de nossa posição, e os carregadores no campo de aviação também se viram obrigados a recuar lentamente.

Naquele momento, apareceu um punhado de tanques inimigos na colina ao sul do campo de aviação, a menos de um quilômetro de distância. Os tanques Panzer passaram a quase trinta metros de um dos nossos pelotões, mas, mesmo àquela distância, nenhuma de nossas armas, os Bren e os inúteis rifles antitanque Boys, causou-lhes qualquer impressão. A batalha entre os nossos canhões de artilharia de campo e os pesados tanques blindados alemães seria bastante desigual, mas Garmoyle prosseguiu em seu intento, indo de um canhão a outro, encorajando os atiradores e dando ordens. Eu não vi isso, mas conta-se a história de que uma bomba caiu exatamente a seu lado, enquanto ele andava calmamente por ali. Um atirador de rifle disse ao companheiro:

— Ei, olhe, uma bomba caiu bem ao lado do major.

— O que ele fez? — perguntou o outro.

— Deu uma passada mais larga.

Aqueles atiradores, assim como o encorajamento de Garmoyle, conseguiram deter o avanço alemão até o cair da noite, mas muitos de nossos veículos foram capturados antes que pudessem retroceder do alcance deles.

Aquela última noite de liberdade foi relativamente tranquila, considerando-se o caos que havia em volta. Nós nos retiramos para longe da colina. Outras unidades agora tinham se juntado a nós. Durante a noite, pequenos grupos de tanques da 22ª Brigada Blindada continuavam chegando. Troquei minhas botas por outras de couro mais pesadas e vesti meu colete de couro. Eu estava na expectativa de que alguma coisa ruim acontecesse.

Na primeira luz da manhã do dia 22 de novembro, estávamos de novo em ação. Cinquenta de nossos tanques remanescentes bloquearam um ataque inimigo dos tanques Panzer. Em seguida, surgiram os tanques leves da 4ª Brigada Blindada, depois de lutar a noroeste, mas o que parecia bom sinal acabou por não se concretizar. O comandante da brigada, Jock Campbell, conduziu-os à batalha, correndo à frente num jipe e empunhando seu cachecol azul como uma bandeira. Eles partiram com pressa para o combate, mas o ataque foi mais intrépido do que efetivo. Eles chegaram em pequenos grupos e foram destruídos em pequenos grupos.

Estávamos agora numa posição precária, na ponta do aeródromo de Sidi Rezegh. Havia muita discussão confusa no telégrafo, porque estávamos usando um conjunto diferente de nomes de lugares em relação àqueles que tinham sido listados pelos 11º Hussardos. Não foi um bom presságio. Recebemos ordens para seguir uma direção de 22 graus através de uma vastidão monótona como a linha mais adequada de ataque. E nos disseram para ficarmos atentos aos tanques inimigos, que rondavam por ali em busca de presas.

Com duas bandeiras azuis estendidas na altura do braço, o comandante do pelotão ordenou que avançássemos em fila dupla. Abotoei meu colete de couro ao ouvir os motores dos carregadores rosnarem a minha volta. Estava quente e úmido, e eu tinha um lenço branco amarrado no volante para secar a testa. Engatei a marcha do carregador e fomos em frente, balançando nas trilhas enquanto alcançávamos velocidade para emparelhar com os outros quatro. Não tínhamos qualquer ideia de onde estavam nos lançando.

Subitamente, o chão afundou à nossa frente e eu tive de dar uma guinada para leste, ao longo da margem de uma escarpa. Em seguida, do nada, metralhadoras abriram fogo, e a carroceria do blindado começou a tilintar como pancadas de martelo distribuídas numa bigorna. Agora tínhamos sido apanhados. Les nada disse.

— Atire, pelo amor de Deus — gritei para o atirador atrás de mim.

Ouvi os estrondos metálicos do Bren que atirava acima de mim. O som se tornou ensurdecedor. Cartuchos usados caíam sobre meu ombro e dentro do piso do carro, do meu lado.

Houve um pequeno instante de silêncio na parte de trás e então um estrondo de metal, enquanto ele trocava os pentes de munição. As balas ainda nos ricocheteavam, provocando vibrações por todo o carregador, como se uma broca estivesse em ação na carroceria do blindado.

Les, a meu lado, concentrava-se em atirar com os rifles antitanques Boys. Meu assento estava vergado para baixo em sua posição de combate, e, em vez de olhar sobre o topo do blindado, eu esquadrinhava através do vidro da pequenina abertura do para-brisa. Eu me apoiava no lado direito, longe de Les, olhando pelo vidro para observar se alguma bala entraria por ali.

O recuo de cada tiro batia nas costas do carregador, e o estrondo ecoava perdido em meio ao chocalhar dos disparos de metralhadora. Outro breve instante de silêncio, e ouvi o som frenético do atirador trocando os cartuchos novamente. A carroceria do blindado reverberava os tiros infindáveis. Eu lutava para controlar o veículo, e os cartuchos vazios começaram a cair novamente sobre mim, até que subitamente pararam. Em toda a volta, o estrépito continuava, mas o nosso Bren silenciou. Meus ouvidos zuniam, mas o silêncio do nosso atirador era assustador. De imediato, percebi que ele tinha sido atingido. Então, eles abriram fogo contra nós por todos os lados.

Estávamos entrando num corredor estreito de atiradores alemães. À esquerda, eles se escondiam embaixo da beirada da escarpa. À direita, estavam no mesmo nível que nós. Les, que atirava e recarregava sem trégua, tentava encontrar uma boa posição de mira.

— Pare! — gritou ele.

— De jeito nenhum! Vamos virar um alvo estanque.

Os alemães começaram a atirar no chassi e na junção das rodas. Se conseguissem estourá-los, eles nos pegariam à vontade.

Avançamos em direção a um dos postos de metralhadora, num fogo cruzado que parecia tempestade. Sem o atirador, Les lutava com o rifle antitanque, e as únicas armas realmente úteis que eu tinha à mão eram granadas próximas ao assento e o próprio carregador, que ainda era capaz de fazer algum estrago.

— Vou apanhar os morteiros — gritei para Les, mais por rebeldia do que por esperança, enquanto nos chocamos contra um posto de metralhadoras. O carregador deu outra guinada em seu trilho enquanto passamos por cima da posição deles ao som de metal sendo esmagado e torcido debaixo do carro. Tive certeza de que os atiradores morreram de imediato, mas nós estávamos cercados. Agora, isso não fazia mais qualquer diferença.

Agarrei uma granada, arranquei a tampa com o dente e a joguei para o alto com o braço por cima da carroceria do blindado. Era impossível saber se o estrondo tivera algum efeito. Eu não conseguia enxergar. O ar ficou cheio de metal flutuante. Joguei outra e mais outra granada, na esperança desesperada de que cada explosão trouxesse o silêncio. Mas não trouxe.

Não senti como se uma bala tivesse me acertado. Foi apenas um golpe esmagador na parte superior de meu corpo, quando me estiquei para lançar minha última granada. Eu fora atingido.

Mal consegui perceber a granada alemã quicando dentro do carregador.

Eu tinha sido atingido, estava assombrado no banco do motorista. Em seguida, houve um estrondo ensurdecedor. Foi como se tivesse recebido um golpe nos ouvidos. Sem reação, senti como se a minha cabeça estivesse se expandindo e se contraindo com o ímpeto do ar.

Se a granada tivesse quicado do meu lado do carregador, estaria morto, mas a caixa de transmissão entre mim e Les me salvou, desviando para longe o metal incandescente. Devo ter ficado atordoado com o barulho, e o carregador mergulhou uns dez metros para dentro da borda da escarpa.

Quando dei por mim, o interior do carregador estava todo vermelho, e eu me encontrava coberto de sangue, quente e pegajoso. Metade do pobre Les estava sobre meu corpo e sabe-se lá o que mais.

Ainda não havia terminado. Um soldado alemão pairou sobre mim, com sua silhueta encobrindo a claridade. Se ele decidisse me matar, fim de papo. Ele me puxou para fora do carregador. Estava irritado, e eu não esperava tratamento especial, não ali, não depois do que tinha feito. Eu simplesmente esmagara os companheiros dele. Exatamente como estava acontecendo comigo agora. E havia ainda o bom e velho Les. Uma forma humana quase irreconhecível. A granada tinha estourado em seu colo.

O soldado não atirou. Vi os lábios dele se moverem. Ele vasculhou o carregador atrás de munição. Mesmo com os ouvidos semitapados pelos estrondos anteriores, pude ouvir tiros à distância. Os outros carregadores estavam em apuros. Em seguida, vi o atirador amarfanhado no chão. Ele não se movia, e seu braço tinha sido destroçado. Outro alemão se aproximou. Ele olhou para os amassados que brilhavam nas laterais do carregador, onde centenas de balas tinham sido lançadas. Ele passou as pontas dos dedos sobre eles, sorrindo como se estivesse satisfeito com a precisão de sua mira.

Olhando para o meu colete de couro, todo coberto com os restos de Les, percebi imediatamente do que havia escapado naqueles primeiros instantes da captura. Parecia que eu também tinha sido detonado. Eles acreditaram que eu estava morto.

Ao ver que Les tinha explodido, minha primeira reação foi "Graças a Deus que não fui eu". Muito tempo depois, as pessoas me disseram que todo mundo quer sobreviver e que essa alegação era normal, mas era mesmo? Não sei. Até hoje, ainda não sei. Como já observei, durante a guerra, a gente arranja desculpas para si mesmo o tempo todo.

Les era aquele companheiro de olhos cintilantes. Eu tinha atravessado todo o caminho desde Liverpool na sua companhia, tinha dançado com a sua irmã Marjorie, tinha sentado à mesa da cozinha com sua família, rindo com suas piadas e comendo sua comida. Não me parecia certo. Até hoje isso me incomoda da mesma forma que me incomodou há setenta anos. Mas a gente faz o que precisa fazer para superar. A mente é uma coisa poderosa. Podemos até atravessar paredes.

Sidi Rezegh acabou sendo conhecida por nós como a batalha esquecida, e ser um mero detalhe numa batalha esquecida é algo realmente infame.

Capítulo 7

O atirador estava num estado terrível. Todo o seu braço tinha sido cortado pelas balas, e ele perdia muito sangue. Eu não acreditei que ele sobreviveria. Um soldado alemão lhe aplicou um torniquete. Ele fez gestos em minha direção, e eu captei as palavras *"Jede fünfzehn Minuten"*. Ele queria que eu desapertasse o torniquete com regularidade, mas não consegui. Fui colocado numa maca e levado para longe, deixando Les e o carregador baleado para trás.

Jamais descobri o que fizeram com o corpo deles. Seus restos ainda estavam ali, caídos sobre o assento, quando eles me levaram embora. Seu nome ficou no Memorial de Alamein. Espero que tenham lhe dado uma sepultura adequada.

Batalha esquecida? Aquilo foi um completo desastre. Na ação, quatro de nossos carregadores foram perdidos. Tive ferimentos leves na perna e na cabeça, e um mais sério na parte superior do braço. Um tempo depois, soube que Eddie Richardson, o Eddie Regimental, havia sobrevivido. Seu carregador foi lançado para fora da escarpa em velocidade e fez uma aterrissagem por sorte tranquila numa pilha gigantesca de recipientes de combustível. Ele sobreviveu à emboscada e ao voo, mas acabou sendo aprisionado. Alguns meses depois, acho que o vi à distância, num acampamento de trânsito, mas não pude me aproximar dele.

Bill Chipperfield, que havia ficado em minha cabine no *Otranto* e também viera para a África do Sul comigo, tinha sido morto junto com outros vinte companheiros do 2º Batalhão nos primeiros dois dias da combate de Sidi Rezegh. Muitos outros das demais unidades também pereceram; vi seus cadáveres por todo o campo de batalha. O segundo-tenente Jimmy McGrigor foi morto quando uma bomba atingiu o quartel-general da Coluna de Hugo. Ele era um bom sujeito, o Jimmy. Tratava-nos como pessoas, e não como vagabundos.

O cerco a Tobruk foi levantado, mas não deteve Rommel. Ele tornou a atacar, avançou firmemente pelo interior do Egito e não parou até o verão seguinte, quando chegou a El Alamein, a poucos quilômetros de Alexandria. Ali, o 8º Exército, sob o comando de Montgomery, virou o jogo em definitivo, expulsando Rommel do Egito de uma vez por todas e avançando sobre a Líbia e a Tunísia. Charles Calistan desempenhou um papel heroico em El Alamein, destruindo um lote de tanques alemães praticamente sozinho, mas, naquela ocasião, estava num mundo completamente distinto.

Os carregadores de maca alemães me levaram para uma enfermaria de primeiros socorros, onde fui colocado numa mesa de metal. Tiraram meu colete banhado de sangue. Um *Stabsarzt*, cirurgião com a patente de major, aproximou-se. Senti suas mãos percorrendo meu corpo à procura de outros ferimentos. Fiquei deitado, olhando para o teto de lona pesada da barraca. Houve uma interrupção, quando trouxeram um oficial italiano com o pé mutilado. Para minha surpresa, o *Stabsarzt* ordenou rispidamente que saíssem da tenda para que pudesse se concentrar em mim. Foi uma sensação estranha, tendo em vista que eu era agora um prisioneiro desamparado que dependia de um médico inimigo. Ele cavoucou meus ferimentos para tirar a sujeira e os estilhaços, e recebi curativos. Felizmente, a bala não atingira os ossos. Fiquei extremamente aliviado.

Não senti medo. Lembro que pensei nos motivos pelos quais me deixei apanhar, e no fato de que agora não chegaria a oficial. Fui levado para uma barraca maior, que tinha dez caixas de suprimentos empilhadas no canto. Era estranho ficar sob um abrigo novamente. Não se viam muitas tendas no deserto; sempre dormíamos ao relento.

— Você gostaria de comer alguma coisa?

As palavras me pegaram de surpresa. A voz era de um jovem de cabelos muito claros. O Afrika Korps era composto de muitas pessoas instruídas, e grande parte delas falava inglês. Eu não vinha me alimentando decentemente há dias. A resposta foi óbvia. Ele voltou trazendo pão e geleia, ou "marmelada", como ele a chamava. Fiquei pasmo. Não via pão desde a África do Sul.

Foi ali que percebi que iria sobreviver. Fui bem-tratado de uma forma silenciosa e pouco acolhedora. Supus que o bom tratamento fosse a ordem do dia. Mais adiante, quando me deparei com outros soldados alemães, descobri que as coisas funcionavam de maneira diferente no Afrika Korps.

Eles me disseram que minha guerra tinha terminado. Mas eu sabia que não. Eu ainda estava de serviço e permaneceria assim até o final. Foi uma promessa que fiz a mim mesmo, e para meu próprio mal. De qualquer maneira, eles cuidaram de meus ferimentos e provavelmente salvaram minha vida, de modo que passei por um interlúdio estranhamente calmo. À noite, não havia guardas dentro da barraca; a equipe médica não tinha medo de mim, sabia que eu não tinha condições de escapar. Não sei quanto tempo demorou para que me mudassem de lugar outra vez, mas ao final fui levado, ainda deitado, para a traseira de um pequeno veículo. Havia outro soldado ferido junto comigo, mas ele não falou quase nada.

Foi uma jornada longa e dolorosa. As estradas eram acidentadas, e eu lutava para respirar na traseira. Tentei me lembrar das poucas palavras em alemão que tinha aprendido na escola. Após algum tempo, consegui me levantar e bati na parte de trás da cabine. Não houve resposta. Precisávamos de ar.

— *Luft, Luft* — gritei, socando o metal outra vez.

O caminhão parou. Ouvi o motorista vindo em direção à traseira. As portas se abriram, e ele gritou alguma coisa que não consegui entender. O motor engrenou, e partimos de novo, com as portas levantadas. Comemos muita poeira, mas era melhor do que morrer sufocado. Acho que percorremos quase quinhentos quilômetros. Paramos diversas vezes, talvez até durante a noite, não me lembro. Em Bengasi, fui levado para um grande hospital e colocado numa cama de ferro, na extremidade de uma enfermaria longa e limpa, com janelas altas. Eu era o único soldado Aliado na minha seção, e fui mantido à distância dos italianos e dos alemães feridos, que ficavam na outra ponta.

As enfermeiras eram alemãs e italianas, e só falavam comigo o estritamente necessário. Chegavam com um curativo novo na bandeja, instruíam-me a virar para lá e para cá, faziam o serviço e iam embora. Dormi um bocado. Aos poucos, recobrei minhas forças, e a primeira refeição cozida em tempos foi muito bem-vinda.

Ainda tenho meu colete de couro. Ele ficou bastante danificado pela explosão, mas consegui tirar as piores manchas de sangue e o restante secou, deixando pequenas marcas permanentes. Jamais o vesti sem me lembrar de Les.

Então, levaram-me rapidamente sem muita explicação. Os britânicos avançavam até Bengasi, e os alemães não pretendiam entregar-lhes nenhum prisioneiro de volta, ferido ou não. Fui conduzido até o porto, na traseira de um caminhão. Muitos outros prisioneiros aliados, talvez uns cem ou mais, aguardavam para embarcar num navio de carga bastante maltratado. Não saberia dizer quantos já estavam lá dentro. Havia caixotes de madeira empilhados no deque. Estávamos de partida para a Itália e não havia chance de escapar. Entramos na popa por uma prancha de embarque e descemos até um compartimento. Eu não tivera contato com prisioneiros aliados desde a minha captura, mas dobrei meu colete como um travesseiro, deitei sobre ele e fiquei na minha. O lugar estava abarrotado, e o ar, pesado e fétido, de imundície humana. Logo que a embarcação partiu, recebemos nossas rações, um enorme biscoito de cachorro, de talvez uns vinte centímetros, tão duro que era impossível quebrá-lo com os dentes. Era o único alimento que iríamos ganhar.

Após algum tempo, a vibração constante dos motores e a sensação de ondulação me indicaram que estávamos nos movendo, e então o ar fétido se tornou quase irrespirável. Começamos a bradar *"Luft, Luft, Luft"*, com as mãos cobrindo as bocas feito megafones. Aquilo se tornou uma brincadeira estridente, desesperada, e todos se uniram a ela. Estávamos roucos de tanto gritar quando parte da escotilha se abriu. Inalamos o ar fresco do mar, enchendo os pulmões como se o oxigênio estivesse racionado, e depois nos acomodamos para suportar o restante da viagem, sentando e dormindo no mesmo pedaço de aço rígido, enquanto as horas fluíam.

Já havia se passado uma noite inteira e a maior parte do dia seguinte. O biscoito de cachorro não se tornava nem um pouco mais apetitoso. Olhei para cima, pela brecha na escotilha, e vi que a noite se aproximava. A luz acima se tornava mais nítida e mais intensa, conforme o sol se punha no céu.

Não me lembro de advertência alguma. Houve uma explosão arrasadora na seção dianteira da embarcação. Ela deu uma guinada violenta na água, ao ser sacudida por uma onda gigantesca. Seguiu-se outra explosão. Eu sabia que a coisa era séria.

O pânico se iniciou quase de imediato. Os homens se viraram e se dirigiram para a estreita escada de metal que levava até o deque. Vi os guardas armados tentando bloquear sua passagem, enquanto eles lutavam para subir. Era uma cena pavorosa. Não havia ordem nem disciplina; as pessoas não ajudavam umas às outras. Cada qual lutava sozinho para se salvar. Era deplorável, mas eu teria feito a mesma coisa.

Eu ainda via o céu. Uma corda fina que segurava um dos cantos da lona encerada que cobria a escotilha estava agora pendurada dentro do compartimento. Eu a agarrei e vi que ela se amarrava com firmeza em alguma coisa acima. Apesar do ferimento em meu braço, fiz força com as mãos para subir, empurrando o corpo para cima com a corda enroscada entre os pés, para aliviar a pressão. Isso era algo que eu tinha feito inúmeras vezes quando criança. Cheguei ao final da corda e me agarrei na própria ponta da lona encerada, para chegar até a borda e passar as pernas pela abertura da escotilha. O navio estava com problemas e adernava. Não pensei nem por um segundo. O mar não estava muito agitado, então tirei minhas botas e mergulhei. Com o barulho abafado da água estalando em meus ouvidos, o tempo estancou por um instante. Eu sabia que ainda havia muitos homens emboscados dentro daquele compartimento; sabia que eles talvez jamais conseguissem sair e que aqueles que estavam mais perto da explosão provavelmente já tinham morrido.

Subi à superfície coberta de uma espessa camada de óleo, que grudou em meu rosto e em meu cabelo quando emergi. Eu não queria aquela imundície nos pulmões. Era uma coisa escura e pesada, e parecia me arrastar para o fundo. Era apenas questão de tempo até que o navio afundasse com todos aqueles homens ainda emboscados lá dentro. Eu sabia que precisava nadar para longe dali, a fim de evitar ser tragado, então nadei rapidamente em meio ao óleo.

Mais perigo. Agora havia outros homens dentro d'água, alguns se debatendo em desespero. Um barco rápido, semelhante a um pequeno destróier, interpôs-se entre nós quase que imediatamente. Era um caçador italiano de submarinos e não tinha vindo para ajudar. Descobri então que as explosões não foram provocadas por minas, e, sim, por torpedos; tínhamos sido torpedeados por um submarino aliado, que ainda estava ali debaixo das minhas pernas. O caçador de submarinos cortava a água em grandes arcos, entre os sobreviventes, para a frente e para trás, tentando achar o equipamento inimigo. Ele se projetava sobre nós como uma montanha de aço cinzento. Houve pânico dentro d'água.

Ouvi vozes italianas e alemãs chamando, mas qualquer um que estivesse no caminho do caçador de submarinos era estraçalhado por suas hélices ou esmagado pelos jatos. Então, ele começou a lançar seus piores ataques. Primeiro, houve um silêncio no fundo, um baque abafado, que parecia uma pancada de martelo no peito. Ele veio à superfície numa explosão que mandou uma coluna de água para o ar e deixou o mar todo branco. Eu estava a uns cem metros de distância e senti a pancada em todo o corpo. Houve outro estrondo, em seguida mais alguns, até que finalmente o caçador de submarinos recuou na linha do horizonte.

Nós ficamos sozinhos. A luz estava indo embora com rapidez. Na superfície da água, o navio golpeado não podia mais ser visto. Ele havia afundado, e parte da carga tinha sido violentamente destruída. Sempre achei que ele fosse naufragar.

Vi uma grande caixa de madeira flutuando no mar e nadei em sua direção, debatendo-me contra a camada de óleo. Pareceu uma eternidade, e, quando cheguei, vi que já havia inúmeros italianos agarrados a ela. Por meio de um buraco no canto, percebi que a caixa estava vazia. Recuperei o fôlego. Aquela caixa rangente seria nossa única tábua de salvação. Eu sabia que precisava fazer alguma coisa, ou acabaria morrendo nas águas frias do Mediterrâneo. Tentei alcançar uma haste na madeira escorregadia e, depois de cair diversas vezes, consegui chegar ao topo, totalmente fora da água. Não precisei lutar contra ninguém para fazer isso, mas, se alguém tivesse tentado me impedir, eu teria enfrentado. Quando você está determinado, consegue fazer esse tipo de coisa, mas aquilo me exigiu um enorme esforço e cheguei lá exausto. Desabei e fiquei deitado de bruços.

Percebi então que a caixa era frágil e que talvez não aguentasse as ondas, que se tornavam cada vez mais fortes. Os outros estavam por demais enfraquecidos para subir. Não pensei em ajudar ninguém. Oferecer a mão poderia trazer o risco de ser puxado. Eu tinha de pensar em mim primeiro. Sem isso, não haveria nada. O mar continuava revolto. Eles escorregaram silenciosamente, um por um. Eles estavam ali e, de repente, tinham ido embora. As coisas eram assim.

Quando o sol mergulhou dentro do mar, as ondas se acalmaram. Não havia terra à vista, e o calor do meu corpo se dissipava. Logo anoiteceu, e eu fiquei sob o céu mais uma vez, com a luz das estrelas em meio a uma paisagem solitária de ondas, vento e madeira rangendo.

Passei por aquela noite fria e longa na esperança de que seria resgatado, mas o mar estava vazio. Eu entrava e saía do estado de consciência, deitado de bruços. Quando o sol surgiu, pensei ter avistado a terra, uma cidade dourada no alto da colina. Pode ter sido o sol refletido nas construções de pedra; pode ter sido uma alucinação. O tempo passou, e eu voltei ao estado de consciência outra vez, e realmente havia terra à vista, surpreendentemente perto. As ondas batiam contra as pedras na base de um promontório levemente brilhante. Aquilo me trouxe um consolo apenas remoto. Mesmo aquela distância era grande para nadar.

Quando fiquei totalmente consciente outra vez, estava preso entre dois pilares de pedras e fora d'água. Eu estava vivo, e o abraço da rocha sólida foi bem-vindo, depois do balanço e do rangido da madeira nas ondas. Eu ainda estava coberto de óleo.

Ouvi o ritmo suave das ondas e me convenci de que a terra sob meus pés subia e descia no balanço do mar. Minha garganta estava ressecada, meus lábios rachados tinham gosto de sal, óleo e sujeira. Demorou para que eu voltasse a ter alguma força e conseguisse me mexer.

Eu me encontrava na ponta de uma enseada cercada de pedras. Fiquei de joelhos e tentei me levantar, mas minhas pernas falharam no mesmo instante em que joguei o peso sobre elas, então deitei novamente a fim de reunir forças para tentar outra vez. Devo ter ficado ali sobre aquela caixa de madeira durante umas vinte horas. Só consegui me lembrar de uma única noite, mas, com os lapsos de consciência, não era possível confiar nisso.

Quando me senti em condições de andar outra vez, encontrei, atrás da enseada, uma paisagem de vegetação rasteira e solo árido, com montanhas no horizonte. As árvores dispersas concederiam um pouco de sombra, mas eu não tinha forças nos membros e meu ânimo estava acabado. Comecei a pensar que teria de me render ou então morreria de fome. Meus pés descalços ficaram sensíveis com o tempo que passaram imersos na água. As pedras os machucavam.

Tropecei um bocado até encontrar um senhor que trabalhava do lado de fora de uma cabana simples de madeira. Não parei para avaliar se ele era amigável ou não, mas fui direto até onde ele estava e fiz sinal pedindo água. Eu não tinha escolha. Ele não tinha percebido minha aproximação e se recolheu imediatamente quando me viu. Eu estava encharcado, e minha pele estava toda coberta de óleo.

O rosto dele era cheio de rugas, bastante envelhecido, mas seu cabelo desgrenhado era escuro e volumoso. Ele não correu, mas ficou a certa distância olhando além de mim, a fim de observar se eu estava sozinho. Quando ele falou, não me pareceu italiano, e aquilo me fez pensar. Talvez ali não fosse a Itália.

— Inglês, inglês — disse eu, cruzando os punhos para sugerir que havia sido algemado.

Sua expressão se arrefeceu, mas ele continuou olhando firme para mim e não se aproximou. Apontei para trás em direção ao mar, fazendo gestos parecidos com ondas e um som explosivo imitando um naufrágio. Ele me encarou em silêncio, e seu rosto era inexpressivo; depois pareceu ter tomado uma decisão. Murmurou alguma coisa e gesticulou para mim apontando a porta da cabana. Lá dentro estava escuro, e ele se mostrou um pouco mais relaxado depois que entramos.

Eu me sentei, e ele me deu água numa xícara amassada de lata. Era a primeira coisa que bebia nas últimas 24 horas, e eu a traguei de uma vez só. Ele me trouxe mais. Então, pude sentir seu gosto terroso, mas engoli de novo com a mesma rapidez. Ele ficou ali com os olhos fixos em mim.

— Comida? — perguntei eu, gesticulando para a boca. — Comer?

Ele tateou no escuro e me trouxe um punhado de passas. O gosto acentuado deu uma fisgada em meu céu da boca. Depois do pão e de um pouco mais de água, caí num canto e dormi.

Acordei me sentindo grogue. O senhor ainda estava lá. Ele me trouxe ovos e uma massa recheada de frutas secas. Assenti, agradecido, enquanto ele se afastava e continuava me encarando. Depois do biscoito de cachorro no navio, aquilo ali era um banquete. Perguntei onde estava e recebi outro olhar inexpressivo e mais palavras que não pude compreender. Tive uma ideia e apanhei uma vareta para desenhar precariamente o mapa da Grécia no chão, fazendo o possível para dar a ele um formato reconhecível. Ele olhou para aqueles rabiscos de modo ainda mais confuso, até que acrescentei a inconfundível forma de bota da Itália à esquerda, e ele então se animou, numa explosão de linguagem repetitiva. Ele pegou a vareta e apontou convictamente para os três dedos que eu tinha desenhado para representar o sul da Grécia. Então era ali que eu estava. Pela sua veemência, pude perceber que ele detestava os italianos, que haviam ocupado seu país.

Eu me reanimei bastante com a comida e com o descanso. Não sei por quanto tempo ele me abrigou, mas não podia ficar ali para sempre. Se eu fosse apanhado em sua companhia, ele levaria um tiro, seria simples assim. Eu também não sabia até onde podia confiar nele, embora hoje, olhando para trás, essa avaliação me pareça um pouco rigorosa demais. Eu queria escapar.

Ele me deu umas velhas sandálias de lona, que amarrei aos pés descalços com um pedaço de corda, e fez uma camisa rústica, que vesti por baixo de minha túnica. Eu relutava em abandonar minhas vestes militares. Eu conhecia o risco. Disfarçado como civil, eu poderia levar um tiro sob suspeita de espionagem. Tenho certeza de que ele ficou aliviado ao me ver partir.

Era uma jornada solitária, e eu precisava me ocultar: as manchas de óleo chamariam atenção. Além disso, não tinha muita ideia da geografia da região e não conseguia visualizar o que tinha pela frente. Meu relógio sobrevivera à água, e eu o usei para achar o norte. Evitei estradas, fazendo trilhas pelas montanhas ou entre os bosques de oliveiras. Mantive-me distante dos estabelecimentos, bebendo água nos pequenos riachos que encontrava pelo caminho. Eu me sentia fraco e letárgico, mas me forcei a continuar. Não aguentava mais de fome e sabia que, dali em diante, teria de roubar para comer. Qualquer contato poderia significar traição. Se alguém me ajudasse, poderia ser morto. O roubo seria a melhor opção para todos.

Durante o dia, em geral, as pessoas trabalhavam do lado de fora, a alguma distância de suas cabanas. Era fácil invadi-las, e aquilo se parecia com as patrulhas do deserto: encontrar um bom ponto de observação, agachar-se e vigiar. Quando percebia que estava seguro, eu entrava, mas não havia muito o que furtar. As pessoas eram pobres e passavam grande sofrimento com a ocupação italiana. Jamais saí com o estômago cheio, mas, numa ocasião, encontrei o mesmo tipo de massa recheada de frutas secas que o senhor havia me oferecido.

Quando percebi que estava na Grécia, cheguei a pensar que poderia me libertar um pouco mais, mas era difícil imaginar a travessia da Europa ocupada para chegar em casa. Conforme os dias se passavam, fui ficando mais fraco. Ainda coberto de óleo e agora também de terra, eu me deparei com um pequeno grupo de homens e de mulheres que trabalhavam no campo. Tive mais medo deles do que eles de mim. Pedi um pouco d'água. Eles entenderam e me estenderam um longo cantil de pele. Bebi o quanto pude e segui em frente, com rapidez.

Logo depois disso, percebi que havia homens armados em meu encalço. Suspeitei que fossem italianos. Alguém me delatou. Corri para o interior de um bosque de oliveiras e me agachei para me esconder, mas não adiantou. Eles começaram a atirar, não havia para onde correr, e eles me matariam. Cercado, eu me apresentei com os braços levantados. Eles amarraram minhas mãos e me levaram para um caminhão. Eu estava preso outra vez.

Foi uma longa jornada. Fui levado para um acampamento lotado, cheio de prisioneiros aliados, britânicos e sul-africanos, junto com guerrilheiros gregos. Era um lugar pavoroso, feito de barracas provisórias num campo. Havia muita chuva e até neve. Muitos cativos estavam gravemente doentes, com disenteria e outras enfermidades. Quando cheguei, não havia latrinas, e, como os presos estavam muito doentes, faziam as suas necessidades em qualquer lugar. Aquele acampamento era um local horrendo, e logo foi batizado pelos prisioneiros de "Campo da Diarreia". Por fim, os italianos cederam, e foi cavada uma trincheira de mais ou menos três metros de comprimento, um metro de largura e um metro de profundidade. Em pouco tempo, ela ficou cheia: quase três metros cúbicos de excremento humano. Fedia.

Não havia lugar para constrangimentos. Tive diarreia no mar e sabia o que aquilo representava, o mal-estar, as cólicas e a urgência para evacuar. Os traseiros se alinhavam bem perto uns dos outros na beira da escavação. Lembro de um camarada de rosto fino agachado perto de mim, num estado lamentável. Ele acabou perdendo o equilíbrio e caiu dentro do buraco. E ficou enterrado até a cintura, pobre coitado.

— É a segunda vez que entro aqui hoje — disse ele.

Depois disso, fui levado para o norte e mantido num grande depósito perto de Patras. Tínhamos pão, água e nada mais, mas pelo menos éramos levados para fora, por um guarda, quando precisávamos da latrina. Ele ficava olhando enquanto nós nos agachávamos sobre um riacho raso. As condições eram um pouco melhores, mas aquilo não durou muito.

Capítulo 8

Fomos embarcados em outro navio. Era quente no porão, mudança agradável em relação ao acampamento gelado, e dessa vez não tivemos de viajar no compartimento de carga. Havia soldados italianos a bordo, indo para casa de licença. Um deles tentou falar comigo, quando passamos em fila, e perguntou em italiano e depois em francês quem éramos nós e de onde vínhamos. Aquilo não deu muito certo.

Um torpedeamento já tinha sido o bastante para mim, mas, olhando agora nos mapas, acho que pegamos a rota segura, margeando o litoral da Grécia por dentro das ilhas de Cefalônia e Lefkas, antes de adentrar o estreito de Corfu e fazer uma travessia rápida pelo estreito de Otranto até o calcanhar da Itália.

Passamos a viagem sentados no chão. À noite, um irlandês de voz macia cantou uma triste canção, e dois sul-africanos conversaram sobre sua terra. Chegamos a um porto cheio de guardas, talvez Bari ou Brindisi, e fomos levados para um acampamento arborizado, com um pouco de grama. Agora, nós já éramos centenas, e não havia cercas de arame farpado, de modo que eles precisavam de mais soldados para nos vigiar. Alguns dos rapazes encontravam-se em estado lamentável, com as faces e os membros inchados pela falta de vitaminas.

Eles nos deram pouco para comer, e aqueles que ainda tinham alguma força logo se agitaram por causa disso. Nós gritamos e empurramos os guardas, até que a situação saiu de controle. Tivemos sorte de ninguém ter levado um tiro. No fim das contas, eles recuperaram a autoridade e isolaram cinco de nós, inclusive eu. Eles nos acorrentaram nas árvores, algemando nossos pés e mãos, e ficamos praguejando aquele dia infeliz. Normalmente, eu ficava no comando. Agora, estava acorrentado como um animal. Parecia que séculos haviam se passado desde que saí de Liverpool no *Otranto,* na expectativa de aventura. Ficamos naquele acampamento durante três ou quatro dias, e depois fomos levados para um local mais apropriado.

Ali, havia longas casernas baixas de pedra e de concreto, separadas com divisórias de madeira em cinco baias, cada uma para cinquenta pessoas. Recebemos dois cobertores quentes e um colchão de palha. Tratava-se do campo Concentramento Prigioniero di Guerra, Sessantacinque. Para nós, era o Acampamento de Prisioneiros de Guerra PG 65. Ficava perto de Altamura, no sul da Itália.

Um dos oficiais italianos era um major que se parecia com o ator norte-americano Jimmy Cagney. Ele era um sujeito sensato e ficou radiante quando lhe dissemos isso. Não havia trabalho forçado nem brutalidade, mas a extrema escassez de comida fazia dali um lugar chocante.

Tínhamos uma cozinha externa, e os italianos serravam árvores no acampamento para alimentar o fogo. Um dos rapazes que ainda tinha alguma força os ajudava a cortá-las. Era provável que ele recebesse rações adicionais. Uma imensa panela era colocada sobre as chamas e dentro dela jogavam tudo que havia por ali, em geral pouca coisa além de macarrão. Quando a sopa ficava pronta, era levada para o acampamento em recipientes de alumínio de mais ou menos quarenta litros e distribuída para cada homem, apenas uma concha de líquido ralo por dia. No começo, ganhávamos um pequeno pedaço de pão sobre a sopa, mas, com o tempo, ele foi ficando cada vez menor. Pela manhã, tomávamos um gole de café fajuto, e era só. Comecei a sentir a deterioração de meu corpo, e nenhum de nós se encontrava em bom estado de saúde.

Os piolhos em nossas roupas tinham uma dieta melhor. Eu tirava a camisa e esmagava mais de cem entre os dedos. Dentro de meia hora, havia mais centenas deles. Eles nos deixavam tontos.

Tão logo chegamos, formamos uma fila e respondemos à pergunta sobre o que fazíamos na vida civil. O intérprete de inglês não era muito bom, e eu fiquei desconfiado, dizendo-lhe então que eu era um ladrão. Ele levantou os olhos da lista, visivelmente confuso.

— O quê?

— Ladrão — repeti.

— Laborão? — disse ele, procurando seu superior para ver a reação. Não havia ninguém. Ele escreveu alguma coisa e passou para o próximo homem.

Quando chegaram os primeiros pacotes da Cruz Vermelha, pensamos que estivéssemos no céu, embora cada pacote tivesse de ser repartido entre muitas pessoas. Havia leite em pó, um pouco de chá ou café, latas de vegetais e queijo processado, às vezes ovos desidratados, mais uma pequena barra de chocolate, açúcar ou passas.

O tédio era arrasador. Não havia disciplina militar no acampamento. Cada um cuidava de si. Não havia facas para cortar o pão, mas havia pequenos espelhos de metal, e eu achei um jeito de transformá-los em lâminas. Acrescentei cabos de madeira para fazer belas facas e as troquei por comida extra. Os acampamentos operavam com permutas. Era preciso ter alguma coisa para barganhar. Com o passar dos meses, comecei a fabricar uma espécie de pequena caixa com recipientes de leite em pó aplainados. Só Deus sabe o porquê. Eu não tinha nada para colocar dentro dela, e ela também não fazia parte de um plano audacioso de fuga. Eu aplainava as latas e depois as dobrava nas pontas, para uni-las em folhas amplas o bastante para que eu pudesse moldar. Isso fazia o tempo passar, e, no final das contas, eu tinha feito uma desajeitada caixa de metal.

Embora tivéssemos o chá e o café da Cruz Vermelha, não era fácil ferver a água. Decidi improvisar, e fiz um barril fechado com hélices de ventilador dentro dele, como uma roda de gaiola de hamster. Por meio de um tubo, prendi o barril a uma pequena caixa de metal cheia de cinzas, acendi o fogo em volta deles e, quando liguei o ventilador, aquilo criou uma pequena fornalha. As cinzas se transformavam em brasas, e era possível ferver uma lata de água em cima delas. Fiquei bastante orgulhoso, e aquilo significou que tomaríamos chá pela primeira vez. Outros vieram adaptar e aprimorar os sopradores, e foi um grande sucesso.

Hoje, eu desconfio de que os italianos simplesmente não tinham comida para nos dar. Alguns dos guardas ordinários comiam tanto quanto nós. Até secávamos nossas folhas de chá usadas para trocar com eles.

Eu ainda sofria a ignomínia da captura. Praticamente não confiava em ninguém e ficava sozinho durante a maior parte do tempo. Lembro de uma dupla de prisioneiros. Partridge, que era *cockney*, fazia favores sem querer nada em troca. Tinha também o Bouchard, que era muito magro e que estava morrendo aos poucos. Ele passava os dias vasculhando o acampamento atrás de comida. Nós conversamos algumas vezes, mas não falamos de nossas casas. Para que nos torturar?

Mais tarde, fiquei sabendo que alguns presos dos outros acampamentos foram levados para desinfecção, e acabaram sendo xingados e maltratados pelo público. Nós ficamos onde estávamos. Ocasionalmente, um padre católico podia aparecer e rezar uma missa para os mais devotos. Mesmo ele ficava do outro lado da cerca de arame farpado. Ele nunca entrou.

Havia outras formas de aliviar a monotonia. Se alguém conhecesse algo sobre alguma coisa, podia ficar falando sobre isso. Os assuntos variavam de história e geografia a engenharia. Um camarada dissertou durante horas sobre seu torno mecânico e os princípios para tornear madeira e metal, e cortar fios.

Após algum tempo, começaram a construir novas cabanas; já estávamos lotados, e o acampamento precisava se expandir. Normalmente, não fazíamos trabalhos forçados na Itália, mas, quando nos ofereceram 150 gramas adicionais de pão ao dia para ajudar na construção, nós aceitamos. A situação alimentar era calamitosa.

As cabanas que deveríamos construir ficavam situadas fora do perímetro. O plano era completá-las primeiro e depois estender a cerca a sua volta. Sair do arame farpado era uma verdadeira emoção. Poderíamos achar comida para furtar ou uma chance para escapar.

Fui um dos seis rapazes encarregados de subir no telhado para assentar as telhas com cimento. Foi minha primeira visão real da paisagem circundante. Um único guarda nos vigiava e ficava embaixo de nós. Meu estômago doía de fome. Na fuga, seria pior. Escolhi o momento e perguntei ao guarda se podia descer para me aliviar. Com relutância, ele disse que sim, mas eu sabia que ele não conseguiria vigiar todos nós.

Sem que ele me visse, aproveitei a brecha e parti às carreiras.

Esperei por um grande rebuliço, mas nada aconteceu, e eu pude ganhar distância em relação ao acampamento, antes de parar para descansar. Não tenho ideia de quando ele deu o alarme, mas com certeza eu já estava bem longe.

Eu tinha um pedaço de pão e uma pequenina lasca de queijo. Foi o único preparo que consegui fazer. Decidi evitar o litoral e rumei para o norte, em direção à neutra Suíça. Tentei ser otimista. Uma volta para casa seria mais provável dali do que da Grécia, mas eu ainda teria de percorrer centenas de quilômetros em território inimigo.

A jornada me pareceu familiar. Evitei estradas e grandes assentamentos, e vasculhei recantos de fazendas afastadas em busca de comida. Não fui capturado nessas atividades, mas também não consegui muitos alimentos. O melhor que obtive foi um estranho vegetal de má qualidade e alguma coisa com gosto de anis, talvez erva-doce. Desde então, jamais fui capaz de comê-la outra vez. Nos três ou quatro dias seguintes, percorri uma grande distância a pé, mas comecei a me sentir fraco e faminto. Passei por um pequeno cultivo de trigo, que estava ficando cinza, apodrecendo na terra. A Itália não era um lugar feliz. Começou a chover torrencialmente.

Consegui abrigo num pequeno prédio abandonado e esperei pelo fim da chuva. Já estava escuro do lado de fora quando ouvi vozes chamando. Meu abrigo estava cercado, e eles ordenavam que eu saísse. Alguém havia me espreitado.

Saí na escuridão. Eu estava ansioso. Não pude ver quantos soldados italianos me aguardavam. Isso pouco importava, eles tinham me apanhado. Fui colocado num caminhão e levado embora. Eles não se preocuparam em amarrar minhas mãos nem me espancaram. Apenas me levaram rapidamente de volta ao acampamento, onde passei um dia e uma noite numa cela de castigo. Em seguida, a rotina pavorosa foi retomada. Aquele tinha sido um esforço não planejado decorrente da frustração. Eu voltara à prisão e tinha de enfrentá-la.

A disenteria dominava a vida no acampamento — não só um tipo levemente inconveniente de dor de barriga, mas uma doença verdadeiramente ameaçadora e humilhante, que sugava toda a nossa energia, deixando-nos fracos, apáticos e doloridos. Todos estavam perdendo muito peso e, com tanta gente doente, tribulações constrangedoras se tornaram comuns. Quando alguém se sujava, era quase impossível que conseguisse se limpar somente com água fria. Vi rapazes em prantos diante da humilhação, homens crescidos emporcalhados por fezes. Naquele acampamento, muitas pessoas morreram por conta de enfermidades controláveis e de negligência. O corpo de um dos homens ficou jogado durante dias dentro de um galpão, até ser devidamente enterrado. Eu me lembro disso porque herdei as calças dele. As minhas estavam rasgadas e imundas, e o restante de meu uniforme também se encontrava em péssimo estado.

Fiquei aliviado ao recebê-las, mesmo que tivessem sido tiradas de um cadáver. Era prático. Todavia, conforme os dias foram se passando, comecei a padecer de uma terrível coceira, e agora eram mais que piolhos. Uma erupção vermelha, cheia de caroços, apareceu na parte interna de minhas coxas e se espalhou rapidamente, até alcançar toda a minha virilha e sabe Deus o que mais. Eu estava com sarna. Parasitas minúsculos tinham penetrado em minha pele, deixando ali seus ovos. Conforme eu coçava, a pele se abria e sangrava, e eu sabia que podia infeccionar com toda aquela sujeira. Passei um dia doloroso, mas, à noite, parecia que minha pele estava inflamada e descascada.

Os acessos de disenteria e a fome constante me deixaram terrivelmente letárgico e cada vez mais magro. Se eu me levantasse com pressa, ficava tonto e caía. Depois de certo tempo, passei a fazer isso de propósito atrás das casernas, para desmaiar, o que fazia o tempo passar mais rápido. No frio da parte externa, eu sentia alívio da fome, dos piolhos e do tormento da erupção de feridas sangrentas. A maioria se sentia assim. O suplício da escabiose durou semanas, talvez meses, até que apareceu no acampamento um sabão medicinal que ajudou a controlar o problema. Meu corpo estava num estado chocante, mas na minha cabeça eu não era prisioneiro de jeito algum. O inimigo havia me infligido muitas penas, mas não conseguira capturar minha mente.

Aquele ano na Itália foi infernal. Muitos rapazes morreram de doenças e por negligência. Quando chegou a notícia de que alguns de nós seríamos removidos, pensei que não poderia ficar pior. Eu estava fraco demais para ser levado daquele acampamento. Não havia oficiais conosco nem disciplina militar. O melhor que conseguimos mostrar foi uma caminhada lenta e apática até os caminhões. Fomos embarcados em vagões de gado, numa ferrovia. Em dias melhores, eu teria pulado rapidamente para dentro, mas agora foi uma dificuldade para subir. Uma placa do lado de fora dizia “Quarenta homens ou dez cavalos". Havia um único balde para tudo. Tentei ficar longe dele o máximo possível. Muitos dos companheiros ainda estavam com disenteria. Joguei o corpo num canto, aliviado por ter encontrado lugar debaixo da única janela. Era uma fenda de uns trinta centímetros revestida com arame farpado. Fornecia um pouco de ar, luz e uma visão parcial do mundo lá fora. Era ainda o único lugar por onde esvaziar o balde, que logo começou a transbordar. Alguma coisa precisava ser feita.

Dois garotos o levantaram até a janela, mas derramar um balde de excrementos por um buraco revestido de arame, acima da altura da cabeça, era um pandemônio. Parte do conteúdo escorreu para o interior da carroceria. Por causa disso, houve muita gritaria. E eu sentado debaixo de tudo aquilo.

Recebemos o mesmo biscoito de cachorro para comer, e um recipiente de água foi colocado entre todos nós. Não sabíamos para onde estávamos indo. Conforme o trem marchava vagarosamente rumo ao norte, percorremos quilômetros de praias desertas, e eu vi uma placa com o nome "Rimini". Eu já tinha ouvido falar dela antes da guerra. Tomamos a direção do interior e passamos por vilarejos onde as pessoas nos saudaram. Talvez pensassem que fôssemos italianos.

Eu não tinha ideia de que aquela era a mesma rota que seria utilizada para transportar os judeus da Itália e outros inimigos do Reich em direção ao norte, rumo aos campos de concentração. Nossos vagões podiam estar imundos e fétidos, mas pelo menos tínhamos espaço para deitar. Os judeus eram comprimidos com mais rigor, avançando pela Europa para chegar a um destino pavoroso, sem qualquer proteção da Convenção de Genebra, ainda que isso não tivesse sido de grande valia para nós também.

Após dias de marcha, o trem começou a subir, a serpear e a circular mais lentamente pela passagem de Brenner. Chegáramos à Áustria. Tive minha primeira visão dos Alpes através do arame farpado. Fiquei abismado com sua magnificência e consternado com uma contradição. Eu me associava ao meio rural onde havia crescido. Sua beleza, para mim, parecia estar vinculada à beleza existente na humanidade. Aquilo me fizera o homem que era. Eu me perguntava como aquelas coisas assustadoras poderiam estar acontecendo num lugar de tamanho esplendor natural. E eu ainda não tinha visto nem a metade.

Quando o trem fez uma parada, as placas da estação indicavam "Innsbruck Hauptbahnhof". Fomos conduzidos a um pequeno desvio e colocados dentro de caminhões cobertos. Agora, os guardas eram alemães. Após uma longa jornada, na maior parte feita em campo aberto, o caminhão parou numa pequena clareira da floresta, onde fomos autorizados a descer para nos aliviar. Por um momento, fiquei apavorado. Os guardas alemães começaram a montar uma metralhadora no tripé. Ela mirava nossa direção. Achei que eles nos matariam ali mesmo. Estávamos a quilômetros de qualquer lugar e não havia uma testemunha sequer. Se eles começassem a atirar, eu deveria correr ou tentar atacar os atiradores? Mas passou. Eles desmontaram a arma, e nós voltamos para os caminhões.

Nos meses seguintes, passei por vários campos. Nem sempre eu tinha certeza de onde estava, e, olhando para trás, é difícil lembrar a ordem correta em que os visitei. Após uma viagem prolongada, chegamos a um campo onde fomos colocados num cercado, e onde havia russos do outro lado de uma cerca de arame farpado.

Tentei falar com eles ao longo dos dias, mas, sem uma língua comum, não fomos muito longe. Pude ver que eles se encontravam num estado lamentável. Procuravam manter o ânimo elevado e fizeram uma apresentação para nós, dançando atrás da cerca, mas eles estavam fracos e desnutridos, e mal conseguiam se mexer. Foi uma cena triste. Havia um fedor terrível, e levamos dias para descobrir sua origem. O cheiro pútrido vinha de cadáveres em decomposição. Os russos estavam morrendo lentamente, graças à fadiga e à fome. Suas rações eram insuficientes para sustentá-los, e ficamos sabendo que, por desespero, eles mantinham seus mortos nos beliches para reivindicar um pouco mais de comida por alguns dias.

Os ratos prosperavam. Eles eram do tamanho dos gatos e certamente comiam carne humana. Eles exalavam esse cheiro. E não tinham respeito algum pelas cercas de arame farpado. Eu dormia no chão e acordava durante a noite vendo-os correr a minha volta. Eu sentia a respiração deles no rosto. Eles fediam. Há séculos, um dos meus ancestrais havia sido caçador de ratos. Se ele pudesse ver, em plena metade do século XX, uma era de milagres industriais, os ratos se banqueteando nas pessoas, pensaria que a civilização tivesse sido destruída. E estaria certo. Eu sentia a picada de estranhas criaturas maiores do que pulgas de gatos. Nós os chamávamos de besouros da cama. Não sei o que eram, mas, quando os esmagava, via espirrar o sangue que haviam sugado.

Logo enfrentei problemas. Certo dia, ao cruzar o acampamento, fui detido por um oficial alemão que gritava comigo. Eu não tinha prestado continência para ele. Tentei lhe explicar que no Exército britânico não prestávamos continência para quem não usava quepe. Ele não quis entender. Um dos rapazes gritou que eu devia prestar continência e pronto. Fiz isso de modo relutante, e o oficial me deixou passar.

Após um determinado tempo, dividiram-nos em grupos, e eu fui enviado para trabalhar com os russos numa mina de carvão. Entrei no elevador que ficava no topo da mina e mergulhei na escuridão, com o frágil equipamento rangendo e inclinando-se por causa do esforço, prestes a se espatifar. Os guardas armados no fundo do poço nos mandaram caminhar até que encontrássemos o veio. Eles mal falavam com os russos, e se limitavam a fustigá-los. Havia muita brutalidade ali. Eu era o único inglês no local, e eles pegavam mais leve comigo. Eu extraía o carvão e o transferia para um recipiente, da manhã até a noite. E trabalhava em pé dentro d'água. Era frio e desagradável. Não havia capacetes nem qualquer vestimenta de proteção para ninguém, mas os russos levavam a pior. Muitos labutavam descalços, golpeando o veio com ferramentas pesadas. Eu não tinha permissão para falar com eles.

Já fazia três dias que eu estava lá, quando ouvi os gritos de um dos guardas. A agressividade de sua voz abafou o estalido das pás e o som das picaretas na escuridão. Eles estavam espancando um dos russos. Ele tinha improvisado um tipo de proteção em relação à dureza das rochas, amarrando pequenas tiras de borracha nos pés descalços. Eu logo percebi que ele as havia cortado de uma correia de transmissão descartada, que vi num túnel lateral abandonado.

O guarda estava histérico e falava de sabotagem. Mais russos foram arrastados do veio de carvão, e todos os dez que ali trabalhavam, inclusive eu, foram empurrados contra a parede do túnel, rostos enegrecidos e besuntados. Não houve rogo nem súplica. Não houve tempo. Eu não tive noção de ordem. Os gritos cessaram. Os cinco soldados ergueram suas armas, e um deles atirou sem hesitação. Um tiro ensurdecedor reverberou pela rede de túneis e iluminou debilmente as passagens. Foi seguido de outro — o segundo guarda atirou enquanto o primeiro se preparava para recarregar.

Eu só tinha segundos para reagir. Não havia como correr. Se eu tivesse de morrer naquele lugar abandonado por Deus, levaria um deles junto comigo. Aquilo eu podia fazer. De qualquer maneira, iria morrer. Houve mais tiros em rápida sequência. Então, parou. Cinco balas e cinco russos mortos na poeira do carvão. Eu era o oitavo da fila.

Meus olhos se fixaram no esquadrão de tiro, de modo que não vi os corpos dos russos caindo no chão. Meus ouvidos ainda zuniam quando nos levaram embora. Eu já tinha encarado a morte antes, mas tive chance de lutar. Dessa vez, a sobrevivência era resultado dos caprichos de um inimigo brutal. Cheguei o mais perto possível da capitulação. E não tive responsabilidade alguma em minha própria salvação. O que aconteceu naquele buraco diabólico me sacudiu mais do que qualquer outra coisa, antes ou depois.

Fui levado para um cômodo com poucas mobílias. O guarda me deu um violento empurrão em direção a uma cadeira, e as perguntas se iniciaram. Num inglês precário, o oficial perguntou se eu estava por trás da "sabotagem". Eu tinha levado os russos a fazer aquilo? Quem deu a ordem? Eu não sabia o que dizer. Não houve plano algum, apenas um homem, miserável e exausto, que tentou proteger seus pés gelados e feridos. Caso eu estivesse planejando alguma coisa, avisaram-me eles, eu seria morto. Acreditei nisso.

As ameaças me enervaram, mas eu ainda tinha um motor dentro de mim que não estava completamente quebrado. Fui levado até um trem e jogado lá dentro, junto com outro grupo de prisioneiros. Eram vagões de trem normais, com um corredor de um lado e pequenos compartimentos básicos. Não sabíamos para onde nos levavam. Pedi para usar o banheiro e percebi que ele ficava no final da carroceria, perto de uma porta desguarnecida. O guarda estava a alguma distância. Não sei quanto aos outros rapazes, mas vi ali uma possibilidade. Quando o trem fez uma parada, abrimos a porta, jogamo-nos sobre os trilhos e corremos pelos campos vizinhos. Uma meia dúzia saltou do trem antes que ele voltasse a se mover. Não houve coordenação, e nos espalhamos, correndo em todas as direções.

Eu estava mentalmente exausto. O tiroteio dentro da mina me causara um grande mal.

Eu devia ter aprendido a lição na Itália: se quisesse ser bem-sucedido, era necessário planejar a fuga de modo adequado. Nós estávamos de uniforme, e eu corri por cerca de um quilômetro e meio. Não sei quantos foram apanhados, mas eu logo estava olhando de novo para a ponta de uma arma. Felizmente, não houve tiroteio, mas tudo terminou, levaram-me para uma sala de interrogatório e apanhei um bocado. Depois disso, fui mandado para um campo que acredito ter sido o de Lamsdorf. Jamais consegui confirmar isso. Fui marcado. Eu era um encrenqueiro contumaz.

Quase de imediato, fui transferido para o campo de punição de Graudenz, no norte da Polônia. Ordenaram que eu me despisse, e um homem baforou um causticante pó branco sobre mim, entre minhas pernas e debaixo de meus braços. Meu cabelo foi quase raspado, e me fotografaram como um criminoso, de frente e de perfil, com um número pendurado no pescoço. Eu era o prisioneiro nº 220543.

Eles me levaram para uma caserna espartana, que já abrigava três colegas ingleses e um escocês. Eles eram sujeitos rudes, com as cabeças raspadas, que pareciam acreditar que mereciam estar ali. Não tínhamos muita coisa em comum. Podíamos sair um pouco para nos exercitar dentro de um pequeno quintal cercado de muros altos. Não havia nada para fazer, além de andar em círculos intermináveis. Eu não tinha muito a dizer. O tiroteio dentro da mina ainda pesava sobre mim.

Não tínhamos colchões, apenas beliches de madeira pura. Para dormir, eu tirava as ripas de madeira do meio, a fim de dar espaço para os meus ossos do quadril; se não fizesse isso, seria um grande sofrimento. Os cobertores de fibra vegetal eram tão finos que dava para enxergar através deles. Na primeira noite, virei-me com muita rapidez e abri um buraco no meio de meu cobertor com o cotovelo.

Pela manhã, levaram-me a outra sala com dois oficiais sentados atrás da mesa. Quando o interrogatório começou, os guardas entraram e se postaram a meu lado. Olhei para suas botas pesadas e polidas. Parecia que eu iria levar uma surra, mas eles estavam apenas cumprindo as formalidades. Fiquei aliviado. Eles ainda acreditavam que eu me envolvera com os russos, mas meu uniforme me garantiria certa proteção até que eles conseguissem provar alguma coisa.

Fiquei sabendo de coisas terríveis que aconteciam em outras partes daquele imenso campo, mas eu estava bem. Minha ida para lá foi uma espécie de punição, mas pelo menos eu não estava mais trabalhando naquela mina pavorosa. Ao cabo de umas três semanas, parti outra vez, agora de trem e acompanhado por dois guardas.

Capítulo 9

Chegamos a uma pequena estação. A plataforma era muito baixa, e eu precisei descer alguns degraus para saltar do trem. Fui conduzido imediatamente por uma trilha acidentada, e, após uns três quilômetros, alcançamos um acampamento numa zona rural bastante aprazível. Nem pude acreditar quando o comparei ao lugar de onde estava vindo. Havia dez cabanas de madeira bem-construídas, grama no entorno e apenas uma cerca de arame em todo o perímetro. "Vamos nos divertir aqui", pensei. Algumas centenas de prisioneiros aliados já se encontravam lá dentro. Havia luz elétrica, água corrente, privadas com assentos e aquecedores. Os beliches duplos tinham colchões de palha e até cobertores decentes. Ouvi dizer que aquilo havia sido erguido para abrigar a Juventude Hitlerista. Parecia ser verdade.

Os demais prisioneiros me informaram a nossa localização, um pouco ao sul de uma cidade da Polônia chamada Oswiecim.

No dia seguinte, acordamos às 6h30 e fomos levados além dos portões, pelos campos e matas, por cerca de dois quilômetros, até que subitamente a zona rural terminou. À nossa frente, encontrava-se uma imensa área construída, que se espalhava por um vasto terreno. Fumaça soprava das chaminés e dos guindastes a vapor. O esqueleto escuro de um satânico complexo industrial se erguia da terra, em ferro e concreto. Acima dele, um anteparo feito com balões de barragem antiaérea pendia dos cabos de aço. Fomos levados para dentro.

O local estava repleto de figuras estranhas, que se moviam sem pressa — milhares delas. Todas estavam vestidas com camisas e calças listradas, esfarrapadas e mal-ajambradas, que se pareciam mais com pijamas do que com roupas de trabalho. Seus rostos eram cinzentos, e suas cabeças, toscamente raspadas e semicobertas por pequenos bonés. Assemelhavam-se a sombras movediças, indistintas e sem forma, que poderiam desaparecer a qualquer momento. Eu não sabia quem eram, o que eram.

Os outros rapazes os chamavam de "listrados". E me disseram qual era o nome germanizado da cidade polonesa de Oswiecim. Era Auschwitz.

Reconheci naquelas pobres assombrações traços humanos como os meus, embora grande parte de sua humanidade lhes tivesse sido arrancada. Eu já sabia. Eles usavam o símbolo da Estrela de Davi. Eles eram judeus.

Fomos divididos em *Kommandos* de trabalho compostos de vinte a trinta homens e entregues a diferentes empreiteiros, todos dentro de suas próprias áreas não cercadas. O trabalho começou imediatamente. Nós moviamos e carregávamos materiais de construção e encanamentos dentro do local, e instalávamos cabos. Logo percebi como as coisas funcionavam. Quando algo precisava ser transportado, eles chamavam os pobres listrados, que surgiam como saídos da terra e se juntavam em torno do encanamento, pistão ou cabo para erguê-lo. Eram necessários muitos deles, porque estavam demasiadamente fracos. Havia homens equilibrando imensos sacos de cimento nas costas, outros lutando com os carrinhos de mão.

Capatazes violentos, carregando porretes ou cordas pesadas, tomavam conta deles. Eram criminosos recrutados como *Kapos*, prisioneiros que tinham poder de vida ou morte sobre os demais e o usavam como bem entendessem. Eu os detestei de cara. Logo presenciei o primeiro espancamento e achei difícil acreditar que a vida tivesse se tornado assim tão barata. Mesmo no deserto, a morte se fazia notar. Aqui eles não pagavam o preço de uma bala para acabar com a vida de um listrado, pois as botinas e os porretes eram mais do que suficientes.

Nesse ponto, os prisioneiros judeus ficavam afastados de nós. Se falassem conosco, corriam o risco de levar um tiro ou de apanhar até a morte. À noite, nós voltávamos para nosso acampamento até decente, e eles marchavam sabe Deus para onde.

A imensa usina estava sendo construída para a gigante da química IG Farben, a princípio para fabricar Buna-S, uma borracha sintética para o esforço de guerra de Hitler, e também metanol para combustível. O local tinha cerca de três quilômetros de largura e quase um e meio de profundidade. Dentro daquele complexo cercado, planejado como uma grade maciça, existiam incontáveis *Baus*, ou canteiros de obras individuais, e o lugar era dominado por uma enorme planta industrial com quatro chaminés altas. Nós o apelidamos de *Queen Mary*, em alusão ao transatlântico de três chaminés. Era impossível contar. Havia prédios, torres e chaminés sendo erguidos por todo lado, guindastes e encanamentos em escala gigantesca, com linhas ferroviárias estreitas ao longo de cada bloco, trazendo tudo que fosse necessário para concluir as obras e iniciar seu funcionamento. Em todo lugar, nos refúgios e fendas desse pesadelo industrial, encontravam-se as pobres criaturas vestidas com seus uniformes listrados imundos, muitas tão fracas que mal conseguiam ficar de pé, que dirá mover-se e carregar peso. Compreendi que não se tratava de um campo de trabalho comum. Eles estavam sendo deliberadamente levados à morte pelo excesso de trabalho.

Lá era o próprio inferno na terra. Não havia grama, nem qualquer verde, somente lama no inverno e poeira no verão. A natureza — sem mencionar o Grande Arquiteto em pessoa — tinha abandonado aquele lugar. Jamais vi uma borboleta, um pássaro ou uma abelha durante todo o tempo que passei ali.

Logo ficou claro que os guardas não conseguiriam cumprir aquela rígida separação dos grupos. Isso atrasava o andamento das coisas, e era necessário que o trabalho fosse feito com rapidez.

Em pouco tempo, começamos a trabalhar junto com os judeus. Dali em diante, compartilhamos as tarefas com eles, mas não as chicotadas e os assassinatos aleatórios. Não tínhamos de morrer ali; eles, sim. Essa era a diferença. Quando o vento soprava do oeste, vinha um cheiro doce e insalubre das chaminés mais distantes.

Durante alguns dias, trabalhei ao lado de um pobre sujeito, que chamavam de Franz. Comecei a reconhecê-lo na multidão. A partir de certo dia, no entanto, não o vi mais por ali. Aproveitei um momento em que os *Kapos* não estavam me olhando para perguntar a um dos homens do comando dele o que havia acontecido. Ele apontou para cima com as duas mãos e disse:

— Ele subiu pela chaminé.

Tiraram as vendas de meus olhos. Os que estavam fracos demais para trabalhar eram assassinados e queimados. O fedor vinha das chaminés dos crematórios distantes. Agora eu estava ciente do que se passava, mas não estava satisfeito apenas com o relato de terceiros.

Numa das vezes em que voltávamos da IG Farben, começou uma altercação entre alguns dos prisioneiros britânicos e os guardas da Wehrmacht, ou *Postens*, como eram chamados. Nossos rapazes proferiram insultos aos guardas, vaiaram e debocharam deles, e eu me vi no meio de tudo aquilo. Houve um início de tumulto, e os *Postens* rapidamente se colocaram entre nós, tentando recuperar o controle, puxando-nos e empurrando-nos por todos os lados. O *Feldwebel* — sargento — gritava ordens. Ele era um sujeito alto, e fixou os olhos em mim, no momento em que emergi da muvuca. Ele tomou o rifle de um dos guardas, agarrou-o com as duas mãos e o brandiu com toda a força na direção de minha cabeça. Quando vi aquilo, saí da frente. Houve um baque; era o som de ossos sendo esmagados. Um dos alemães que estava logo atrás de mim levou todo o impacto do golpe na cabeça. Ele caiu na hora, com as feições do rosto se desfazendo. A forte pancada do rifle de quatro quilos na fronte não deixara muitas dúvidas. Se ele ainda não estivesse morto, não duraria muito mais tempo. Voltamos a formar fila e ficamos esperando pela represália. Ela nunca veio. Jamais tornei a ver aquele *Feldwebel*.

Nosso acampamento era bom demais para durar. Certo dia, no começo de 1944, fomos removidos para um local a poucos metros da margem sul do complexo da IG Farben. Os listrados ficavam em algum lugar a leste de onde estávamos, tão perto que à noite podíamos ouvir gritos e às vezes tiros que vinham daquela direção.

Nosso novo campo prisional era simples e básico, e mais lotado do que o anterior. Pingos de gelo caíam do teto das casernas durante o inverno, e os mosquitos fervilhavam nos meses mais quentes. Havia uma latrina tosca, apenas uma fileira de buracos numa tábua sobre um fosso, insuficiente para um acampamento do porte daquele.

Ficamos sabendo que o E715, como era chamado, havia abrigado prisioneiros russos. Os rumores afirmavam que a SS os eliminara para nos dar lugar, levando-os para dentro do túnel inacabado, que mais tarde serviria como nosso abrigo antiaéreo, e matando-os ali com gás tóxico. Não dava para saber se aquilo era verdade ou não. Num lugar como aquele, tudo era possível.

Hoje, sei que os prisioneiros de guerra soviéticos foram vítimas dos primeiros experimentos com gás tóxico. Em setembro de 1941, centenas deles foram mortos com a utilização do gás Zyklon B, num porão do principal campo de Auschwitz. Deu certo, mas não foi suficientemente eficaz para os comandantes do campo, que adaptaram um crematório a fim de permitir que os cristais do gás fossem lançados pelos buracos do telhado. Novecentas pessoas morreram nesse experimento. As rodas do assassinato mecanizado começavam a girar.

Naquele momento, rumores de que os lançamentos de gases haviam ocorrido em nosso campo apenas alimentaram minha frustração e minha necessidade de confirmação. Os russos tinham sido tratados tão mal quanto os judeus. Nós tivemos mais sorte do que qualquer outro grupo. Nossos guardas, em geral, pertenciam ao Wehrmacht, o exército alemão, e eram menos brutais do que a SS, ainda que sem o senso de humanidade do Afrika Korps.

O oficial alemão com quem mais tínhamos contato no E715 era um sargento chamado Mieser. Ele sempre aparecia quando surgia um problema que precisasse ser resolvido e também se fazia presente na chamada matinal. O sargento de bateria Charlie Coward normalmente ficava ao lado dele. Ele era nosso superior no campo, e ocupava a posição de autoridade que os alemães chamavam de *Vertrauensmann*, ou Homem de Confiança. Aquilo dava a ele um pouco mais de liberdade para se mover e negociar com os alemães e a Cruz Vermelha em nosso nome. Não gosto de falar mal dos mortos, mas sempre tivemos certa desconfiança do Charlie.

Nós tentávamos ser os mais indisciplinados possíveis durante a chamada. Não ser contado era uma vantagem.

Os gritos de Mieser para que ficássemos quietos — *ruhig*, em alemão — foram rapidamente ecoados pela rapaziada. Sempre que ele aparecia, nós o provocávamos repetindo isso em coro, impiedosamente. Assim, *Ruhig* foi o nome que demos a ele. Era uma infantilidade, mas fazia bem para o moral. *Ruhig* podia ser inoportuno e alguns o detestavam, mas ele não era dos piores.

Raramente vimos o comandante ou *Hauptman*, como o chamávamos. Tive motivos para encará-lo numa determinada ocasião. Certa noite, nós voltávamos do trabalho na chuva. Eu estava perto de um camarada *cockney* chamado Phil Hagen. Estávamos num pequeno local cercado, perto da entrada do campo, e os guardas começaram a nos revistar. Não demorou a que eles descobrissem que Phil tinha uma ave morta enrolada dentro das calças, uma galinha ou talvez um pato, que ele tinha conseguido apanhar em algum lugar.

Sempre que nos pegavam, puniam mais de um. Houve muita gritaria e confusão, e os rapazes logo começaram a zombar, fazendo com que os guardas sacassem as armas e dessem alguns tiros para o alto, a fim de retomar o controle.

Eu estava perto de Phil, então, naquela noite, nós dois fomos arrastados e trancados numa cela de castigo muito fria, próxima da parte dianteira do campo. Não recebemos nem comida nem água. Na manhã seguinte, quando fomos postos diante do comandante, Phil alegou que a criatura o tinha atacado e ele se vira obrigado a matá-la para se defender. Houve uma pausa para a tradução, e, em seguida, o comandante explodiu numa gargalhada, desfazendo a tensão. Não se falou mais naquilo.

Duas atrocidades especiais cometidas contra nossos homens foram amplamente discutidas no campo. Eu não estava presente, mas ouvi tudo a respeito delas.

Jock Campbell era um rapaz bastante espirituoso e, apesar das condições do campo, normalmente mantinha uma boa aparência, quase requintada. Reza a lenda que, certa noite, a coluna voltava para o campo quando Jock viu uma mulher que fazia trabalhos forçados lutando para carregar uma vasilha pesada.

Quando Jock percebeu o que estava acontecendo, saiu da coluna e foi ajudá-la. Ele recebeu ordens para retornar à fila. Como se recusou a obedecer, foi ferido por uma baioneta, embora sem correr risco de vida. Alguns relatos apontaram o soldado Benno Franz como o algoz. Como eu não vi o incidente, não posso confirmar. O que realmente vi, quando passamos, foi Campbell caído na poeira e sendo atendido por alguns companheiros. Foi desagradável, mas não chegou a ser um golpe profundo, e agora eu tenho plena certeza de que ele se recuperou.

No dia 23 de fevereiro de 1944, um cabo do Royal Army Service Corps pegava firme no trabalho na área de Buna-Werke quando recebeu uma ordem para subir quase 25 metros em cima de um guindaste de aço coberto de gelo. Ele se recusou, afirmando que sem o calçado adequado aquilo seria letal. E foi assassinado na mesma hora. Seu nome era cabo Reynolds. Alguns acusaram um oficial chamado Rittler, outros disseram que foi o soldado Benno Franz novamente. Eu me lembro de ter ouvido um tiro naquele dia, mas nunca fui verificar, pois se tratava de um som bastante comum por ali. Esses acontecimentos aniquilaram todo o bom humor que porventura existisse.

Alguns detentos do E715 decidiram que a melhor maneira de sobreviver era preenchendo qualquer tempo livre que restasse com atividades criativas. Tentaram montar peças teatrais nas casernas, a fim de elevar o moral, mostrando que não estávamos abatidos. Alguma mente brilhante teve a ideia de dramatizar a história de Sweeney Todd, como se precisássemos do barbeiro demoníaco para apimentar nossas vidas mundanas. As pessoas estavam sendo despachadas o tempo inteiro.

É provável que alguém estivesse tentando fazer uma alegoria subversiva. Nesse caso, não me recordo de muita coisa além dos guardas alemães e dos censores sempre conferindo o que estávamos fazendo. Ainda tivemos outras produções dúbias. Essa não era a minha forma de superar. Estávamos diante de atrocidades intermináveis, e eu não queria diversão.

Na hora do futebol, eu mudava de ideia, assim como muitos outros companheiros. Éramos apenas humanos. Trouxeram camisetas e shorts para o campo, e alguém teve a ideia de organizar um pequeno torneio internacional. Os times seriam da Inglaterra, da Escócia, do País de Gales e da África do Sul, mas não havia jogadores suficientes de todas as nações. Burt Cook era o único sul-africano a jogar, se não me engano, e assim os nomes dos times eram somente ficção. Joguei duas vezes na lateral direita para o time sul-africano, fiz um gol na final e nós ganhamos.

Os jogos aconteciam num gramado a leste da entrada principal, e eu imagino que havia metralhadoras apontadas em nossa direção para nos manter dentro dos limites. O goleiro da Inglaterra era Doug Bond, que se tornou meu amigo anos depois, embora eu não o conhecesse na época. Era difícil recusar uma oportunidade de jogar, e, certo ou errado, eu me divertia imensamente.

Olhando para trás, acho que éramos ingênuos. Ficávamos em linha para tirar fotos do time e sorríamos para as lentes, com os rostos viçosos. Hoje, acredito que éramos parte de um elaborado exercício de propaganda. O fotógrafo era civil, pelo que me lembro, e as fotografias nos foram dadas depois. Naquela mesma época recebemos uma outra leva de uniformes, que eram bem mais bonitos do que os anteriores, se não propriamente novos. Muitos rapazes formaram fileiras para tirar fotografias outra vez.

Aquilo era uma bênção para os alemães. Servia para que o Wehrmacht estabelecesse uma determinada distância entre o tratamento que nos dava e os métodos que a SS usava com os judeus. Alguém antecipava as questões que surgiriam no pós-guerra. Não tenho dúvidas de que aquilo também ajudava os comandantes do campo a tirar os visitantes da Cruz Vermelha de seus pés. De qualquer modo, esses visitantes demonstraram ser bastante crédulos. Alguns de seus relatórios sobre as condições do campo que vi depois não guardavam qualquer semelhança com a realidade.

Eles sugeriram que podíamos jogar futebol sempre que havia guardas suficientes. Isso era uma tremenda conversa fiada. Um dos relatórios da Cruz Vermelha alegou que o trabalho não era muito árduo e que não havia queixas a esse respeito.

Eles afirmaram que tínhamos água quente corrente e, mais ridículo ainda, que tinham visto prisioneiros jogando tênis. A Cruz Vermelha de fato reportou que os buracos das latrinas não eram suficientes em número e que a água era inadequada ao consumo, algo que os alemães pelo menos assumiram.

Aquele ambiente não era acolhedor. Eu não sabia em quem podia confiar. Sempre se falava sobre a presença de espiões entre nós, e os apelidamos de furões. Eu estava ciente da história de Miller, lembro de tê-lo visto. Era um sujeito bem falante. Ele chegou sozinho, vindo do campo de Lambsdorf, e disse aos rapazes que tinha servido no Green Howards, um dos menores regimentos. De imediato, ele levantou suspeitas. Detalhes de seu serviço na guerra e de seu conhecimento do regimento não bateram, e a história começou a ganhar força. Alguns dos rapazes então começaram a investigar. E concluíram que Miller era um furão — um espião colocado no campo para colher informações a nosso respeito.

Reza a lenda que eles o jogaram nas latrinas, mataram-no e atiraram o corpo dele dentro do fosso que ficava embaixo. Eu não estava presente, mas jamais duvidei disso naquela época. No campo, havia muitos homens capazes de fazer uma coisa daquelas. Os alemães nunca responderam pelo fato de que aquele homem desaparecera.

Complexo industrial IG Farben, Buna-Monowitz, 1944

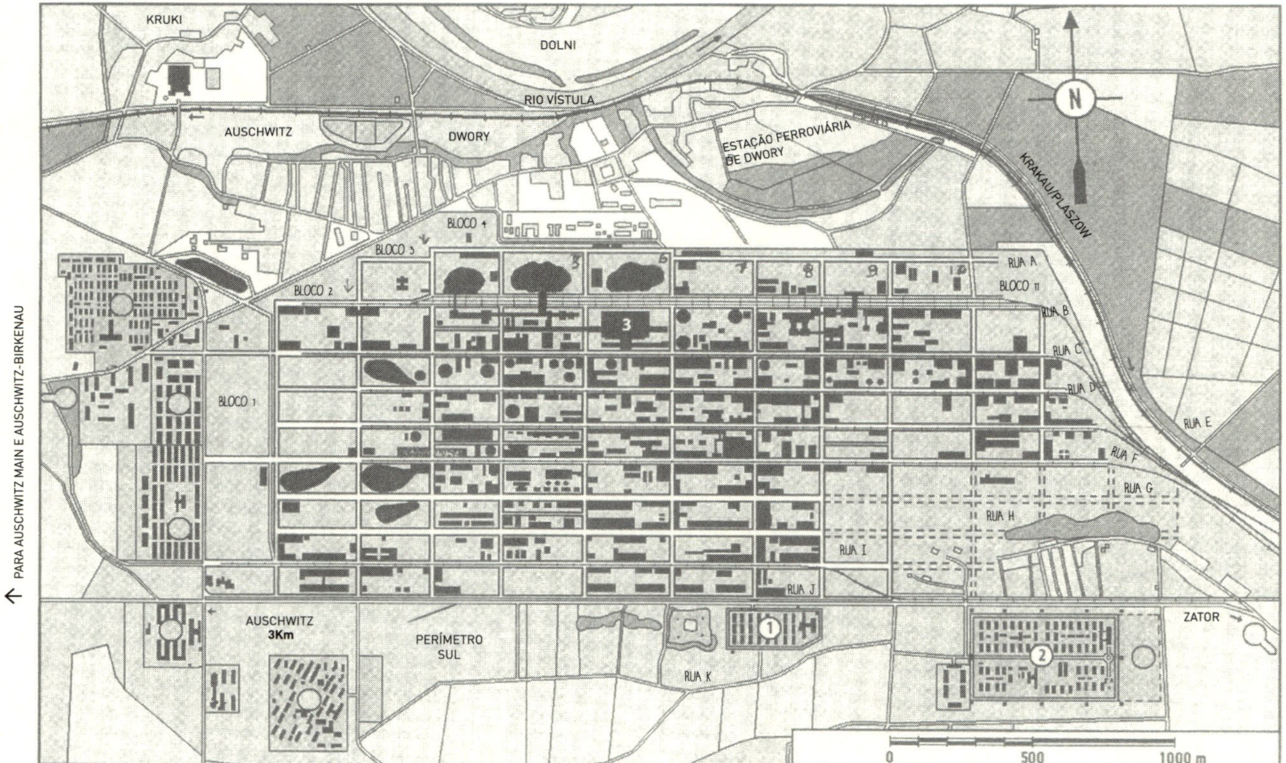

1. E715, Campo de prisioneiros de guerra
2. Auschwitz III, Monowitz
3. *"Queen Mary"*

Auschwitz III, Buna-Monowitz, no final de 1944

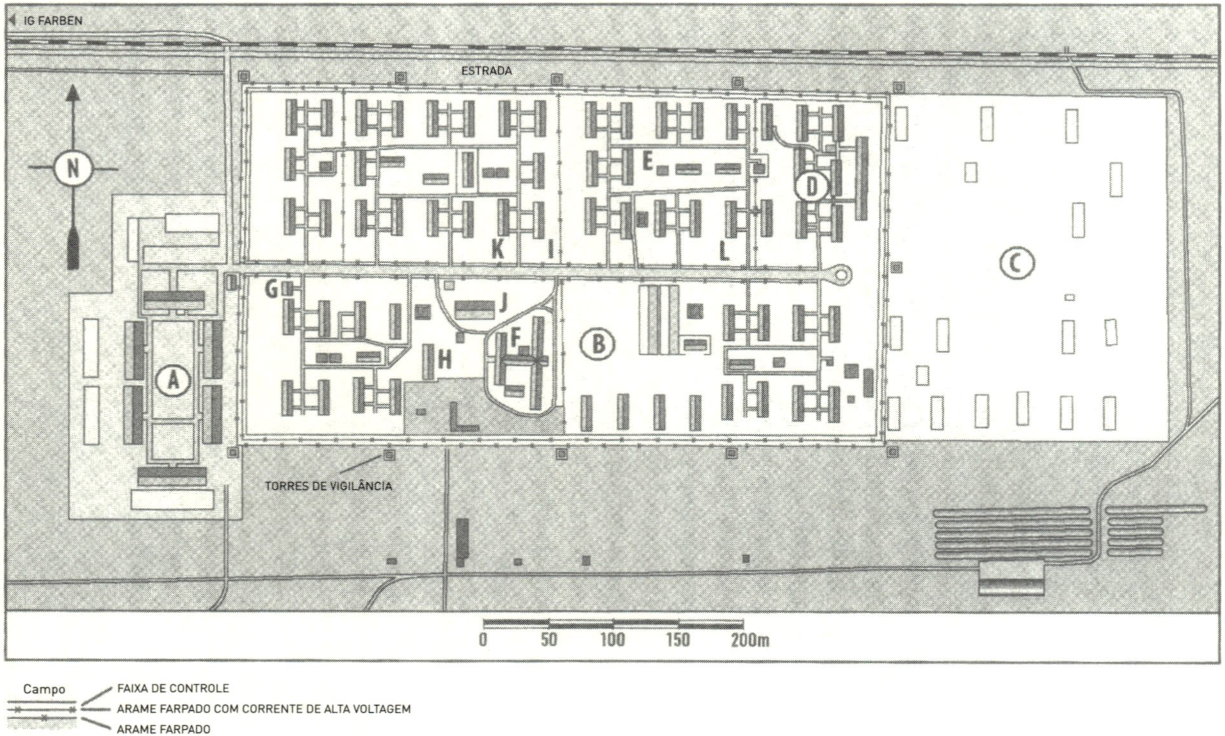

A. Alojamento da SS
B. *Appelplatz* – Contagem de prisioneiros
C. Plano de expansão do campo nunca completado
D. Posto para prisioneiros doentes/ Necrotério
E. Campo onde os prisioneiros eram punidos
F. Cozinha dos prisioneiros
G. Orquestra de prisioneiros do campo
H. Prostíbulo – *Frauenhaus*
I. Depósito de roupas
J. Fornalha
K. Armazém
L. Cantina/Orquestra dos prisioneiros

Capítulo 10

Nós trabalhávamos 11 horas por dia. Esqueçam tudo que viram nos filmes de guerra, em que os homens circulavam com blusões de gola em V, praticando jardinagem ou fazendo ginástica para encobrir seus túneis de fuga, fumando cachimbos e zombando dos alemães. Pode ter sido assim nos campos dos oficiais, mas, para nós, da "outra categoria", era dureza, trabalho braçal, embora não chegasse aos pés do sofrimento dos listrados.

Todos os dias eu via judeus sendo mortos na área da fábrica. Alguns eram chutados e espancados até a morte, outros simplesmente caíam e morriam na sujeira, de fome e exaustão. E eu sabia que aquilo acontecia em todos os cantos do campo, em cada destacamento de trabalho. Esses judeus talvez conseguissem prolongar um pouco mais suas vidas, mas o desenlace acabaria sendo o mesmo. Eles não recebiam alimentação suficiente para sobreviver. Por volta do meio-dia, a terrível sopa de repolho chegava. Mal conseguíamos levá-la até o estômago, embora a nossa fosse um pouco mais nutritiva do que a que davam aos prisioneiros judeus, que mais se parecia com água fedida. De tempos em tempos, conseguíamos exagerar os números de nosso *Kommando* de trabalho, a fim de aumentar a quantidade de sopa que nos davam. Não a entregávamos diretamente aos judeus, mas a deixávamos por ali para que pudessem pegá-la. Se os guardas ou os *Kapos* os vissem tomando nossa sopa, eles chutariam o prato para impedi-los de comer. Normalmente, haveria pancadaria.

Na área de Buna-Werke, sugavam a vida e o trabalho de cada homem exausto e, quando ele se tornava imprestável, era enviado para a morte. Na época, eu não sabia os nomes, mas eles iam para o lado oeste — ou para o campo original feito de tijolo, Auschwitz I, ou para a vasta e nova área de madeira de Auschwitz-Birkenau. Ali, eles morriam mais rápido, logo depois da chegada, em muitos casos. Por trás de tudo aquilo, ficavam a SS e os executivos da própria IG Farben. Os *Kapos*, detentos que eram responsáveis pelos demais companheiros, transformaram-se no principal alvo de minha raiva. Eles eram homens malignos, e muitos portavam o triângulo verde da carreira do crime. A sua sobrevivência dependia da manutenção do resto dos presos na linha. Se perdessem aquele emprego privilegiado, ficariam sem amigos e não viveriam muito.

As pessoas falam da desumanidade dos homens contra si mesmos, mas aquilo não era humano ou desumano — era bestial. Ali, amor e ódio não significavam nada. Eram indiferentes. Eu me sentia degradado diante de cada assassinato irracional que presenciava e contra o qual nada podia fazer. Eu vivia na obscenidade.

Para os prisioneiros judeus, qualquer coisa que pudesse ser trocada ou engolida tinha valor. Era uma chance de prolongar um pouco mais suas vidas. Todos precisavam encontrar um nicho, um modo de assegurar algumas calorias a mais por dia, ou morreriam. Para eles, os riscos eram enormes.

Em comparação a eles, nós éramos privilegiados, mas só em comparação a eles. Lutamos pela folga ocasional aos domingos, e houve uma pequena mitigação de nossas condições. Não antes que eu entrasse numa briga inesperada com um dos principais empreiteiros da área da IG Farben.

Um pouco de conhecimento pode ser perigoso. Um pouco de conhecimento de língua num lugar feito Auschwitz podia ser mortal. Acusei um dos gerentes da área de ser *Schwindler*, por nos fazer trabalhar sete dias da semana sem qualquer folga. Ele ficou louco de raiva. Vi que tinha avaliado mal a palavra quando os guardas foram chamados para me levar dali.

Por fim, trouxeram um tradutor para fazer a mediação, um escocês que tinha um alemão melhor do que o meu. Ele argumentou que, em inglês, a palavra *swindler* tinha um significado mais brando, querendo dizer "trapaceiro". Em alemão era certamente muito pior. Na verdade, *Schwindler* era pouco em comparação ao que eu realmente pensava, mas aquele pleito arrefeceu os ânimos e acalmou as coisas. Tive sorte outra vez.

Em geral, tudo era muito difícil, e nós sentíamos raiva do fato de que o nosso trabalho forçado estava ajudando no esforço de guerra alemão. Reclamamos que o trabalho era uma violação da Convenção de Genebra. Para minha surpresa, a reclamação foi levada adiante, e nós fomos reunidos num escritório da IG Farben. Fui um dos cinco rapazes escolhidos para ir até lá e apresentar a questão. Fiquei espantado diante do fato de eles estarem preparados para escutar, mas, quando fomos conduzidos para dentro da sala e vimos um oficial superior pronto para presidir o encontro, achei que era um mau presságio.

Ele ouviu a queixa e, então, tirou a pistola Luger do coldre, bateu-a sobre a mesa e disse:

— Esta é a minha Convenção de Genebra. Vocês vão fazer o que eu mandar.

Fomos levados de volta ao trabalho, mas estávamos decididos a fazer o que fosse possível para obstar o que estava acontecendo.

Sempre me encarregavam de fazer entregas no escritório de um engenheiro alemão. Ele usava um chapéu de feltro e botas de cano alto ou polainas, quando estava ao ar livre, mas era conversador e parecia gostar de mim. Tínhamos planos de subverter o trabalho que os alemães nos obrigavam a fazer, e aquilo tornava o subterfúgio mais fácil. Foi então que conheci Paulina, uma ucraniana que trabalhava ali. Depois que os alemães atacaram a União Soviética, ela e muitas outras mulheres ucranianas foram transportadas pela Europa para trabalhar para os nazistas. Elas tinham mais liberdade do que os prisioneiros judeus. Não usavam uniformes listrados e não eram exterminadas, mas a vida delas ainda assim era precária. Precisavam ser corajosas para nos ajudar, e Paulina nos ajudou um bocado. Ela tinha vindo de algum lugar do mar Negro, era jovem, tinha um rosto largo e os cabelos loiros ondulados. Ela nos avisava quando carregamentos especiais de maquinaria ou componentes eram aguardados, para que tentássemos promover algum tipo de sabotagem.

Quando se tornava complicado fazer reunião no escritório do engenheiro, nós marcávamos numa pequena dependência onde ficava a caldeira. O encarregado do lugar era um trabalhador forçado, e eu o avisava com antecedência. Ele sabia do que se tratava, mas, mesmo assim, insistia em nos ironizar juntando os dedos enquanto sussurrava de modo insinuante as palavras *"amour, amour"*.

Ele tinha desatarraxado uma placa de ferro corrugado da estrutura posterior da caldeira, de modo que, se a SS entrasse no abrigo enquanto estivéssemos conversando, um de nós podia escapar pela traseira do prédio. Nunca precisei fazer isso.

As informações que Paulina nos passava eram vitais. Nós alterávamos as etiquetas dos vagões ferroviários de carga, na esperança de que eles fossem para o lugar errado. Derramávamos areia nos rolamentos para que eles se aquecessem e se desgastassem. Torcíamos as pás das ventoinhas para que elas vibrassem e gradualmente danificassem a maquinaria. Chegamos até a colocar pedras pontudas debaixo dos cabos elétricos nas valas, na esperança de que elas acabassem cortando o fornecimento. Quando nos mandavam fixar os imensos gasômetros, dávamos um jeito de moldar o topo do equipamento, de forma que ele parecesse estar devidamente instalado, mas, com o uso, ele acabava afrouxando e provocando vazamento. Eu entrava sorrateiramente nos quintais dos empreiteiros, encontrava os balões de oxigênio que armazenavam oxiacetileno e usava uma chave que havia feito para abrir as válvulas e liberar o gás. O acetileno tinha cheiro, mas o oxigênio, não. Era um crime perfeito. Minha experiência com engenharia provou-se útil pela primeira vez, desde o deserto. Eu fiquei feliz por ajudar.

Paulina fez mais por mim do que fornecer informações. Em algumas ocasiões, ela deu um jeito de me arrumar comida cozida e, melhor ainda, serviu-a num prato. Não sei de onde vinha aquilo, mas eu adorei. Ela gostava de mim, tenho certeza. Não houve nada entre nós, mas, quando ela me deu um retrato seu, guardei-o com todo carinho. Eu o carregava no uniforme. Ele ainda está comigo. Ela também me deu um anel com as misteriosas iniciais FD e a data de 1943 inscritas. Presentes casuais eram raros naquele lugar e tinham valor humano, então levei-os comigo na volta para casa.

Grande parte das sabotagens que levamos a cabo não teria se realizado sem a ajuda dela. Tudo foi feito de modo discreto. Tinha de ser.

Algo mais dramático teria sido detectado e alguém pagaria por isso. Era muito arriscado.

O terreno para a usina de borracha Buna começou a ser preparado em abril de 1941. Heinrich Himmler, o comandante da SS, prometera à IG Farben milhares de trabalhadores escravizados para construí-la. Nem um lote sequer de borracha foi produzido naquela planta, e eu gostaria de acreditar que tivemos alguma coisa a ver com isso.

A desumanidade estava presente em toda parte. Um dia, estava olhando na direção dos prédios da cantina da IG Farben, quando vi um prisioneiro judeu vasculhando uma lata de lixo em busca de alguma coisa para comer ou trocar, verduras estragadas, guimbas de cigarro ou pedaços de fio. Ele se movimentava devagar. A fome e a exaustão embotavam seus sentidos em relação a qualquer outra coisa que não fosse a necessidade de comer ou morrer.

Não houve tempo para adverti-lo. Ele não tinha visto a guarda feminina de uniforme, uma das únicas naquele lugar, até que ela chegou por trás dele. Ela o derrubou no chão com um só golpe e ficou sobre o corpo dele com uma perna de cada lado. Não demorou muito. Com as mãos enluvadas, ela apanhou uma grande pedra, levantou-a sobre a cabeça e esmagou o crânio dele.

Aquela não foi a única guarda feminina que vi. Alguém apontou uma mulher de uniforme muito bem-talhado, numa festa, passeando pelo local. Sua expressão dura desfigurava um rosto jovem. Ouvi dizer que ela era Irma Grese, notória supervisora do campo de extermínio Birkenau, que ficava do outro lado da cidade. Seus atos de sadismo levaram a sua execução em dezembro de 1945.

Alguns dos guardas da SS eram velhos ou tinham sido feridos em combate, mas eu não tinha simpatia alguma por eles. Eles não eram o Afrika Korps. Eles viam tudo o que acontecia em Auschwitz. Não havia como esconder.

Certa ocasião, um homem da SS veio até mim enquanto eu trabalhava ao ar livre. Ele tinha os olhos muito fundos e um ferimento de combate no braço. Ficou junto ao meu ombro e, olhando diretamente para cima, começou a falar como se fosse para si mesmo. Ele tinha sido atirador na fronte oriental e descreveu um ataque russo que se iniciou com um assobio. Havia milhares de soldados, falou, e quanto mais ele os massacrava mais continuavam surgindo. Ele reviveu tudo aquilo ali ao meu lado. O cano de sua arma empenou com o calor dos disparos intermináveis. Ficou imprestável. E eles não cessavam. Ele se feriu e talvez tenha enlouquecido um pouco. Eu não disse nada. Como era possível demonstrar simpatia naquele lugar?

Ao final de seu monólogo, ele se levantou e foi embora, sem se despedir. Três dias depois, tornei a vê-lo. Ele fingiu que não me viu.

Eu me recordo de segurar os canos de metal para que um rapaz loiro de vinte anos soldasse as bordas. Ele era um operário civil alemão. Para nós, esses operários eram um mistério, e eu fiquei intrigado. Tentei me aproximar dele aproveitando-me do fato de que éramos quase da mesma idade, fiz perguntas sobre música e indaguei por que os nazistas odiavam o jazz. Achei que se o pegasse de guarda baixa, ele falaria sobre seu passado, revelando alguma coisa útil. Ele já estava envenenado pelo ódio. Disse que os judeus haviam destruído o seu país. Não houve comunicação entre nós, mas, de repente, ele parou de soldar e cantou.

Küss mich, bitte bitte küss mich,
Eh' die letzte Bahn kommt,
Küss mich ohne Pause
(Beije-me, por favor, beije-me,
Até que chegue o último bonde,
Beije-me sem parar.)

Se esses versos inocentes estavam em desacordo com aquele local monstruoso, ele nem percebeu. E voltou a soldar.

Outro prisioneiro foi marcante para mim em meio àquela loucura provocada pelos nazistas. Ele era Victor Perez, judeu sefardita nascido no protetorado francês da Tunísia. Perez era campeão de boxe peso-mosca, e foi preso em Paris, em 1943. Como aficionado do esporte, eu o conhecia como o "Jovem" Perez que tinha ido lutar na Grã-Bretanha no começo da década de 1930. Falei com ele apenas uma vez dentro da IG Farben, e de forma muito rápida. Quando disse a ele que sabia tudo sobre sua luta contra Johnny King, em Manchester, ele parou e pensou antes de conseguir se lembrar. Ele era uma pálida sombra do jovem boxeador cujas fotos eu tinha visto. Anos mais tarde, soube que ele tinha sido obrigado a lutar no *Appelplatz* — o terreno destinado a exibições em Auschwitz III — enquanto a SS fazia apostas sobre o resultado. Ele foi assassinado pela SS em janeiro de 1945.

Para mim, nossos pequenos atos de sabotagem não eram suficientes. O chão em que pisávamos já absorvera muito sangue. Aquele cheiro terrível ainda pairava sobre o campo e se misturava com a imundície e a fumaça no ar. As questões avolumavam-se.

Pensei que tivesse endurecido com a brutalidade daquele lugar. Eu apenas queria sobreviver. Todos os cativos de Auschwitz tinham uma história, mas a escala vista ali era tão grande que a tragédia pessoal de cada um se perdia na massificação. Então, quando eu menos esperava, dois indivíduos se destacaram na multidão. O sofrimento coletivo de milhares se transformara no destino de pessoas reais outra vez. Foi o que aconteceu com Hans e Ernst, dois prisioneiros judeus que passaram a me afetar por diversas razões.

Conheci Hans quando trabalhei no primeiro andar de um prédio de alvenaria que aos poucos tomava forma. Ele ainda estava aberto na parte de cima, mas já tinham começado a instalar canos pesados ao longo de um corredor. Eu estava meio escondido naquela passagem, mas a planta indicava que eu poderia ser surpreendido caso um guarda viesse para cumprir a ronda.

O que eu estava fazendo? Rascunhava uma fórmula matemática com giz num dos grandes canos enfileirados, que aguardavam a conexão. Eu estava alheio ao que se passava ao redor. Era uma forma de passar o tempo, mas eu tentava salvar alguma coisa da minha fase anterior à guerra, as certezas que tinha. O que eu lutava para lembrar era um método canhestro de calcular a área de um triângulo: a fórmula de Heron de Alexandria.

$$A=\sqrt{s(s-a)(s-b)(s-c)}$$

Ali estava eu, com o giz na mão, num corredor semiacabado, próximo ao epicentro da máquina mortífera nazista, olhando para as letras e símbolos rabiscados num cano.

Hans viu que eu estava sozinho e aproveitou a chance. Ele veio direto a mim e perguntou se eu tinha um cigarro. Em seguida, olhou para meu rabisco matemático. E falou em alemão. Tudo o que disse foi "Sei o que é isso" (*Ich weiss was das ist*). A luta diária por comida e por sobrevivência foi momentaneamente esquecida. Nós dois paramos e olhamos para aquela estranha fórmula, e, por um breve instante, pareceu que estávamos em comunhão com os séculos de sabedoria e de ingenuidade humanas, com o mundo de decência e de aprendizado que tinha sido varrido para longe.

Hans era um judeu holandês com as maçãs do rosto pronunciadas e a tez afinada. Ele era um sujeito culto; percebi isso no momento em que o conheci. Descobri depois que a família dele tinha uma loja de departamentos, ou coisa parecida, em Amsterdã, antes da guerra. Nunca soube muito mais coisas sobre ele. Não tenho sequer certeza de que seu nome fosse Hans, mas era assim que eu o chamava. Saber os nomes era muito perigoso. Se eles interrogassem você, acabariam descobrindo e alguém seria morto. Se eu precisasse me identificar, dizia que era Ginger.

Quando recuperei a atenção, percebi que estava em perigo e o enxotei para longe. Se alguém o tivesse visto conversando comigo, Hans seria morto. Ele saiu imediatamente, mas aqueles poucos segundos causaram em mim uma profunda impressão, e, dali em diante, passei a procurar por ele.

Aquele encontro com Hans seria o princípio da mais imprudente aventura que já vivi, mas, antes de mais nada, eu tinha problemas a resolver, pois um guarda dera de cara com meus rabiscos de giz, logo assim que Hans saiu. Ele pediu ajuda. Uma delegação uniformizada apareceu e ficou por ali, num silêncio confuso, a contemplar os símbolos misteriosos escritos no cano. Em seguida, aconteceu o inevitável. Fui levado a uma pequena baia envidraçada de um escritório no térreo, para ser interrogado.

Havia apenas dois oficiais da SS presentes, e eles estavam convencidos de que meu escrito era uma espécie de mensagem cifrada, mas o que significava e a quem se dirigia?

— Não é um código, é uma fórmula — respondi. — É como o Teorema de Pitágoras... só que um pouco diferente.

Eu sabia que teria dificuldades para explicar. Eles não pareciam se convencer.

— Tem a ver com triângulos — disse eu —, com o cálculo da área dos triângulos.

Eu tentava explicar Heron e Pitágoras para os oficiais da SS. Com seu inglês precário e meu alemão básico, não fizemos grandes progressos. Minhas atitudes não faziam sentido algum para eles. A verdade é que aquilo era mais uma das coisas estranhas que eu fazia.

Estava frio no dia em que conheci o segundo prisioneiro que deixou uma marca indelével em minha vida. Minhas costas estavam doendo, depois de ter carregado muito peso transportando os canos para a soldagem das conexões em suas pontas. A usina de três andares destinada à filtragem estava quase pronta. Agora, tratava-se de fazer a instalação do equipamento em seu interior.

Na verdade, eu não fumava naquela época, mas os cigarros eram as únicas moedas universalmente aceitas em Auschwitz. Era praticamente possível comprar a vida de um homem com os cigarros. Eles também tinham outras utilidades.

Um grupo de engenheiros alemães veteranos que supervisionava o projeto chegou para inspecionar o trabalho. Eles andaram no entorno, enrolando e desenrolando suas plantas e tomando notas, e depois ficaram por ali com ares de importância e conversando entre si.

Eu fiz o que sempre fazia quando eles estavam por ali. Chegava o mais perto que conseguia e acendia um cigarro, com o único propósito de soprar a fumaça na cara deles. Eles não gostavam muito. Os outros rapazes logo me seguiam. Tínhamos de fazer aquilo com sutileza. Se fôssemos muito agressivos ou óbvios, talvez enfrentássemos problemas, mas eles entenderam nosso recado.

Fumar também era uma forma de dar cigarros para os prisioneiros judeus, sem atrair a atenção. Eu detestava vê-los vasculhando a sujeira em busca das guimbas que eu atirava, mas aquilo era melhor do que não fazer nada. Até mesmo o finzinho de um cigarro podia ser barganhado.

Saí da usina de filtragem deixando para trás o som das marteladas e as faíscas brilhantes dos soldadores. Logo em frente, percebi que um jovem prisioneiro judeu estava olhando para mim. Imaginei que ele estivesse esperando que eu jogasse uma guimba de cigarro. Sua cabeça era raspada como as outras, mas havia algo de especial ali. Ele tinha mais expressão na face. Ele não se parecia com um cadáver, mas eu sabia que logo se transformaria num. No fim das contas, todos se transformavam. Lembro dos comboios de judeus húngaros chegando. Alguns deles eram bem robustos. Dentro de quatro meses, tinham virado pele e osso, e muitos já haviam morrido.

Esse garoto devia ter uns 19 anos e parecia ser diferente. Logo percebi que seu uniforme de zebra era mais grosso do que o da maioria, não estava tão gasto e talvez fosse mais limpo do que os dos outros. A princípio, fiquei desconfiado. Quem sabe ele não seria um dos poucos privilegiados, os *Proeminentes*, que haviam encontrado meios duvidosos de ascender dentro da hierarquia do campo? Não parecia provável, mas eu não tinha certeza.

— Qual é o seu nome? — perguntei.

— Ernst — respondeu ele. — Qual é o seu?

De alguma forma, seu jeito me desarmou. Senti uma empatia com ele.

— Pode me chamar de Ginger — falei. Acho que lhe dei um cigarro e depois saímos. Foi isso.

Demorou alguns dias para que eu o visse outra vez. Não nos encaramos, pois era muito perigoso fazer isso abertamente, então conversamos enquanto caminhamos. Ele lutava com o inglês, mas assim que eu entendi o que ele estava querendo dizer tudo se modificou. Ele disse algo como "Irmã meu na Inglaterra".

Essas meras palavras me paralisaram. Será que entendi corretamente? Ele tinha uma irmã na Inglaterra? Fiquei perturbado. Olhei para ele. Estava cansado, mas não tinha a expressão tensa dos demais. Com uma mistura de inglês e alemão, ele explicou que sua irmã tinha conseguido escapar para a Grã-Bretanha em 1939, uma das últimas a deixar a Alemanha. Pelo que ele me disse, o nome dela era Susanne, e ela tinha seguido para Birmingham. Ouvir o nome de uma cidade britânica conhecida da boca de um daqueles pobres-diabos era inquietante. Um vínculo tinha se formado, eu me sentia mais próximo dele. Eu não era um homem emotivo, mas compreendi quantas coisas havia esquecido ao tentar sobreviver ali. A irmã dele estava sã e salva em Birmingham, e ele estava preso naquele odioso caldeirão.

— Você tem algum endereço? — perguntei. Ele disse que sim, mas que precisava se lembrar dele. Fiquei pensando que ele poderia estar me testando. Ele sabia que tinha uma chance e queria aproveitá-la direito. Eu teria de esperar.

No nosso encontro seguinte, ele tinha o endereço da irmã na ponta da língua e me disse qual era de uma vez só: Tixall Road, número 7, Birmingham. Eu o memorizei de imediato e disse que tentaria mandar uma carta para ela. Aquela simples promessa foi o começo de um mistério que se estenderia por quase sete décadas.

Ernst tinha um rosto travesso, inteligente. Nos poucos meses em que convivi com ele, jamais o vi apanhar, mas acabaria sendo uma questão de tempo para todos eles. Um ferimento ou uma surra apressaria seu declínio.

De volta ao campo, pensei durante muito tempo e com bastante cuidado na melhor maneira de fazer contato com a irmã dele. Era provável que ela ainda não lesse em inglês. E podia desconfiar de mim. Por fim, decidi agir por intermédio de minha mãe, que provavelmente saberia interpretar minhas mensagens obscuras.

Quando peguei caneta e papel, pedi a minha mãe que fizesse contato com Susanne e lhe dissesse que eu estava com o irmão dela num campo britânico. Disse-lhe que ele era um soldado inglês que tinha se ferido na mão e que, portanto, não poderia escrever, mas que estava passando bem. Aquilo era um monte de mentira, claro. Acho até que inventei um falso regimento para ele. Por meio de minha mãe, eu contei a Susanne, da forma mais direta possível, que a melhor maneira de ajudá-lo era mandando cigarros, a maior quantidade que pudesse comprar, para meu endereço postal. Eu disse que tentaria dar a ele um pouco de cada vez. Eu sabia que aquilo era arriscado, mas, se minha carta chegasse ao destino, pelo menos Susanne ficaria sabendo que Ernst ainda estava vivo. Valia a pena tentar.

Essa carta foi escrita num inglês normal. Em geral, eu escrevia para minha mãe usando um código infantil que eu e minha irmã tínhamos inventado.

Aquelas cartas eram cheias de referências às coisas da nossa fazenda. Eu escrevia sobre o envio do gado para o abatedouro. Para mencionar o número de prisioneiros do campo de concentração, eu me referia ao rebanho e multiplicava por três ou qualquer outra grandeza. Eu chegava até a tentar termos bíblicos e referências a Moisés. Era meio malacabado, mas era o melhor que eu podia fazer.

Para enfatizar que estava escrevendo sobre os judeus, eu me referia ao primeiro-ministro da rainha Vitória, mas sem empregar o nome de Disraeli. De outro modo, eu também mencionava Epping Town, onde minha mãe sabia que moravam muitos judeus. Ela precisou usar bastante a imaginação para compreender tudo aquilo, mas descobri depois que ela atinou com tudo o que estava tentando fazer.

Desesperadamente, eu queria que o eu mundo inteiro soubesse o que estava acontecendo ali. Tentei dizer a ela que passasse a informação ao Ministério da Guerra, mas, como não podia fazer aquilo abertamente, comecei a mencionar um homem conhecido de meus pais, que havia trabalhado no Ministério da Guerra antes de 1939. Ele morava em Ongar, e, quando eu estava estudando, peguei o trem para Londres diversas vezes junto com ele. Eu insinuava da maneira mais ousada possível que ela deveria entrar em contato com ele. Por fim, ela optou por um método distinto e escreveu duas cartas para o Ministério da Guerra. Eram informações muito genéricas, e eu não sei como ela as descreveu. Pelo menos ela tentou.

Naquela época, eu não tinha ideia do que o mundo sabia sobre os campos de concentração. Eu estava no Exército desde 1939, e não recebemos muitas notícias a respeito no deserto. No cativeiro, menos ainda. Hoje, eu acho que os Aliados sabiam muita coisa sobre os campos de concentração naquela época.

Alguma informação sempre acabava chegando. Havia um rádio escondido dentro de nosso campo. Eu nunca o vi, mas me disseram que era um aparelho básico, sem muita sofisticação. Foi um dos rapazes que o montou, trocando e contrabandeando componentes com qualquer pessoa que tivesse contato com o mundo exterior. O rádio ficava bem escondido. Em geral, supunha-se que Charlie Coward o tinha ocultado em algum lugar.

A maior parte dos cativos ouvia as notícias em segunda mão, por meio de um companheiro que apelidamos de Stimmt, provavelmente por causa de uma frase em alemão que ele gostava de repetir, *"das stimmt"*, que significa "é verdade". Acho que seu verdadeiro nome era George O'Mara, e ele era um sujeito agradável que percorria as cabanas relatando o que ouvira, uma espécie de pregoeiro público murmurante.

Uma vez ou outra, víamos jornais alemães, especialmente quando usávamos as latrinas dentro de Buna-Werke. Achei a cópia de uma publicação — provavelmente o *Völkischer Beobachter* — com a reprodução de uma instrução da SS, vangloriando-se de seus planos para a

Grã-Bretanha depois que se saíssem vitoriosos. Eles diziam que governariam a partir de Whitehall, justamente o local que abriga as principais instituições políticas e governamentais do país, executariam todos os prisioneiros de guerra e permitiriam que seus bravos soldados engravidassem as moças inglesas com seu bom sangue ariano. Ideal para as latrinas.

Era uma propaganda assustadora, que servia apenas para me enfurecer ainda mais. Como disse anteriormente, não me alistei pelo rei ou pelo país, mas a aventura da juventude agora tinha se transformado num conflito moral para mim, justamente no momento em que eu nada podia fazer.

Durante a execução do trabalho, eu me movimentava à vontade por ali. Se eu pusesse canos sobre os ombros, podia atravessar o campo inteiro sem que ninguém me perguntasse nada. Todos nós fazíamos isso. Em algumas ocasiões, passava por Ernst.

Certa vez, estava numa barraca num dos terrenos de construção, junto com outros camaradas britânicos, quando ele entrou. Conversamos um pouco, quando então ouvi um barulho e percebi que um guarda estava perambulando por ali. Como Ernst não conseguiu sair a tempo, ele se escondeu atrás de algumas mesas reviradas.

O guarda entrou, olhou ao redor e perguntou o que estávamos fazendo. Consegui enrolá-lo falando um bocado de bobagens em meu alemão precário, e, por fim, saímos deixando Ernst escondido lá dentro. Passou um tempo antes que ele se atrevesse a escapar. Hoje parece dramático, mas os soldados britânicos faziam coisas assim o tempo todo. Ele deve ter ficado apavorado, mas nunca tocou no assunto. Na vez subsequente em que conseguimos conversar, quando os *Kapos* estavam fora de alcance, tudo o que ele falou foi que meu alemão era muito bom. Não era, mas eu gostei de ouvir aquilo.

Ernst jamais me falou sobre sua família em nossos encontros furtivos. Eu sabia de sua irmã na Inglaterra, e era só. A carta que escrevi dificilmente chegaria, e o endereço talvez estivesse errado. Eu não acalentei muitas esperanças. Com os bombardeios aliados, o roubo e a confusão generalizada da guerra, achei que seria muito improvável que os cigarros nos alcançassem.

Capítulo 11

Quando tornei a ver Hans, ambos nos esforçávamos para carregar as tubulações. Durante 11 horas por dia, éramos obrigados a levantar e carregar os componentes pesados, empilhando os tampões sobre o trole baixo que corria nos trilhos da linha férrea que ligava os prédios entre si. Assim que enchíamos o carrinho, nós o empurrávamos para os locais que estivessem precisando de válvulas e de canos. Nossas conversas tinham de ser muito rápidas, durante o carregamento e o descarregamento daqueles tubos pesados e das válvulas que os acompanhavam. Era isso que fazíamos quando acertamos o nosso plano.

Em alguns momentos, num esforço conjunto, ficávamos ombro a ombro, mas mesmo assim tão perto não era muito fácil falar alemão pelo canto da boca.

Daquela vez, o encanamento foi soldado atrás de outra fachada de tijolo escuro, a da usina de filtragem de três andares que estava quase pronta. Havia escadas de metal por todo o prédio inacabado. O prêmio ali forjado com vidas humanas era a borracha Buna. Nós chamávamos o lugar de Buna-Werke.

Dizem que "muros de pedra não fazem uma prisão, nem barras de ferro fazem uma gaiola". Ouvi essa citação quando era criança e a tomei para mim desde então. Eu sabia que eles não podiam capturar minha mente. Enquanto ainda pudesse pensar, estaria livre. Sempre fui um lutador, jamais fugi de um desafio, mas agora era diferente. Eu não tinha grande conhecimento das religiões ou das filosofias orientais, mas sabia que a mente poderia nos fazer atravessar paredes. Era minha mente que alimentava os músculos.

Nós todos éramos compelidos a trabalhar para o esforço de guerra de Hitler, trabalhadores escravizados dos campos de concentração de Auschwitz, civis obrigados a labutar e prisioneiros de guerra britânicos. Fazíamos trabalho extenuante similar ao dos judeus, porém com uma diferença crucial. O programa conhecido como *Vernichtung durch Arbeit*, exterminação pelo trabalho, não se aplicava a nós.

Quando caía a noite, nós nos dirigíamos para nossos respectivos acampamentos: os judeus, para Auschwitz III, algumas vezes chamado de Monowitz e sobre o qual não sabíamos muita coisa; e os prisioneiros de guerra britânicos, para o campo E715, na margem sul do canteiro de obras.

Todas as noites, eu retornava para algo que era mais ou menos previsível, uma cabana espartana e com pouca comida, mas, pelo menos, tinha certeza de que continuaria vivo na manhã seguinte. Para Hans e os demais listrados, não havia qualquer certeza de sobrevivência nem mesmo para o dia seguinte.

A dignidade humana tinha sido arrancada dos judeus, mas ainda havia alguma chance se eles tivessem algo para apostar. Todas as tentativas de ganhar um pedaço extra de pão acabavam se convertendo num lance de risco, um jogo de dados.

Eu não podia fazer muito, mas fiquei atormentado pela necessidade de saber, de ver o que eu conseguiria fazer. Conforme as semanas se passavam, dei um jeito de falar com Hans de vez em quando, e, nessas conversas, a ideia de trocar de lugar com ele tomou conta de mim. Era o modo de saber o que estava acontecendo. Comecei a preparar o plano.

Se conseguíssemos organizar uma *Umtausch* — uma troca —, ele poderia descansar no acampamento britânico durante a noite. Ele ganharia uma alimentação melhor e em maior quantidade, provavelmente até ovos. A fim de pavimentar a amizade, dei a ele parte de uma salsicha alemã que tinha recebido. Sempre que chegava uma salsicha no acampamento britânico, nós a sorteávamos. Se a dividíssemos em partes iguais, a salsicha não seria suficiente. Quem a ganhasse no sorteio pelo menos teria alguma coisa para mastigar. Também comíamos mal, mas, para Hans, que recebeu aquela parte da salsicha furtivamente, aquilo era mais nutrição do que recebera nas últimas semanas.

Eu também fornecia cigarros para que ele barganhasse. Eles eram como pepitas de ouro nos campos de concentração, e eu tinha muita sorte com os maços de 555 que eram mandados todos os meses por um tio meu.

Nem todos os maços chegaram até mim, longe disso, mas meu pai ainda continuou lhe pagando, depois da guerra, por toda a quantidade enviada. Foi bem caro.

Havia gente a subornar e coisas a adquirir, mas eu tinha cigarros suficientes para o que precisava. Eu e Hans tomamos todas as precauções, porque não dava para confiar em ninguém ali. Nem mesmo num homem que entendia a fórmula de Heron de Alexandria. Aos poucos, a ideia começou a tomar conta da mente dele e, com o passar das semanas, ela amadureceu na forma de algo parecido com um plano.

Apenas dois dos rapazes de nosso campo tomaram conhecimento da trama, Bill Hedges e Jimmy Fleet. Eles me consideraram um idiota, mas, ainda assim, decidiram me ajudar. O beliche de Bill era em cima do meu, na parte de trás da cabana, e ele se ocupou da maior parte do plano. Cabia-lhe ocultar Hans. Para os demais, seria dito que eu estava doente e que tinha ficado na cama.

Bill trabalhava numa loja de ferragens antes da guerra; era tudo o que eu sabia a seu respeito. Acho que, mesmo naquela situação, eu dava as ordens e a maioria das pessoas me acompanhava. Ambos juraram guardar segredo sobre aquilo. Como eu disse, não confiávamos em ninguém.

A troca demandou semanas de planejamento meticuloso e observação. Eu estudei os movimentos dos prisioneiros judeus, anotei onde e quando eles se reuniam para voltar a seu acampamento, aprendi a emular sua fadiga, seu andar curvado, sua caminhada cambaleante.

Aprendi a andar com os tamancos duros de madeira que eles usavam. Troquei cigarros por um par deles, amarrei uns trapos em volta dos pés para amortecer as pontas mais ásperas e me habituei a arrastá-los no chão. Aqueles tamancos eram uma espécie de tortura por ali; eles apressariam o fim da vida de um homem se seus pés começassem a inchar ou se ele não conseguisse andar depressa. Eu tinha de fazer aquilo direito.

Um dos listrados indicou para mim um *Kapo* mais velho, que era menos brutal do que os demais. Ele era um tipo atarracado, com o rosto escurecido pela passagem do tempo e, pela barba por fazer, via-se que teve cabelos escuros nos bons tempos. Consegui conquistar a simpatia dele com um suborno de cinquenta cigarros — 25 imediatamente e 25 depois que eu retornasse são e salvo da troca. Sem dúvida, essa era a parte mais arriscada. Num lugar como Auschwitz, todo mundo tinha de se defender por conta própria. Eu poderia ter sido facilmente traído se ele tivesse enxergado qualquer vantagem para si mesmo, e eu já tinha visto *Kapos* matarem pessoas.

Por intermédio de Hans, mandei cigarros para dois de seus companheiros no *Kommando* de trabalho. Eles teriam de me guiar, mostrar-me onde deveria ir. Quando chegou a hora, cortei meu cabelo com uma tesoura velha e depois raspei o restante com uma lâmina quase cega.

Quando a transformação se aproximou do fim, sujei meu rosto, em especial as bochechas e debaixo dos olhos, a fim de adquirir a palidez cinzenta da exaustão. Pensei nas patrulhas intermináveis dentro dos acampamentos inimigos no deserto. Eu estava pronto.

Mas por que fiz isso? Por que, voluntariamente, abri mão da condição de prisioneiro de guerra britânico protegido, para entrar num local em que a esperança e a humanidade tinham sido eliminadas?

Vou lhes dizer o porquê. Eu sabia que os cativos de Auschwitz estavam sendo tratados pior do que animais. Naquela época, não sabia o que eram os vários campos judeus, que Auschwitz I, a oeste, era o campo de extermínio brutal até que Auschwitz-Birkenau fosse construído ainda mais a oeste e redefinisse o significado de carnificina industrial. Também não sabia que Auschwitz III-Monowitz, campo que ficava a nosso lado, era, relativamente falando, o menos letal de todos. O que eu sabia de fato era que os judeus estavam sendo mortos na minha frente e que aqueles que se sentiam muito fracos para conseguir trabalhar eram mandados para o extermínio. Quando olhava para o rosto dos prisioneiros judeus, com as maçãs protuberantes e os olhos fundos, era como se não houvesse nada ali. Todos os sentimentos e emoções haviam sido cauterizados dentro deles. Eu tinha de ver com meus próprios olhos o que estava acontecendo. Eu tinha de entrar lá.

Todo o tempo eles nos imploravam para dizer ao mundo o que tínhamos visto, se voltássemos para casa. Os listrados compreendiam o que estava se passando. O fedor do crematório lhes dizia tudo aquilo que precisavam saber. Sim, todos nós tínhamos ouvido falar das câmaras de gás e das seleções, mas a mim não bastava ouvir falar. As palavras "conjectura" e "especulação" jamais fizeram parte de meu vocabulário. Posso não ter sabido qual campo era qual, mas precisava ver o que é que transformava seres humanos naquelas sombras.

Auschwitz, o Buna-Werke da IG Farben com todo o trabalho escravo dentro dele, era o próprio inferno, sem dúvida. Dia após dia, assisti à brutalidade, mas era impotente para detê-la. Aquilo era uma mácula em minha vida, e eu não podia deixá-la se apagar.

Mesmo ali, como prisioneiro de guerra, eu acreditava que nosso lado iria derrotar os alemães e que, um dia, *nós* forçaríamos alguém a se responsabilizar por tudo aquilo. Eu queria os nomes dos *Kapos* e dos oficiais da SS que eram responsáveis pela obscenidade a minha volta. Eu queria ver o máximo que pudesse deles. Sabia que tinha de haver uma resposta para tudo aquilo e que um dia haveria um julgamento.

Sim, tinha uma coisa que eu podia fazer; algo que fui levado a fazer. Não era muito, mas se eu conseguisse entrar ali, se pudesse apenas ver, poderia dar meu testemunho.

E havia ainda mais uma coisa, algo que não dizia respeito a grandes causas, mas a mim. Sempre fui mais um líder do que um seguidor; pelo menos sempre achei que fosse. Meu sonho de virar oficial tinha sido obstruído e minha guerra fora interrompida, em Sidi Rezegh, mas eu ainda estava em serviço e agora tinha uma causa. Eu podia fazer isso.

Capítulo 12

A noite se aproximava, e eu sabia que os prisioneiros de guerra britânicos estavam prestes a se reunir, a cinquenta metros dos listrados, para voltar ao E715.

Vi que os *Kommandos* de trabalho judeus estavam se preparando para formar sua própria coluna, a fim de enfrentar a caminhada penosa de volta a seu acampamento, e me mexi.

Havia certo alvoroço no local, de modo que, a fim de tirar vantagem da confusão do final do dia, caminhei propositalmente na direção do *Bude*, um galpão de madeira encoberto que ficava no terreno de construção. Abri a porta e entrei. Eu conhecia o interior inóspito, com suas mesas pequenas e um banco rústico, pois algumas vezes comemos e nos abrigamos ali. Logo que me escondi lá dentro, arranquei as botas pesadas e calcei os malditos tamancos de madeira, pronto para fazer a troca com o máximo de rapidez. Hans me viu entrar no galpão e logo me seguiu.

De repente, ele apareceu no batente da porta e, sem hesitação, entrou. Ele me pareceu agitado; o que estávamos fazendo era mais perigoso para ele do que para mim, mas ele viera. A chance de ter uma noite mais segura e um pouco mais de comida valia o risco. Com uma olhada nervosa sobre o ombro enquanto passava o trinco, ele correu em disparada até mim, com a cabeça baixa, como se quisesse esconder nossas intenções.

Não havia tempo para conversa. Rapidez era essencial; não podíamos demorar mais de um minuto, ou sentiriam nossa falta.

Hans arrancou a parte de cima puída de seu traje e a jogou para mim. Em troca, dei a ele minha túnica militar pesada. Vesti sua roupa azul listrada; o cheiro de sujeira e de podridão humana emergiu do tecido e me fez pensar nas criaturas que saíam das dobras e vincos da costura, sedentas de sangue novo. Eu seria capaz de lidar com isso, eu sabia viver com piolhos. O deserto e os campos italianos tinham me ensinado como. Na época, a possibilidade de contrair tifo jamais me passou pela cabeça. Para todos os efeitos, os piolhos foram o menor de meus problemas.

Eu tinha deixado minha camisa militar na caserna e vestia somente um colete debaixo da túnica. Uma camisa de qualquer tipo sob aquele pano rústico de zebra teria levantado suspeita, mesmo com minha cabeça raspada e minha cara coberta de sujeira.

Todas as marcas de minha verdadeira identidade tinham sido arrancadas. "Que diferença faz um uniforme", pensei por um instante, enquanto olhava para Hans, agora vestido com as minhas roupas. Eu estava certo; ele era exatamente da minha altura e tinha a minha compleição física e a mesma pele clara.

Eu havia barganhado um par de sapatos velhos para ele, e os guardara no *Bude* com antecedência. Tamancos de madeira num prisioneiro de guerra britânico teriam chamado a atenção. Eu também já tinha escondido minhas botas do Exército, antes que ele chegasse. Eu não as confiaria a ninguém, mesmo apenas durante a noite.

Assim que a troca terminou, passei o plano em revista novamente com Hans. Disse-lhe para não demonstrar qualquer agitação ou fazer qualquer coisa que chamasse atenção para si próprio. Seus movimentos deveriam ser calmos e controlados. Acima de tudo, eu lhe avisei, não corra. Acho que ele não teria forças, de qualquer maneira. Ele saiu de imediato, totalmente idêntico a um soldado britânico, e seguiu em frente, como fora instruído, para encontrar Bill e Jimmy.

Eu aguardei um momento. Em seguida, adotei a expressão de abatimento que tinha observado nos outros, deixei caírem os ombros, e, com os olhos baixos, saí da cabana mancando em direção à coluna dos judeus, que já estava se formando. Ali, enfiei-me no meio de uma fileira, tossindo enquanto andava, de modo que pudesse esconder meu sotaque por trás da voz rouca, caso alguém falasse comigo.

Foi uma sensação boa, como se eu estivesse dando as ordens novamente. Eu não era mais um simples espectador. Só de trapacear a disciplina do inimigo, eu já tinha alcançado um triunfo sobre ele.

Subitamente, eu me dei conta de novos perigos. Corri os dedos disfarçadamente sobre a frente da parte de cima das vestes para verificar se estava abotoada até o topo, bem-ajustada no pescoço. Tinha de ser assim. Eu sabia que algum botão faltando ou a gola aberta poderiam resultar numa surra pelos *Kapos*. Eu não teria alternativa: ou apanhava ou entregava o jogo. Se eu fosse desmascarado, levaria um tiro no ato — disso eu tinha certeza. Por dentro, eu me sentia pronto para uma boa luta, mas por fora eu precisava fingir fraqueza e resignação.

A adrenalina correu em minhas veias, e eu escutei o zumbido rítmico da contagem: "*Eins, zwei, drei, vier.*"

Os sobreviventes eram contados junto com os mortos, cujos cadáveres jaziam empilhados ao lado. Qualquer cabeça que os *Kapos* vissem na sujeira seria contada como um corpo; desde que os números fossem os mesmos, de manhã e de noite, pouco importava que aquele corpo estivesse morto. Não fazia a menor diferença para eles.

Se um *Kapo* cometesse algum erro, ele culpava o prisioneiro para salvar a própria pele. Isso representava pelo menos um soco, uma surra completa ou, se a SS estivesse envolvida, uma pancada com a coronha do rifle ou coisa pior. Eles pressionavam os *Kapos*; os *Kapos* batiam nos prisioneiros. Era desse jeito. Já havia observado isso na segurança relativa das fileiras dos prisioneiros de guerra. E odiei os *Kapos* ainda mais por causa disso.

Quando terminava a contagem, eles a repetiam para ter certeza. Havia guardas da SS, com as armas engatilhadas, vigiando atentamente cada lado da coluna, com um *Kapo* rondando ao longo das fileiras, gesticulando enquanto conferia os números. Minha atenção foi desviada para o caminho que nos tiraria dali. Tentei antecipar o próximo perigo.

De onde eu estava, no meio de uma fileira, pressionado entre os ombros curvados de homens que facilmente se transformariam em cadáveres no dia seguinte, era difícil ver o amontoado de corpos de hoje, que tinham sido abandonados num dos lados. Era como se o monte de farrapos encardidos, de formas vagamente humanas, já estivesse sendo sugado para dentro da terra.

Para muitos, sem dúvida, o fim trouxera descanso, com o sofrimento e a consciência extintos. Os *Häftlinge* — ou prisioneiros — judeus comumente sofriam colapsos durante o trabalho, dando seu último suspiro com o rosto colado na sujeira, sem serem notados, enquanto a labuta a sua volta prosseguia. Ou então eram chutados e espancados até que simplesmente fenecessem.

Eu me assustei com a súbita explosão de atividade em torno da pilha de corpos. Seus companheiros de cativeiro juntavam os vestígios esqueléticos no chão e os jogavam sobre pedaços finos de tábua que serviam de macas improvisadas. Eles não demonstravam emoção alguma. Os mortos eram apenas outro fardo, feito de carne e osso, e os membros daqueles que os levantavam tremiam com o peso. Não havia tábuas suficientes, de modo que alguns dos carregadores tinham de catar os restos mortais com as próprias mãos, agarrando pernas e braços ou puxando um pedaço dos uniformes já rasgados. Deixar cair um corpo podia gerar atraso e resultar em bordoadas, e um ferimento ali significava o declínio acelerado e, com frequência, a morte.

Os que tinham as tábuas repartiam o peso entre dois ou mais. Mesmo ali, mesmo naquele momento, a engenhosidade humana trabalhava com firmeza: um homem amarrou uma corda em volta de seus ombros e debaixo da maca de madeira, a fim de aliviar o esforço de seus músculos depauperados. Todos sabiam que exaustão adicional só servia para encurtar suas próprias vidas.

Após a arrumação da carga de cadáveres, os carregadores retornaram às fileiras. Eu estava sendo mantido pela adrenalina, mas emocionalmente me sentia desolado. Meus mecanismos de defesa estavam em jogo. Eu não tinha de pensar, apenas fazer. Pensamento em excesso poderia enfraquecer meu propósito e trazer perigo. Quando se quer falar uma língua fluentemente, é necessário pensar naquela língua, e era isso que acontecia comigo ali, no meio daquelas pessoas alquebradas e esmorecidas. Eu tinha de aceitar o que se passava com elas, exatamente como elas faziam. Eu precisava pensar e agir como elas.

Depois de semanas de maquinação e de análise de todo o episódio em minha mente, o sucesso de meu plano se encontrava sobre o fio da navalha. A fria concentração voltou. De novo, era como todas aquelas patrulhas no deserto. Eu teria milésimos de segundo para avaliar a situação e reagir. Eu tinha de ficar firme, ou levaria um tiro.

Minha pulsação se acelerava dentro de um corpo que tinha de transparecer desesperança. Aqui, poderia não haver chance de contra-ataque. Esse trabalho era diferente, mas, ainda assim, era um trabalho. Eu precisava testemunhar, e nada iria me impedir.

Olhando adiante na coluna, vi que um dos cadáveres estava prestes a cair da maca improvisada. Algo tinha de ser feito, ou haveria problemas.

Rapidamente e sem estardalhaço, um dos camaradas retornou o corpo para a posição adequada. Ele abriu as pernas do cadáver com força, para que cada uma caísse de um dos lados da madeira fina, e os pés balançaram na poeira. Aquele pequeno ajuste impediu que o corpo enrijecido rolasse da tábua enquanto ela quicava no chão. O homem morto se mantinha no lugar. Ele ajudava seus frágeis carregadores de caixão numa jornada sem cerimônias e sem sepultamento final.

Por fim, a coluna bamboleou de modo desajeitado. Se tivesse havido uma hora para abortar o plano, ela já tinha se passado. Eu deixara meus companheiros para trás, e tudo o que era familiar e previsível retrocedera rapidamente atrás de mim. Os tamancos de madeira eram largos e dificultavam as passadas, e eu os agarrei com toda a força, com os dedões do pé, para mantê-los calçados. Os trapos que eu tinha usado para enrolar os pés ajudavam um pouco, mas eles ainda se esfolavam bastante. Pelo menos, aquilo me facilitou a caminhada cambaleante.

Em pouco tempo, saímos dos portões da fábrica. Logo houve uma comoção na coluna, e nós paramos de forma ab-rupta. Tentei permanecer composto, ou pelo menos como os outros, mas desejei ver o que estava acontecendo sem parecer inquisidor. Ouvi gritos: os guardas batiam em alguém na fila, e um senso de agitação reprimida perpassou as fileiras. Eles já tinham visto aquilo antes, e eu também, mas dessa vez eu não era um espectador. Era um deles. Naquela vestimenta, eu já tinha deixado de existir aos olhos de meus captores. Minha vida poderia ser facilmente descartada, como a deles. Ao organizar meu plano, eu me senti no comando porque tomei a iniciativa de novo, mas, na realidade, eu estava tão desamparado quanto qualquer um a minha volta. Eu sabia que precisaria de muita sorte.

A seguir, começamos a andar novamente. Não se tratava de uma marcha especialmente longa, mas era dolorosa e letárgica. Para os que estavam a meu redor, cada passo daquela caminhada penosa era um sacrifício. Pense num homem condenado, algemado, desgastado e repleto de mau agouro: eles eram assim. Essa era a aparência que eu procurava ter. Eu estava penetrando o desconhecido.

Esquadrinhando as fileiras diante de mim, enquanto nos arrastávamos para a frente, vi lampejos de corpos reclinados. Um braço balançava frouxamente. A perna de outro quicava como se fosse um pêndulo, como se a cada passo pegasse a terra que passava embaixo. Os carregadores dos corpos aparentavam sinais de fadiga, suas costas arqueadas pelo peso, os dedos retorcidos fraquejando enquanto eles tropeçavam pelo caminho. Sem alarde, um homem desfaleceu e o corpo que ele carregava caiu no chão. Imediatamente, desabou sobre ele uma explosão de violência. Ouvi o barulho dos socos e a batida seca das coronhas e dos porretes nos corpos debilitados.

Outro *Häftling* assumiu a carga, e nós seguimos em frente, os pés de cada homem se arrastando pelo chão naquela prolongada, desesperada confusão. No curso daquela caminhada, paramos quatro vezes, e, em cada uma delas, escutei o barulho dos golpes em costelas e ombros.

Então, pude ver qual era nosso destino — um imenso campo superlotado, com alojamentos baixos circundados por uma cerca dupla de arame farpado suspensa. E em algum lugar no meio daquilo tudo, havia um fio desencapado carregando uma corrente de alta voltagem. Torres de vigilância localizadas a pequenos intervalos entre si mantinham rigorosa fiscalização dos presos, e guardas da SS patrulhavam o local. Deixamos a trilha principal e nos dirigimos à entrada. Era ali que suas vidas curtas se desenrolavam, e onde competiam por um naco de pão ou sucumbiam.

Ainda estava claro quando passamos pelo portão e vi o aviso que portava a promessa cruel *"Arbeit Macht Frei"* — o trabalho liberta.

Na hora, não percebi que a ironia dessas palavras seria vociferada durante décadas. Chegáramos a Auschwitz III-Monowitz.

A noite se aproximava lentamente, e, em algum lugar acima de nós, havia um céu claro, com luminosidade suave. Eu o pressentia, sabia que estava lá, mas não o registrei completamente, não ali. Jamais vi um céu azul, durante todo o tempo em que estive preso naquele lugar esquecido por Deus. Não olhei para cima. Assim como me recusei a ler as cartas de minha mãe no deserto, agora qualquer espiada na beleza de cima poderia significar uma distração perigosa. Aquilo poderia embotar meu objetivo, ao me lembrar da vastidão do mundo e da liberdade.

Em algum lugar, alguém gritou uma ordem, e nós tiramos os bonés da cabeça. Logo estiquei as costas como os demais. E abandonei minha expressão abatida. Eu sabia que tínhamos de dar à SS a aparência de que poderíamos trabalhar mais um dia. Eles já estavam puxando alguém da fila. Não havia pedidos, nem súplicas ou protestos. Eles estavam muito fracos. Naquela hora, percebi que alguns já tinham atingido o fundo do poço e agradeciam a chegada do fim. Não vi o que aconteceu com aquele que tiraram da fila, mas sei que ele foi mandado para Birkenau, de caminhão, para as câmaras de gás.

Depois de atravessar os portões, comecei a examinar o aspecto do campo, com seus alojamentos de má qualidade espalhados pelo terreno.

Levado pelo vento que soprava, o cheiro doce e medonho do crematório distante se espalhou pelo campo e atingiu meu nariz e minha garganta. Era um fedor enjoativo que se juntava a todos os outros cheiros ao redor, produzidos por gente suja e podre.

Mais adiante, dentro do campo, um corpo com a cabeça raspada estava inerte, pendurado na forca. Seu pescoço estava quebrado e torcido, forçando a cabeça para um dos lados. Não dava para ver se suas mãos estavam amarradas. Se havia algum aviso em volta de seu pescoço, indicando o que ele tinha feito para terminar ali, não consegui enxergar.

Nessa época, eu já estava acostumado a ver cadáveres, mas o tormento que precede a morte pode ser observado na figura do enforcado. Seu corpo havia sido deixado ali como advertência para todo mundo. *"Aufpassen"* — cuidado, gritava ele. Aquilo me balançou. Pendurados ou não, eles nos mantinham todos pelo pescoço. E podiam apertar o nó quando bem entendessem.

Os carregadores de corpos se movimentaram de novo. Com a fadiga cravada em seus rostos fundos, eles arquearam as costas para um esforço final. Levaram os restos mortais para um dos lados e os derrubaram no chão. Com apenas um leve ruído, cada um dos corpos deslizou para baixo. Então, os carregadores esticaram as costas e se juntaram ao restante da fila, e os mortos foram contados mais uma vez.

Eu não tinha intenção de fugir, não era essa a razão pela qual eu estava ali, mas fiz o levantamento da situação por uma questão de hábito, examinando a disposição do local, procurando as saídas que jamais seria capaz de utilizar. Correr não faria sentido. Uma vez lá dentro, não *existia* forma de sair. Se eu fosse identificado como impostor, seria morto. Não havia plano B.

O *Appelplatz*, local onde era feita a contagem dos prisioneiros, ampliou-se conforme nossa coluna esfarrapada se arrastava pelo lugar, formando filas ao longo das marcas feitas no chão. E então eu me dei conta de uma coisa estranha.

De algum lugar, acima das ordens vociferadas, da confusão e dos pigarros, ouvi a orquestra de prisioneiros do campo tocando música clássica.

Capítulo 13

De pé ali no *Appelplatz*, no meio de uma coluna, eu sabia que, se fosse traído, não teria outras testemunhas além dos pobres-diabos que tinha ao meu lado. Quantos deles ainda estariam vivos em três meses? Não muitos. Eu seria tirado à força dali ou alvejado com a absurda trilha sonora propiciada pela orquestra. Tempos depois, ouvi dizer que eles eram obrigados a tocar durante as execuções.

Mantive a cabeça inclinada, mas, por ser alto, eu conseguia enxergar os rostos dos guardas da SS, sem fazer esforço. Qualquer mudança de humor ou de atenção da parte deles indicava perigo iminente. Se um *Kapo* me denunciasse, poderia receber uma recompensa, mas também se arriscaria a despertar suspeitas para si. Não houve contato visual. Não aconteceu. Comecei a respirar mais calmamente.

Quando as últimas contagens e recontagens terminaram e os números se mostraram de acordo, fomos dispensados e as fileiras passivas a meu lado ganharam vida. Observei as filas de rostos ossudos, procurando pelos homens que eu deveria seguir naquela massa de listras desgastadas. Eu não queria chamar a atenção parecendo desorientado. Se eu fosse para o alojamento errado, poderia ser delatado como um estranho. Eu estava concentrado, e meu pulso se acelerou, mas nada podia demonstrar. Precisava continuar pensando como um forte e agindo como um fraco.

Os internos já começavam a se misturar quando vi de relance um de meus homens e, sem dizer uma só palavra, segui atrás dele em direção ao alojamento. Entramos por uma passagem estreita num dormitório.

Sufoquei com o ar fétido, enquanto me comprimia para passar. Os homens eram como recheios de sanduíches entre os beliches de madeira rústica, em três níveis, dentro do cômodo lúgubre.

Muitos subiam e desabavam imediatamente. Segui meus dois condutores e fizemos a mesma coisa, sem dizer palavra. Esse era o beliche abarrotado que eles normalmente dividiam com Hans. Subi e me escondi para ver e escutar.

Aqueles beliches não eram comuns. Em vez de deitar ao comprido, como seria normal, tínhamos de dormir três em cada cama, no sentido transverso à base. Nós deitávamos cabeça com pé, mas como o beliche tinha pouco mais de um metro e meio de largura, eu tinha de dobrar as pernas para caber por inteiro. Ao mesmo tempo, a pessoa que ficasse no meio teria dois pares de pés fedidos ao lado de sua cabeça.

Mantive a cabeça voltada para a parte interior do beliche, com os pés virados para o corredor, a fim de não ser visto. Atrás de nossas cabeças ficava um divisor de madeira, além do qual havia mais grupos de beliches e mais prisioneiros fétidos. Por ora, meus parceiros estavam deitados cabeça com cabeça e eu os vi pela primeira vez de perto. Ambas as faces eram contraídas e envelhecidas, aparentando muito mais idade do que realmente tinham, e mesmo assim eles pareciam mais fortes do que outros.

Um era judeu alemão, o outro era polonês. Era mais fácil entrar em contato com o alemão. Meus conhecimentos da língua eram básicos, mas melhoravam, e ele também falava um pouco de inglês. Em grande parte, os campos funcionavam em alemão, mas isso não significava que todos ali falassem bem o idioma, de modo que o diálogo com o polonês ficou limitado.

Ouvi vozes altas em línguas estranhas que vinham da passagem perto da entrada. Parecia uma discussão. As permutas noturnas das quais eu tinha ouvido falar haviam começado. Qualquer coisa que tivesse sido catada durante o dia, qualquer coisa que fosse uma *coisa*, qualquer coisa que pudesse ser possuída, ainda que pequena, era trocada aqui pelos homens espremidos nos corredores. Um botão, um fio de algodão, caso fosse necessário, tudo isso tinha valor, até uma unha.

Se pudesse ser transformada em algo utilizável, se alguém tivesse interesse, podia ser trocada e novamente trocada por alguns alimentos extras.

Eu não tinha relógio, mas, pela luz que havia do lado de fora quando chegamos e pelo tempo que passou, achei que deviam ser umas sete ou oito horas da noite. A maior parte daqueles ao meu redor já estava esgotada, e não se mexia sem necessidade. Eles ficavam deitados, tentando guardar suas energias.

Fiquei assustado com um barulho de metal, e outro cheiro pútrido penetrou no quarto. A sopa da noite chegara dentro de uma grande vasilha. Os alojamentos eram abarrotados e sufocantes, mas aquele odor penetrante suplantou todos os outros cheiros com facilidade. Todos se puseram em fila, apresentaram suas tigelas e voltaram mancando aos seus beliches para comer.

Fiquei parado. Eu não quis chamar a atenção e, de qualquer modo, não teria conseguido engolir aquilo. Era uma gororoba nojenta feita de repolho podre e de casca de batata fervida, com Deus sabe lá o que mais. Só o cheiro revirou meu estômago. Eu ainda estava sendo alimentado pela adrenalina e dispensei a sopa sem dificuldade. Os outros não tinham escolha. Tiveram de comê-la.

Cada prisioneiro guardava suas tigelas de metal com todo zelo; elas chegavam a ser amarradas nos cintos. Sem elas, não havia sopa e, sem aquela sopa asquerosa, não havia vida. Depois, ao dormirem, as tigelas lhes serviam de travesseiros duros aos quais se agarravam, mesmo estando inconscientes.

Jamais perguntei os nomes de meus protetores, mas me lembro de pensar, na época, que eles não pareciam especialmente judeus. Mas então qual seria a aparência dos judeus? Eu não tinha certeza. Quando os alojamentos mergulhavam na escuridão, era mais fácil conversar. Não era uma interlocução fluente. Eu fazia perguntas em alemão e inglês, e nós pelejávamos com os sussurros. Meus companheiros de beliche tinham os olhos fundos comuns a todos, mas pareciam menos traumatizados pelo que os cercava do que os demais. Tive a impressão de que eles eram novos no campo.

Disse a mim mesmo que eles tinham sido encorajados pelos cigarros que lhes mandara por intermédio de Hans, e pelos outros cigarros que receberiam depois que eu saísse ileso — cigarros que trocariam por comida.

Imaginei que houvesse de 100 a 150 homens dentro daquele alojamento. Tive a convicção de que muitos viveram vidas confortáveis; eram professores, acadêmicos, homens de negócio, que tinham sido destituídos de tudo e jogados ali dentro. Agora eu lutava por um pouco de ar ao lado deles, em meio ao fedor de fezes e de suor. O cheiro ali era da morte, sem dúvida. Era enjoativo e opressor.

Aos poucos, por meio de tons sibilantes, meus companheiros de beliche me fizeram um retrato da vida em Auschwitz III. Eles me contaram do hospital cercado, o *Krankenbau*, que não dispunha de enfermarias para doentes graves. Se dentro de no máximo 15 dias o enfermo não se recuperasse, era enviado de caminhão a Birkenau, para morrer na câmara de gás.

Eles falaram das mulheres mantidas em cativeiro no *Frauenhaus* e usadas como prostitutas. Havia cerca de 17 delas, disseram-me. Normalmente, eram os *Kapos* que iam até lá. Essa era a recompensa que recebiam pelos castigos que infligiam.

O tormento bestial de tudo aquilo passou diante de meus olhos em lampejos de imagens ásperas. Meu Deus! Tendo em vista os tipos de homem que eram os *Kapos*, criminosos profissionais, possivelmente estupradores e assassinos, aquilo era impensável.

Tentei memorizar os nomes deles e dos guardas da SS, mas não consegui. Procurei saber mais sobre as seleções, as câmaras de gás, mas agora compreendia que, para isso, eu estava no lugar errado. Os campos eram separados mas intrinsecamente ligados. Aquelas pessoas estavam sendo perseguidas de modo implacável; se cambaleassem ou fraquejassem, eram enviadas para as câmaras de gás. Havia muitas divisões, mas a máquina era uma só.

Com o passar das horas, meu companheiro polonês caiu num sono inquieto. O alemão tentava compreender minhas perguntas, mas os silêncios se prolongaram e as palavras dele se tornaram mais incompreensíveis.

Fiquei deitado, ouvindo os gemidos e os arquejos dos outros no escuro. Alguém murmurava para si próprio, repetindo de modo infindável as mesmas frases tolhidas. Ele não estava sozinho. Havia os gritos daqueles que reviviam durante a noite os terrores do dia, uma surra, um enforcamento, uma seleção. Para outros, era a perda da mulher, da mãe, de um filho, na chegada. Quando acordavam, os pesadelos prosseguiam a sua volta. Para eles, não havia escapatória.

Quando alguém desiste, não sente mais dor. Toda emoção e todo sentimento são eliminados. Eles eram assim. Aquilo era assim.

Novamente lutei para respirar. Fazia um calor sufocante, e o cheiro de corpos pútridos permeava o ar. Auschwitz III não se comparava a qualquer outro lugar do mundo; era o inferno na terra. Foi isso que acabei testemunhando, mas foi uma experiência apavorante, horrorosa.

Eu estava acocorado no meio daquelas pessoas, mas, ao contrário delas, eu tinha entrado ali por vontade própria. Eu conspirara, fizera tramoias e subornara para ver esse lugar e, tal como havia entrado, iria sair, não para a liberdade, não agora, mas para um lugar melhor do que esse.

Eu iria abandonar aquelas pessoas a seu destino, e Hans voltaria para aquele beliche medonho. Ele teria aqueles mesmos barulhos angustiantes martelando sua cabeça. Ele tentaria se manter na superfície, mas deitado ali, com um metro e oitenta de altura num beliche pequeno e os joelhos espremidos contra os ossos de um desconhecido, eu percebi que, no fim, aquilo seria inevitável. Dormi um sono agitado, ouvindo as palavras entrecortadas de um homem que logo estaria morto.

Acordei com um sentimento de total desolação. O *Kapo* ribombava dentro da cabana, chutando os beliches de compensado. Ele vociferava ordens que ecoavam pelo chão áspero de concreto. As luzes se acenderam. Deviam ser umas quatro horas da manhã.

Ouvi um homem apanhar porque se mexia muito devagar. Todos que estavam fracos demais para se levantar, que tinham se deteriorado durante a noite ou que desistiam na escuridão eram empurrados para um lado. Imaginei o que poderia lhes acontecer.

O café da manhã era um pão preto de gosto estranho lambuzado com alguma coisa semelhante a margarina rançosa. Nós passávamos entre as mesas para apanhá-lo, enquanto saíamos. Não tinha volta. Mantive a cabeça baixa, peguei o meu e passei. Eu estava com fome, mas não consegui comê-lo.

Pensei nas cestas de pão branco que havia no campo britânico, e nos ovos que conseguíamos adquirir por meio de troca. Até em nosso campo, eu sempre sonhava com comida, mas nada se comparava à vida aqui, nada mesmo. Com essa dieta, a morte era certa; era apenas uma questão de tempo.

Eu já estava pensando à frente, preparando-me para o próximo suplício — como eu sairia dali. Fomos nos arrastando até o *Appelplatz*, onde nos contaram e recontaram. Quando terminou, marchamos em direção aos portões, sob a vigilância da SS. Tornei a endireitar as costas. Eles puxavam quem estivesse fraco demais na fila. Ao cruzar os portões, tomamos a trilha direita rumo à estrada que passava pelo complexo da IG Farben. Senti minha primeira onda de alívio. Eu ainda teria de fazer a troca com Hans, mas, mesmo com o estômago roncando, o longo dia à frente era bem-vindo. Eu estaria fora daquele lugar terrível e ansiava por ouvir vozes falando em inglês novamente, por pegar meu uniforme de volta.

Fomos para um canteiro de obras e, após alguns instantes, vi meus camaradas britânicos. Torci para que Hans estivesse entre eles. Para mim, era mais difícil andar pela área com os trapos dele; com meu uniforme, ele agora tinha a proteção do status de prisioneiro de guerra. Assim que a coluna saiu de forma houve uma breve calmaria antes que fossem dadas as instruções do dia, e eu aproveitei para correr até o *Bude* e me esconder lá dentro, como havia sido combinado. Eu tinha dito a Hans para me observar. Ele me viu cair fora e me seguiu imediatamente. Caso uma das colunas tivesse se atrasado na contagem, teríamos enfrentado dificuldades. Daquela maneira, a troca poderia ser feita antes que o serviço começasse. Só consegui planejar até ali; o resto teria de ser no improviso. Eu era bom nisso, mas também precisaria de muita sorte.

Hans parecia agitado quando surgiu em meu uniforme, mas não fez comentários sobre nossa troca. Ele não estava a fim de falar. Era um sujeito decente, e eu sempre soube que ele faria sua parte. Mesmo assim, fiquei aliviado ao vê-lo ali. Eu sabia que, se ele entrasse em pânico do lado de fora ou caso se recusasse a voltar, teria sido o fim de nós dois. Ao sair do *Bude,* ele seria um interno do campo de concentração, e sabia disso. Ele queria seguir em frente. Apanhei minhas botas onde as tinha escondido, antes que ele chegasse, e lhe devolvi os tamancos.

Tirei os trapos listrados e fiquei aliviado ao vestir minha túnica e minhas calças outra vez. Eu voltaria a fazer parte de minha tribo, pegando de volta a condição de prisioneiro de guerra, exatamente ao mesmo tempo em que ele a perdia. O simbolismo se esvaiu na correria. Eu tinha pressa.

Tornei a repetir os avisos que tinha dado antes da troca: tenha calma e não corra. Eu não precisava ensiná-lo a se comportar como um

Häftling. Não tive certeza de que ele prestava atenção. Assim que ficou pronto, saiu.

Demorei dias para conseguir refletir sobre aquelas horas em Auschwitz III e para avaliar o completo desespero daquele lugar. Compreendi que aquilo era a pior coisa que se podia fazer a um homem. Tirar tudo que era seu — posses, orgulho, autoestima — e depois matá-lo. Lentamente. A ausência de compaixão de um homem com outro não chega perto de descrever aquilo. Foi muito pior do que o horror que enfrentei na guerra do deserto. Pelo menos ali eu tinha um inimigo diante de mim e cumpri meu dever. Fui bem-sucedido ao cumpri-lo e sobrevivi.

A troca exigiu um bocado de sorte, mas fiquei decepcionado com o que aprendi numa única jornada. Eu ainda tinha muitas perguntas sem resposta, mas pelo menos cheguei a ver o local, e isso já era um começo. A comoção do lugar martelava em minha cabeça.

Retornei ao grupo de prisioneiros britânicos, e a rotina diária recomeçou. Havia uma pilha de canos prontos para carregar e mais uma quantidade de pistões aparafusados. Cada componente pesava em média 27 quilos. Colocá-los em cima do trole era a parte mais difícil, mas depois que as rodas começavam a girar ficava suportável. Após atravessar o local, nós os empilhávamos para a instalação, e então começávamos tudo de novo. Só consegui comer alguma coisa no meio do dia, e percebi que meu apetite voltara.

Demorou um pouco até que pudesse conversar com Bill. Eu sabia que ele tinha cuidado das coisas com Hans; tinha certeza disso. Como pude perceber, Jimmy se envolveu menos, mas eles conseguiram. Bill o colocou para dentro rapidamente e o escondeu em meu beliche, fora de vista, na parte de trás da barraca. Ambos tinham jurado segredo. Na verdade, não dava para confiar em ninguém, então quanto menos gente soubesse melhor.

"Avey está doente", foi o que eles disseram aos outros. Fui levado para o beliche e queria ficar sozinho. Bill trouxe comida e bebida para Hans, e ele manteve a cabeça escondida durante toda a noite. Como havia um grande número de prisioneiros britânicos ali, nenhum de nós conhecia todos de vista, mas as cabanas em si eram relativamente pequenas, e Hans precisou se ocultar até a contagem. Felizmente, as pessoas não prestavam muita atenção umas nas outras, de modo que tudo correu sem incidentes.

Para Hans, o subterfúgio e o risco valeram pelos cigarros que ele poderia trocar em proveito próprio. As rações extras disponíveis no campo britânico deviam ter dado a ele um estímulo, algumas calorias a mais. Somente tempos depois, quando falei com Hans novamente, fiquei sabendo que a comida o deixara doente. Após meses de sopa de repolho fedida, os excessos o deixaram indisposto. Não havia como prever aquilo, mas fiquei chocado com a informação. De alguma forma, ela tirou o brilho da realização. Ele passou uma noite confortável em meu colchão de palha, debaixo dos cobertores feitos daquela estranha fibra vegetal. Era melhor do que o habitual, e, pelo menos por uma noite, ele ficou longe das criaturas que queriam vê-lo morto.

Quanto ao *Kapo*, agora que eu estava salvo, precisava entregar-lhe o segundo pacote de cigarros. Algum tempo depois, consegui pagar minha dívida com ele. Dei um jeito de passar a seu lado e deixar escapar pelo canto da boca que estaria num pequeno prédio próximo dentro de poucos minutos. Ele apareceu, e eu lhe dei os cigarros que faltavam. Ele os escondeu debaixo da camisa e saiu. Era como se eu tivesse rasgado ao meio uma nota de vinte libras e guardado uma parte. Ele teria de se manter firme no acordo.

Toda a escapada foi imprudente. Olhando para trás, especialmente dos dias de conforto que tenho hoje, parece-me ridícula, difícil de acreditar, mas foi o que aconteceu.

Foi nessa mesma época que surgiu um novo e talvez irônico perigo. Em meados de 1944, os Aliados se deram conta de que a IG Farben de Buna-Werke estava então dentro do alcance das fortalezas voadoras da força aérea dos Estados Unidos, e valia o risco de um bombardeio. Apesar do perigo, os prisioneiros judeus aclamaram as incursões. Eles sabiam que os homens do ar, lá em cima, eram seus amigos e que trariam a liberdade, mas mesmo assim ficaram aterrorizados.

O alarme era dado por uma grande cesta pintada de vermelho e amarelo, suspensa em uma das chaminés que encimavam *Queen Mary*. Ela deveria se erguer quando os bombardeiros se aproximassem; quanto mais alto chegasse, mais perto eles estariam. Quando ela atingisse o topo, os aviões praticamente já sobrevoariam nossas cabeças.

Quando os bombardeiros se aproximavam, se estivéssemos trabalhando, procurávamos abrigo onde era possível. Mergulhávamos em valas e fendas ou nos agachávamos atrás dos muros, ao passo que alguns se escondiam nos canos. Uma vez, desci pela saída de esgoto e caí dentro de uma galeria imensa que desembocava num rio, e me vi ao lado de uns quarenta trabalhadores civis e guardas. Fui autorizado a ficar. Em torno do canteiro de obras, havia pequenos abrigos de concreto para cada um dos guardas, para que permanecessem em seus postos durante os ataques. Eles eram engraçado, tendo o formato de capacetes, e era quase engraçado o fato de que era possível entrar neles.

No canteiro de obras, havia uma imensa casamata de concreto antibombardeios. Era mais alta do que os demais edifícios, e também cinza, quadrada e feia. Os alemães chamam qualquer coisa parecida com aquilo de *klotzig*. Faz sentido. Ela seria capaz de suportar um golpe direto e certeiro. Ouvi dizer que ainda está lá.

Os judeus tinham de se safar deitando de bruços no chão e buscando uma proteção qualquer no terreno. Alguns ficavam perto de nós, pensando que os prisioneiros aliados teriam melhor sorte, por gozarem de proteção especial ou saberem o local em que as bombas iriam cair. Não era bem assim.

Pelos padrões de Auschwitz, 20 de agosto de 1944 foi um agradável dia de verão. Foi um daqueles raros domingos em que não tivemos de trabalhar, e alguns dos rapazes organizaram aquilo que chamaram de baile de gala. Era uma tentativa desesperada de elevar o moral, mas não adiantou muito. Foram apresentados alguns espetáculos improvisados — como latas para serem derrubadas, coisas desse tipo.

Ao som do alarme de ataque aéreo, os humores se modificaram. Deixamos as barracas rapidamente e descemos pelo campo até o fundo do cercado, onde o terreno acabava. Havia uma valeta de drenagem que corria de leste a oeste e um pequeno abrigo antibombas no canto mais oriental. Não chegava nem perto da imensa casamata no terreno da fábrica, mas era bastante sólido. Eu não queria entrar. Os rumores de ataques com gás sempre martelavam em minha cabeça. As portas de aço pesadas tinham um imenso fecho de metal do lado de fora, e aquilo despertou minhas suspeitas. O prédio era escuro e pomposo. Preferi ficar do lado de fora, na valeta. E não fiquei sozinho. Muitos dos rapazes que entraram no abrigo chegaram até a rampa murada que descia logo depois da porta e se detiveram. Eles também acharam que estariam seguros fora dali.

A fumaça já começava a exalar do campo, saindo de recipientes de metal instalados na parte sul do lugar. Aquilo se destinava a envolver a área inteira com neblina, impedindo os aviões de identificar a usina de Buna e tornando impossíveis os bombardeios certeiros. Pela altitude em que os americanos bombardeavam, a precisão seria pouco provável de qualquer maneira.

Ouvi o zunido assustador dos bombardeiros bem no alto. Eles pareciam vir do sul. Entrei na vala e escutei o assobio das bombas caindo. Não trazia conforto saber que eram amigos. A vala estava alagada, e logo meus pés ficaram encharcados. Comprimi o rosto junto ao barranco e cobri a cabeça. Houve uma terrível explosão, a uns 35 metros de distância. Senti o impacto do estrondo no rosto. E vinha de um local próximo ao abrigo antibombas. Mais explosões se seguiram logo adiante, na direção da fábrica. Em 15 minutos, o bombardeio cessou, e eu pude conferir os estragos.

Corri até o abrigo e encontrei uma pilha de concreto a uns cinco metros de profundidade, onde ficava a rampa de entrada. Havia corpos e pedaços de corpos espalhados por uma grande área. O local em que os rapazes haviam ficado recebera um golpe direto. Aqueles que estavam dentro do abrigo se salvaram, e saíram por uma porta separada. Havia alguns sujeitos feridos em volta, mas a maioria dos que estavam fora do abrigo morreram, e seus corpos ficaram presos no entulho.

— Tem algum mineiro aí? — gritou alguém. Um dos rapazes começou a revolver a alvenaria, mas não conseguiu. Ele estava em estado de choque e era hesitante demais para aquela tarefa. Disse a ele que saísse e tomei seu lugar, cavando sem parar. Cada uma das pedras foi removida com todo o cuidado, a fim de impedir que grandes blocos de concreto despencassem e esmagassem os possíveis sobreviventes.

Gritei pedindo cordas, e elas surgiram em seguida. Amarrei uma ponta em volta de uma grande prancha de concreto e depois em outra, e os rapazes na beira da cratera a puxaram para que eu pudesse olhar por baixo. Conforme íamos cavando, descobríamos um corpo esmagado atrás do outro, alguns sem os membros, outros esquartejados ou esmigalhados na alvenaria.

Havia um grande pedaço de concreto impedindo a escavação. Ele precisava ser retirado. Se houvesse alguém ainda vivo lá embaixo, teria de ser resgatado depressa. Eu poderia girá-lo, mas ele só se moveria

Eu e meu "exército de garotos". Sou o primeiro à esquerda, segurando uma baioneta francesa. Os moradores do vilarejo me apelidaram de "Ero".

Com amigos e com as mãos nos bolsos, em Butlin's Holiday Camp Skegness, no final da década de 1930.

Meu pai George aproveitando um dia na praia.

Sentado no estribo de meu carro Wolsey Hornet Trinity, em Butlin, no final da década de 1930.

Minha irmã Winifred e eu durante minha curta folga antes de embarcar para o Egito, em agosto de 1940.

Durante o treinamento em Winchester, 1939-1940. Sou o soldado da esquerda.

Eu (à direita), Charles Calistan (no centro) e Cecil Plummer (à esquerda) relaxando no Cairo, antes de partirmos para o deserto, em 1940. Charles e eu disputávamos lutas de boxe amigáveis. Ele era anglo-indiano e ganhou tanto a Medalha Militar quanto a Medalha de Conduta Distinta, e acho que ele também merecia a Cruz Vitória, por sua bravura em El Alamein. Ele foi morto na Itália em 1944.

Um carregador Bren britânico no Egito, em 1940. Durante o combate, o motorista e o comandante ficavam na parte de baixo, atrás da carroceria, mas nós ficávamos para fora, vulneráveis às granadas. O atirador que ficava atrás era o mais exposto.

Um soldado britânico consertando as esteiras de um carregador Bren, coisa que fiz diversas vezes no deserto.

Prisioneiros italianos descansando após uma longa marcha, vigiados por um guarda em cima de um carregador Bren, no Deserto Ocidental, em dezembro de 1940.

Um carregador Bren em ação, nas cercanias de Tobruk, no final de 1941.

Uma mulher ucraniana chamada Paulina (à esquerda) e uma amiga desconhecida. Ela trabalhava no escritório de um dos engenheiros da IG Farben e passava informações aos prisioneiros de guerra sobre os carregamentos de material que estavam sendo esperados, para que pudéssemos planejar sabotagens. Levei esta foto para casa dentro do uniforme.

Um recanto da gigantesca IG Farben, com destaque para o prédio que os prisioneiros de guerra denominavam *Queen Mary*, por causa de suas chaminés. O lugar continha diversas construções separadas e quilômetros de tubulação por cima dos pórticos.

O time de futebol sul-africano no E715. Eu sou o da esquerda, na fileira da frente. Sempre suspeitei de que as fotografias eram uma tática de propaganda feita pelo Wehrmacht, a fim de diferenciar sua forma de tratar os prisioneiros de guerra daquela empregada pela SS em relação aos judeus.

Prisioneiros marchando de Buna-Monowitz (Auschwitz III) para a IG Farben, uma jornada que percorri duas vezes. Os uniformes listrados dos prisioneiros do campo de concentração podem ser vistos na parte de trás da coluna. Os alojamentos da SS são visíveis à distância, e o suporte de uma torre de vigilância e um pequeno abrigo antibombas cavado na terra para os *Postens*, guardas, estão em primeiro plano. A entrada de Auschwitz III está encoberta pela torre de vigilância.

Cabanas que provavelmente fizeram parte de Auschwitz III, na neve.

Em minha mesa de trabalho como engenheiro-chefe da UMP, na década de 1960. Tive uma carreira empresarial bem-sucedida, mas isso foi anos antes que meus pesadelos com Auschwitz diminuíssem.

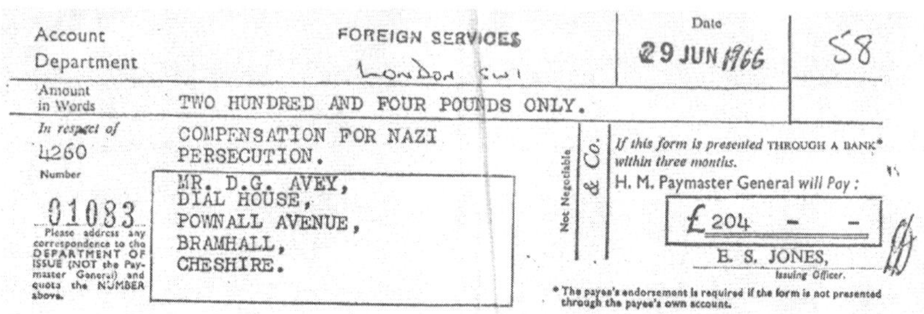

Account Department
FOREIGN SERVICES
London SW1
Date 29 JUN 1966
58
Amount in Words TWO HUNDRED AND FOUR POUNDS ONLY.
In respect of 4260
COMPENSATION FOR NAZI PERSECUTION.
Number 01083
Please address any correspondence to the DEPARTMENT OF ISSUE (NOT the Paymaster General) and quote the NUMBER above.
MR. D.G. AVEY,
DIAL HOUSE,
POWNALL AVENUE,
BRAMHALL,
CHESHIRE.
Not Negotiable & Co.
If this form is presented THROUGH A BANK* within three months.
H. M. Paymaster General will Pay:
£204 - -
E. S. JONES,
Issuing Officer.
* The payee's endorsement is required if the form is not presented through the payee's own account.

O recibo da compensação oferecida pelo governo britânico pelo tempo que passei como prisioneiro de guerra. Eu a considerei um insulto.

Cavalgando Ryedale após uma competição de adestramento, parte de um evento de três dias.

Audrey e eu aproveitando uma noite juntos.

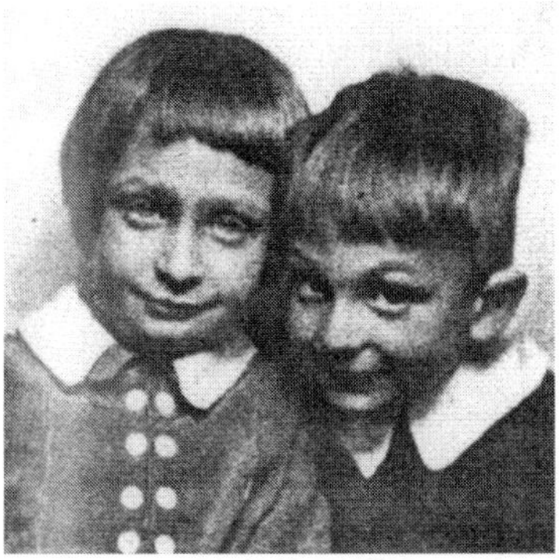

Susanne e Ernst Lobethal quando crianças, na Breslau do pré-guerra.

Ernst quando jovem. Ele mudou o nome para Ernie Lobet ao chegar aos Estados Unidos. Fiquei chocado ao saber que, mesmo depois de ter sobrevivido a Auschwitz, Ernie foi convocado para lutar na Guerra da Coreia.

Encontro com a irmã de Ernie, Susanne, 64 anos depois. Quando nos vimos pela primeira vez, em 1945, eu era um soldado profundamente traumatizado, incapaz de lhe trazer algum conforto em relação ao destino de seu irmão.

Ernie (Ernst) Lobet, em seu notável testemunho em vídeo para a Shoah Foundation. Foi assim que ouvi sua história pela primeira vez.

Cara a cara com o primeiro-ministro Gordon Brown, no número 10 da Downing Street, no dia 22 de janeiro de 2010, quando fui presenteado com uma medalha por ser um dos 27 "Heróis do Holocausto" britânicos. Apenas dois sobreviventes receberam a honraria em vida.

Setembro de 2010: agora que posso falar daqueles tempos terríveis, sinto como se estivesse me livrando lentamente de um grande peso.

numa única direção. Isso significava girá-lo por sobre a cabeça de um soldado morto, preso nos escombros. Eu sabia que tinha de fazer aquilo, pelo bem dos eventuais sobreviventes, mas isso não impediu que um dos rapazes me criticasse.

— O pobre sujeito está morto — argumentei. — O que você faria?

Ele virou as costas, pois sabia que não havia alternativas. Respirei fundo e comecei a empurrar. Ao final, retirei aquele corpo e o entreguei aos outros homens que estavam fora da cratera. E voltei a cavar.

Cavamos incessantemente para chegar até a porta do abrigo, mas nossas esperanças de achar sobreviventes foram se extinguindo. Então, ouvimos um barulho abafado, e percebi que havia alguém vivo ali dentro. Puxei mais pedras e fiz um buraco bem grande, a fim de rastejar para dentro. Quando o alcancei, ele estava semiconsciente. Perguntei qual a parte de seu corpo que estava presa. Ele não conseguiu responder. Pedi um pouco de água para borrifar em seu rosto. Ao recobrar a consciência, ele mostrou sua raiva e começou a xingar. Foi um tanto difícil, mas conseguimos retirá-lo dali. Sua vida tinha sido salva por um banco de madeira de três pernas, que havia desviado os escombros e criado um bolsão protetor a sua volta.

Do lado de fora, os rapazes estavam cuidando dos feridos. Havia cerca de trinta corpos jogados. Nós os juntamos da melhor forma possível e os envolvemos com os cobertores. Foi uma tarefa pavorosa. Eles eram nossos amigos.

Pessoas inocentes morriam à nossa volta o tempo inteiro, mas era diferente quando se tratava de companheiros. Para o moral do grupo, foi um golpe brutal, mas tivemos de seguir em frente. Mais tarde, houve alegações — aceitas pela Cruz Vermelha — de que os rapazes foram mortos porque haviam assistido ao "show". Não foi nada disso. Eles acharam que estavam protegidos.

Os corpos deveriam ser enterrados no cemitério pertencente à Igreja da Ascensão da Virgem Maria Sagrada, em Oswiecim. Fui mandado na frente, junto com Bill Meredith — um rapaz de Liverpool —, para colaborar na escavação de um túmulo comum num dos lados do muro. Havia uma pequena capela no final de uma vereda, e era a primeira vez que eu via sepulturas ornadas com retratos. Aquilo me intrigou.

Tiramos nossas camisas e começamos a cavar. Quando terminamos, chegou um caminhão com os corpos na traseira. Alguns rapazes compareceram, mas não houve cerimônia nem serviço, que eu me lembre. Eles passavam os corpos, e Bill e eu os depositávamos na terra, lado a lado. Era como no deserto. Pela primeira vez, depois de muito tempo, pensei nos homens que deixara na areia e em Les, que não pude enterrar.

Não havia tempo para manifestar compaixão. Voltamos à traseira do caminhão deixando os corpos descobertos. Não sei quem fechou o túmulo. Três semanas depois, caiu uma bomba no cemitério, e o local de descanso que lhes tinha sido destinado ficou destruído. Após a guerra, os corpos que puderam ser identificados, e alguns que não puderam, foram removidos para um cemitério de guerra oficial, em Cracóvia, onde descansam em paz desde então.

Capítulo 14

Passaram-se meses desde que escrevi para minha mãe sobre Ernst. De vez em quando, eu o via na área da fábrica, mas não recebera notícias de casa. Não tinha ideia se minha mãe havia recebido a carta ou se havia feito contato com a irmã dele, Susanne, em Birmingham — se é que ela ainda estava lá. A tentativa teria valido a pena, mas no íntimo eu não acalentava esperanças. O sistema postal da Cruz Vermelha era uma tábua de salvação, mas normalmente era interrompido, e estava cada vez pior.

Alguns meses depois, chegou uma carta endereçada a mim com letra desconhecida. Vinha acompanhada de um pacote. A carta estava escrita em inglês, e eu a abri sem pensar em Ernst. Acho que começava com "Querido Ginger", e era assinada por Susanne. Destinava-se a ele, mas tinha sido escrita como se fosse para mim. Ela dizia que estava enviando cigarros. Tinha funcionado.

Uma carta de minha mãe confirmava que ela havia entrado em contato com Susanne e dito a ela que os cigarros eram a única forma de ajudar. Agora era com ela. Abri o pacote, e lá estavam duzentos cigarros English Players. Os que meu tio mandava — nas ocasiões em que chegavam até mim — eram da marca 555. Os cigarros Players eram para Ernst e vinham em quantidades que eu não via há meses.

Era um milagre: a irmã de Ernst estava bem e segura. Para ser mais exato, agora ela sabia que seu irmão estava vivo e em Auschwitz. Eu só pude desejar que aquele nome nada significasse para ela.

Tínhamos estabelecido uma conexão humana. Isso representava mais do que os conteúdos do pacote, por mais valiosos que fossem. A carta sozinha desafiava o mal do lugar. Fiquei muito feliz. Agora, eu precisava levar a carta e os cigarros para ele, e isso implicava contrabandeá-los para o sítio da IG Farben. Havia buscas de vez em quando, mas tive sorte.

Nos campos, cigarros eram mais valiosos do que ouro. Quando fiz a troca com Hans, o *Kapo* ficou com nossas vidas em suas mãos, e eu o subornei com cinquenta cigarros, 25 antes e 25 depois, para que fechasse os olhos para aquilo. Aquela soma já era magnífica para o campo, e agora eu estava prestes a dar a Ernst muito mais.

Nunca soube exatamente qual era a função de Ernst na fábrica, mas ele podia andar por ali mais do que a maioria das pessoas e parecia ser poupado da pior parte do trabalho feita ao ar livre. Acho que ele era uma espécie de transportador ou mensageiro.

Demorou pouco para que eu o visse novamente. Aguardei a oportunidade de chegar perto dele e disse-lhe baixinho para me encontrar num local isolado dentro de cinco minutos.

Ele apareceu. Conferi para ver se estávamos sozinhos e tirei a carta de sua irmã do bolso. Quando percebeu do que se tratava, ficou extasiado. Disse-lhe para levá-la embora e lê-la, e sugeri que a rasgasse depois. Ele havia perdido tudo, todos ali também. Pedir-lhe que destruísse uma carta, provavelmente seu único bem pessoal nos últimos tempos, era demais. Eu sabia que seria difícil. Mas nossa segurança dependia disso, e eu acreditei que ele acataria. Ele pegou a carta e a escondeu em algum lugar de seu uniforme listrado.

Tornei a olhar em volta para ver se vinha alguém, antes de tirar o primeiro maço de cigarros e a barra de chocolate de minha farda. Dar a ele todos os cigarros de uma vez poderia acarretar a perda total deles, pois eram muitos para esconder. Eu lhe avisei que os entregaria em prestações, ao longo do tempo. Naquele lugar, naquela época, aquilo era um tesouro incomensurável, e Ernst sabia disso.

Eu estava cercado de pessoas desesperadas. Elas tinham sido privadas de tudo e afastadas de seus cônjuges, filhos, pais e avós, que foram mortos logo na chegada. Os que tinham sido poupados labutavam, famintos e abatidos, sabendo que seus entes queridos haviam sido enviados para as câmaras de gás, onde seus corpos foram queimados. No fim das contas, o desespero, a doença, a exaustão ou as surras acabariam com eles do mesmo jeito.

Esse era o contexto. Em meio àquilo tudo, eu estava entregando a Ernst uma carta e um presente de sua irmã na Inglaterra. Era tudo o que podia fazer por ele. Eu não tinha ideia de como ele iria usar todos aqueles cigarros; que comidas ou favores ele barganharia em troca. Eles não comprariam sua liberdade, mas podiam lhe ser úteis, podiam representar uma chance de sobrevivência. Isso era tudo. Agora era com ele.

Ele já tinha chegado até ali, mas ninguém sabia como as coisas prosseguiriam. O fedor exalado pelas chaminés distantes e os cadáveres que restavam ao final de cada jornada de trabalho eram testemunhos suficientes. Cada vida estava sujeita à força maligna ou à extravagância assassina.

Eu vira um lampejo por trás da cerca de Auschwitz III-Monowitz, mas Ernst conhecia aquele mundo e sabia como se safar ali dentro. Eu depositava fé nele, mas também sabia que era bem possível que ele viesse a morrer. Tentava não demonstrar que pensava nisso. Nas semanas seguintes, continuei repassando a ele os cigarros restantes. E ele jamais me contou o que fazia com eles.

Além da irmã na Inglaterra, eu não sabia mais nada sobre sua família. Ele jamais se referiu aos pais ou aos avós, e parecia ser descomprometido. Era mais fácil sobreviver nessas condições. Eu sabia disso por minha própria experiência. Foi verdade no tempo que fiquei no deserto e no torpedeamento do navio. Foi verdade no cativeiro. Era mais fácil contar apenas consigo mesmo; isso deixava a mente concentrada. Como já disse, você é seu único amigo. Talvez por isso eu tenha me relacionado com tão pouca gente naqueles anos.

Com Ernst foi diferente. Apesar do desespero em seus olhos, havia os traços astuciosos do rapaz que ele havia sido, indicações do homem que ele poderia se tornar. Eu sentia como se tivesse algo em comum com ele. Eu o procurava com frequência e lhe dava mais cigarros sempre que podia. Se a guerra tivesse durado mais, tenho certeza de que haveríamos dado um jeito de receber mais um suprimento daqueles.

Eu estava desesperado para sair daquele lugar esquecido por Deus, mesmo que fosse apenas por algumas horas. Assim, quando surgiu a oportunidade de fazer parte de um grupo de trabalho fora de

Buna-Werke, eu a agarrei com força. Qualquer chance de fazer contato com civis precisava ser explorada. Recebemos ordem para ir até a cidade de Katowitz de trem, onde faríamos um carregamento de suprimentos e então voltaríamos. Não nos disseram o que iríamos carregar, ou por que consideravam necessários seis homens. Fomos levados para fora do campo com escolta armada e depois de uma caminhada chegamos à estação ferroviária, cujas plataformas baixas davam para um pátio de manobras aberto.

Do lugar onde eu estava, podia ver os trilhos na diagonal. Alguns vagões de gado repletos de prisioneiros tinham acabado de chegar àquela linha. Eles estavam se formando em longas colunas, a uns cem metros de distância. As mulheres foram separadas dos homens, mas todos ainda estavam com suas roupas civis. Nós sabíamos o que estávamos vendo. Sabíamos o que iria acontecer com aquelas mulheres e crianças.

Um das mulheres carregava em seus braços um bebê que chorava. Um guarda da SS caminhava ao lado da fileira, para cima e para baixo. Vi que ele se deteve e reclamou com a mulher, e então prosseguiu. A criança continuou a chorar. Ele andou mais alguns passos, voltou, retornando ao ponto em que a mulher se encontrava, e socou o bebê com toda a força no rosto. Tudo silenciou.

Quase vomitei de nojo e de raiva. Mesmo àquela distância, percebi que a criança tinha sido assassinada. Aquela cena pavorosa apagou qualquer alívio decorrente da saída do campo naquele dia. Nosso trem chegou, e embarcamos. Eu não conseguia falar. Nós estávamos acostumados a ver crueldade com adultos, mas o assassinato de um bebê nos braços da mãe era simplesmente terrível.

Chegamos a um depósito militar, onde havia um grande quintal, perto de Katowitz, e recebemos ordem para iniciar o carregamento de um vagão de trem. A maior parte da carga era composta de cobertores largos que tinham sido costurados juntos formando sacos. Eu não sabia dizer o que havia dentro deles, talvez fosse pão. Jamais descobri. Eu pouco me importava com isso depois do que tinha visto.

Voltamos num vagão comum, com guardas no corredor nos impedindo de escapar. Eu tinha visto um bebê levar um soco mortal. Aquela cena passava e repassava em minha mente, enquanto eu olhava para fora da janela. Eu já estava aprendendo a deixar as coisas para trás. Não havia nada que eu pudesse fazer. Jamais fiquei indiferente ou fugi da luta; não foi assim que me criaram. Mas agora eu tinha de fazer isso o tempo inteiro.

Minha troca com Hans me fornecera alguns nomes, alguma informação. Tive uma noção mais completa do que acontecia no campo, mas esperava aprender mais. Fiquei decepcionado. As seleções aconteciam ali, mas a carnificina mecanizada ocorria em outro lugar. Ainda tinha muita coisa que eu não sabia.

As semanas correram, e o inverno se aproximava; a temperatura ficava cada vez mais baixa. A vitória parecia ser nossa, mas vinha devagar. Eu ainda não tinha ideia de como aquela saga dos campos terminaria. Quem sobreviveria para contar? Quem seria deixado como testemunha?

Lentamente, ao longo dos meses, a ideia de tentar outra vez voltou. Hans ainda estava vivo. Miraculosamente, seus dois companheiros também estavam. Sugeri que trocássemos de lugar de novo, e ele concordou. Sua sorte não havia mudado para melhor e valia o risco. Os dias de planejamento recomeçaram. Dessa vez, a troca não ocorreria dentro do *Bude* — a cabana que usamos da primeira vez —, mas no *Bau*, um prédio de tijolos que estava sendo erguido no local.

Logo atrás da porta principal, havia um cômodo pequenino que nós usamos algumas vezes para descansar, e decidimos fazer a troca ali dentro. Ele tinha recantos onde as coisas poderiam ser ocultadas antes da troca, então pareceu um lugar melhor.

Quando chegou o dia, eu me senti mais bem-preparado do que da primeira vez. Eu já sabia o andar da carruagem, onde residiam as dificuldades, mas ainda precisaria de muita sorte.

Trocamos nossas roupas rapidamente, só que agora eu senti frio ao vestir o uniforme listrado. Ele foi o primeiro a sair, ansioso para seguir em frente. Meu rosto foi coberto de sujeira, meu cabelo tinha sido cortado e raspado de novo. Conferi se minha camisa estava toda abotoada até em cima e me preparei para emular a fraqueza dos homens exaustos. Caminhei na direção dos listrados sem qualquer problema e me aprontei para a contagem, perdido no meio deles.

Não levara em conta a baixa temperatura. Eu detestava o frio; e ainda detesto. Tremia violentamente. Dessa vez, a contagem pareceu interminável.

Seguimos naquela caminhada já familiar, os corpos dos últimos mortos levados junto conosco, como da primeira vez em que eu entrara naquele campo. E de novo, como naquela ocasião, alguns caíam, eram apanhados e caíam novamente. Depois daquela batalha prolongada, passei pelos portões de Auschwitz III-Monowitz pela segunda vez. A ordem "*Mützen ab*" foi gritada de algum lugar, e nós tiramos os bonés e endireitamos as costas. Em seguida, dirigimo-nos ao *Appelplatz* — o terreno para exibições situado a meio caminho da passagem central, à direita. Havia cercas a nossa volta, mesmo do lado de dentro. A orquestra estava tocando, exatamente como antes.

Ficamos em fila para a nova contagem. Dessa vez, pareceu demorar horas. O esforço da caminhada não tinha me aquecido. Não havia meio de esquentar meu corpo dentro daqueles trapos listrados. A noite se aproximava. Eu não precisava fingir nada, pois me sentia tão miserável quanto os homens a meu redor. Então, começou a chover.

Tive certeza de que dessa vez havia um número maior de prisioneiros no *Appelplatz* — não que eu tivesse contado. Quando fomos finalmente dispensados, segui meus guias até os alojamentos, que ficavam num dos lados da praça e mais próximos da cerca elétrica, com seus cabos de alta voltagem. Ao entrar, subi no beliche e fiquei lá. Eu sabia que não conseguiria inguir a refeição que eles comiam.

Meus dois companheiros tinham sofrido naqueles meses que se passaram desde que dividi com eles o beliche. Fiquei surpreso de encontrá-los ainda vivos. Não disse isso a eles, mas ambos pareciam mais magros. O polonês estava pior. A pele dele tinha agora um matiz amarelado doentio. Ele tinha o aspecto de um homem à beira da morte. Os internos davam àquilo um estranho nome. Eles o chamavam de *Muselmann*, "muçulmano" em alemão.

Percebi que os bombardeios aliados e o avanço da guerra tinham dado a eles um fio de esperança de sobreviver, mas isso ainda era intangível. Meu tempo era limitado, mas eu não podia pressioná-los a falar. Eles estavam exaustos, e o polonês apagou tão logo subiu no beliche. Tive certeza de que ele não passaria daquela noite. Tentei conversar com o alemão um pouco mais.

Dessa vez, eu estava mais preparado para as emoções do lugar; os gemidos, as divagações, os gritos estranhos. Era provável que o alemão tivesse vinte e poucos anos, mas compartilhando aquele beliche eles já eram mais corpos do que pessoas para mim; corpos magros, enfim. Eles quase não emanavam calor, e eu estava tiritando.

A morte tinha seu próprio cheiro, e eu o senti desde a primeira vez. Não consigo descrevê-lo, mas ele pairava sobre aqueles alojamentos abafados, escuros e medonhos. A labuta do dia nos derrubou. Caí no sono ao som dos gemidos e do ritmo distante das orações.

O polonês tinha conseguido sobreviver àquela noite, mas precisou de ajuda para se levantar de manhã. Ele não deve ter vivido por muito tempo, e eu nunca mais o vi depois disso. Fiquei feliz de passar pela contagem, de atravessar o portão e de voltar à estrada rumo ao Buna-Werke, para o trabalho que eu geralmente maldizia.

A troca foi feita no *Bau*, com rapidez e sem palavra alguma. Fiquei aliviado de vestir o uniforme novamente, são e salvo. Fiz uma outra tentativa, algumas semanas depois, usando novamente o *Bude* para fazer a troca, como da primeira vez. Eu tinha deixado a porta do abrigo aberta, porque portas fechadas despertavam suspeitas. Dessa vez, um guarda andava farejando em volta do terreno, e nós tivemos de abandonar a iniciativa antes que ela houvesse começado.

Olhando em retrospecto, eu deveria ter gravado mentalmente aquilo que tinha observado da primeira vez e deixado as coisas como estavam. Mas eu não era assim. Se tinha conseguido uma vez, faria de novo. Eu já memorizara os nomes de alguns *Kapos* e guardas na época, mas, acima de tudo, eu vira com meus próprios olhos, e isso tinha importância para mim. O burburinho não tinha valor algum. Não sabíamos como aquilo tudo terminaria e quem restaria, ao final da guerra, para dizer que tais crimes tinham sido cometidos ali.

Capítulo 15

Aquela manhã estava úmida e terrível. Tinha chovido forte, e o chão se transformara em lama. Fui um dos vinte prisioneiros de guerra britânicos enviados para ajudar a instalar cabos de eletricidade numa nova planta. Ficamos lado a lado, imersos até a cintura numa vala enlameada, com uma grossa tubulação de eletricidade entre as pernas. Na estranha lógica dos campos, nós tínhamos de fazer aquele trabalho porque os trabalhadores escravizados se encontravam fracos demais para rebocar o cabeamento. Nós o desenrolávamos de um imenso tambor de madeira e, quanto mais longo ele se tornava, mais pesado ficava. Se não o puxássemos juntos, não conseguíamos movê-lo de modo algum.

Um garoto judeu, talvez com 18 anos, estava de pé sobre o tambor do cabeamento acima de mim. Ele era magro e fraco como os demais, mas tinha um rosto simpático. Não vi o que ele fez de errado; os guardas não precisavam de motivos. Um oficial da SS se aproximou dele, e o garoto fez o que todos tinham de fazer. Parou de trabalhar, tirou o boné da cabeça, bateu-o na lateral da perna e ficou em posição de sentido.

Aquilo não foi suficiente para impedir que ele apanhasse. O oficial acertou o rosto dele com alguma coisa muito dura que tinha na mão, e, em poucos segundos, o sangue começou a jorrar sem controle. O garoto conseguiu se colocar novamente em posição de sentido, murmurando alguma coisa numa língua que não entendi. Tão logo o garoto se levantou, foi golpeado outra vez e jogado no chão, gritando de dor. Ele se ergueu mais uma vez e tornou a levar uma pancada no rosto. Naquele momento, seu uniforme listrado já estava coberto de sangue. Eu estava vendo um garoto ser surrado até a morte. Eu tinha visto aquilo antes, mas a raiva reprimida dentro de mim veio à tona, e desta vez não consegui segurar.

Num alemão capenga, gritei para o oficial da SS:

— *Du verfluchter Untermensch!*

Era o pior que eu poderia fazer. Eu o chamara de sub-humano desgraçado, termo que os nazistas utilizavam para descrever aqueles que julgavam inferiores: eslavos, ciganos, judeus. Eu sabia que aquelas palavras eram explosivas. A surra parou, mas eu compreendi que a coisa ainda não tinha terminado.

Passaram-se dez minutos gelados até que o oficial retaliasse. Primeiro, ele me deixou concluir o trabalho. Saí da vala e me virei para ir embora. Ele veio por trás, sem qualquer aviso. No momento em que chegou a meu lado, recebi um golpe violento no rosto. Caí no chão com as mãos sobre meu olho direito; ele me batera com a coronha da pistola. Por alguns segundos, perdi os sentidos. Quando os recobrei, meu olho ainda estava fechado, com cortes acima e abaixo dele. O oficial tinha ido embora.

Não consegui saber o que aconteceu com o garoto, mas ele não deve ter vivido por muito mais tempo. Se aqueles ferimentos na cabeça não o mataram, ele tinha ficado marcado e de qualquer maneira morreria logo.

Meu olho ficou num estado lamentável, isso porque eu levei um só golpe. Havia um médico sul-africano no campo, um camarada chamado Harrison. Os visitantes da Cruz Vermelha alegavam que ele tinha todos os suprimentos médicos de que necessitava. O que ele tinha mesmo era aspirina e uma lâmpada de 60 watts para tratamento básico de calor. Ele fez o que pôde por mim, e eu sabia que não era boa ideia dar queixa do ferimento.

O inchaço desapareceu, e os cortes cicatrizaram, mas minha visão continuou estranha e ficou assim por muitos anos. Em determinadas situações, eu olhava para um imenso prédio e ele desabava diante de mim, assumindo a forma estreita de um poste telefônico. Anos depois da guerra, tive câncer naquele olho, e ele foi retirado e substituído por um implante de vidro. Eu sabia o motivo.

A vulnerabilidade daquele garoto e a minha incapacidade de ajudá-lo me assombraram. Fui criado para desafiar a injustiça e, em Auschwitz, pude fazer tão pouco. Vi tantas pessoas sendo espancadas, tantas sendo mortas. Mas é a imagem daquele garoto corajoso que avulta diante de mim no escuro. São suas feições que eu vejo quando acordo coberto de suor. Eu não sabia nada sobre ele, nem mesmo seu nome, mas seu rosto ensanguentado permanece comigo, dia e noite, após quase setenta anos.

Muitos rapazes faziam o que podiam pelos listrados, um cigarro aqui e ali, um pouco de comida quando conseguiam entregar-lhes. Em outros, o trauma gerava pavor. Alguns dos rapazes tinham medo das doenças deles, de serem tragados junto com eles. No fim das contas, todos nós éramos cativos tentando sobreviver. A generosidade não se restringia àqueles que tinham sido abençoados na vida civil.

Frank Ginn era um desses soldados solidários. Hesito em dizer isso, mas o pobre sujeito era mais ou menos analfabeto. Eu normalmente lia e escrevia as cartas para ele, e passei a conhecê-lo. Ele tinha dificuldades com o alemão, e era necessário saber um pouco para se comunicar dentro dos campos.

Certo dia, ele me pediu para acompanhá-lo até um galpão de carpintaria que ficava a nordeste do edifício Queen Mary. Lá dentro, havia um grande banco, ferramentas e aparas por todo lado, e uma dupla de judeus gregos trabalhando sozinha.

Eles falavam um punhado de monossílabos em alemão, e Frank achou que eu poderia me comunicar com eles de um modo melhor. Os gregos do campo, aqueles que tinham sobrevivido, vinham em sua maior parte de Salônica, pelo que se dizia. Eles eram comerciantes astutos, resistentes e maliciosos.

Aqueles dois estavam encarregados de fazer coisas para o canteiro de obras e tinham conseguido trabalhos que se encaixavam com as aptidões que traziam de casa. Para todos os listrados, aquilo era uma verdadeira bênção. Eles se resguardavam das intempéries e pareciam mais bem-alimentados do que os demais.

Quando podia, Frank lhes dava comida, mas agora eles acreditaram que eu era o patrão dele — não sei por quê — e passaram a se interessar por mim. Sempre que eu entrava, eles sorriam. Foi numa dessas ocasiões que a SS chegou.

Fiquei aguardando confusão, mas os guardas só esboçaram alguma reação quando me viram ali. Não fizeram pergunta alguma. Presumi que os gregos estavam fazendo alguma coisa para eles, às escondidas. Todos eles tinham de procurar algum tipo de proteção; transformar suas habilidades em alimentação. A complexa rede de relacionamentos tornava difícil saber em quem confiar naquele lugar. Por isso, sempre mantive os nomes fora de questão. Jamais soube quem era ligado a quem. Havia espiões por toda parte. A informação também era uma mercadoria a ser trocada por benefícios.

Num belo dia, para minha surpresa, os carpinteiros fizeram uma pequenina cômoda de madeira para mim e insistiram para que eu a aceitasse. Fora elaborada com minúsculas gavetas e juntas de encaixe. Era o tipo de minicômoda na qual eu poderia guardar itens de higiene pessoal, só que eu não tinha nenhum. Era algo bizarro de se ganhar num campo de concentração, em especial porque a maioria dos prisioneiros competia desesperadamente por botões e guimbas de cigarro que pudessem ser trocados. Fiquei desconcertado.

Frank fizera o contato inicial com ambos, mas eles se tornaram meus amigos também ao longo dos meses. Agora, eles me ofereciam a cômoda, e eu me sentia desconfortável. Os gregos tinham fama de serem pessoas com as quais era difícil barganhar, e aquilo não fazia sentido algum. Provavelmente, eles acreditaram estar fazendo um investimento para favores futuros, mas jamais puseram as coisas nesses termos.

Na verdade, aquilo não era algo fácil de barganhar. Os internos não veriam utilidade alguma na minicômoda. Cigarros eram moedas de troca mais adequadas: eram portáteis e estavam sempre prontos para a negociação.

A cômoda deveria ser dada a algum trabalhador civil ou a um forasteiro. Acho que um prisioneiro de guerra britânico também seria indicado. Eles nunca me disseram o que desejavam em troca; talvez bastasse que eu estivesse em dívida com eles. Dali em diante, tratei de lhes dar comida sempre que podia, então acho que funcionou.

Naquela ocasião, foi fácil levar o pequeno presente para fora dali. Às vezes, havia buscas e era preciso subornar. O local era muito vigiado, mas os guardas podiam facilmente fechar os olhos para os desvios, caso lhes fosse dada alguma coisa. Naquela vez, voltei tranquilamente ao E715 e a escondi em minha mochila dentro do alojamento. Era uma coisa de rara beleza feita num lugar de total feiura.

Em dezembro de 1944, os suprimentos da Cruz Vermelha murcharam. Os bombardeios aliados tinham provocado aquilo. Agora, tínhamos de sobreviver com as parcas rações que os alemães nos davam. Havia menos coisa a passar aos prisioneiros judeus.

Não me lembro da última vez em que vi Hans ou Ernst. Eu sempre pensava neles, mas, em janeiro de 1945, já sabíamos que os russos se aproximavam. Era possível ouvir os tiros e a artilharia à distância. Os dias do campo estavam contados. Eu só não sabia se aquilo significaria libertação ou mais perturbação.

No dia 18 de janeiro de 1945, os judeus marcharam para fora de Auschwitz III-Monowitz pela última vez. O campo, que ficava a apenas algumas centenas de metros do E715, ficou abandonado, a não ser pelos mais doentes, que foram deixados para trás. Os pobres listrados foram obrigados a marchar sob a mira das armas, nas profundezas do inverno, debaixo de neve e gelo. Milhares deles foram impelidos a partir. A marcha da morte começara.

Naquela manhã, marchamos para a IG Farben, como de costume, na expectativa de trabalhar, e a encontramos vazia. As figuras listradas que se apinhavam no canteiro de obras e que, quando as vi pela primeira vez, pareciam brotar do próprio chão tinham ido embora. Tudo estava calmo e assombroso.

Os boatos cresciam. Achei que tivéssemos ficado retidos ali como reféns, pois os russos avançavam. Naquela noite, houve um violento ataque aéreo russo. Fugimos do campo em busca de abrigo, e deixamos nossas coisas lá dentro. Enquanto as bombas eram lançadas, eu me escondi numa pequena depressão no campo, atrás das cabanas. Não houve trégua. O bombardeio foi incessante.

Passei a noite naquele fosso e não me lembro de ter dormido. Eu estava próximo, mas não vi nenhuma das explosões individuais — minha cabeça estava baixa e coberta. Quando acabou, saí do fosso e encontrei o campo totalmente destruído. Procurei o que tinha sobrado de meu bloco e me agachei em meio aos escombros para ver o que poderia salvar. Achei meu relógio, que estava pendurado num prego do beliche, e uma mochila com algumas coisas dentro, inclusive a minicômoda que os gregos tinham me dado. Peguei minhas coisas e me arrastei para fora. Alguns outros faziam o mesmo, mas não tínhamos muito tempo.

Ainda estava escuro e frio, e eu não tinha um sobretudo — acho que nunca tive. Era uma necessidade que eu não conseguiria suprir. As armas russas se tornavam mais audíveis, talvez estivessem somente a uns dez quilômetros de distância. Elas nos animavam, mas também nos deixavam apreensivos na mesma medida.

Os alemães nos juntaram antes do amanhecer e ordenaram que formássemos duas colunas. Alguém disse depois que Mieser, o sargento alemão, tinha dado aos rapazes a opção de seguir a leste, na direção da linha da fronte russa, por sua própria conta, ou marchar a oeste junto com a coluna. Não me lembro disso. Nós ainda éramos mantidos sob a mira dos revólveres. De qualquer maneira, seguir na direção dos russos com uniformes estranhos seria suicídio. Anos mais tarde, fiquei sabendo que dois rapazes assumiram o risco e morreram nas mãos do Exército Vermelho.

Nossa coluna foi a última a partir. Passamos marchando pelos portões que tinham cercas de arame farpado amarradas nos degraus e deixamos o que restou do E715 para trás, pela última vez.

Capítulo 16

Marchamos por um pequeno trecho ao longo da cerca do terreno da IG Farben, num frio intenso e na escuridão, e eu, desdenhosamente, dei adeus àquelas diabólicas torres e chaminés, aos guindastes de aço, aos gasômetros e aos quilômetros de encanamentos. Em seguida, rumamos para o sudoeste, evitando a cidade de Auschwitz e deixando para trás montanhas de terra gelada e sofrimento, para nunca mais voltar.

Ninguém nos disse para onde estávamos indo. Não me lembro de ter passado por aquela comunidade onde viviam tantos membros civis da equipe. Eu pensava nos prisioneiros judeus que havia conhecido, em Ernst, cuja irmã na Inglaterra talvez ousasse sonhar com a sobrevivência dele, e em Hans, a respeito de quem eu sabia tão pouco. Havia muitos outros, mas eram rostos sem nome.

Não tínhamos ido muito longe quando vi um rolo de trapos coberto de neve na estrada. Quando chegamos mais perto, reconheci pedaços das vestimentas listradas, agora totalmente embranquecidos e endurecidos pelo gelo. Em seguida, vimos outro e mais outro. Era impossível confundi-los. Pisamos ao lado dos corpos enrijecidos e seguimos em frente. Alguns levaram tiros no rosto e foram jogados em valas, outros jaziam na trilha onde haviam se arrastado e sido assassinados. O pouco calor que tiveram em seus corpos fragilizados tinha ido embora. As marcas dos tiros contavam apenas uma parte da história.

Eu devia ter imaginado que aquilo não terminaria tão cedo, que haveria mais coisas a testemunhar. Agora, eu já não tinha mais certeza de que alguém sobreviveria para contar a história ao mundo. Durante semanas, eu tentara prever como tudo aquilo acabaria. Agora eu sabia. Os alemães fizeram seus prisioneiros judeus marchar, acreditando que conseguiriam ainda extrair deles mais algum trabalho. Mas se seus escravos titubeassem, esse era seu fim. Parece que muitos ficaram pelo caminho.

Seus corpos foram deixados onde caíram, para endurecer no gelo. Eles tinham começado a marcha famintos e exaustos, e muitos sucumbiram rapidamente ao frio e à fadiga. Alguns desabaram e jamais se levantaram.

"A morte começa nos sapatos", Primo Levi escreveu tempos depois de sua estada em Auschwitz III-Monowitz. Isso era verdade nos campos de concentração, onde a esfoladura provocada pelos tamancos de madeira rústica causava o inchaço e a inflamação dos pés, desanimando as pessoas, trazendo-lhes debilitação, surras e morte, e era verdade fora de lá, na neve.

Ele, como eu soube depois, foi um daqueles que ficou tão doente que não pôde sair de Auschwitz III-Monowitz, evitando assim a marcha da morte e sobrevivendo.

Caminhamos sobre cadáveres congelados por vários dias. Naquele momento, percebi que haveria poucos sobreviventes. Havia tantos corpos retesados. Ernst, Hans e os demais certamente estariam mortos. Caso eu voltasse para a Inglaterra, pensei que poderia encontrar sua irmã Susanne, contar-lhe o que tinha visto, mas aquilo, no momento, fazia pouco sentido. Por ora, procurei tirá-los da cabeça: eles estavam mortos e ponto final. Agora, eu precisava sobreviver. Como eu digo, há de se levar em conta nós mesmos em primeiro lugar.

Nossos guardas eram do Wehrmacht e não da SS, mas ainda não sabíamos o que haviam planejado para nós. Havia um soldado em especial do qual me recordo, um veterano da fronte oriental. Ele havia enfrentado os russos em ação, e tinha uma falsa mão de couro para provar. Ele tinha todas as razões do mundo para rumar ao ocidente. Eu não resisti à provocação. Caminhei ao lado dele por quilômetros, passando sobre cadáveres, e, no melhor alemão que pude exibir, disse na cara dele:

— *Ihre Zeit kommt noch* [A sua hora vai chegar]. — Ele continuou rígido. Sabia o que eu queria dizer.

Ele disparou de volta algo que entendi como "mas antes eu atiro em você", e era provável que ele fizesse isso. Os medos eram evidentes, e os dedos estavam no gatilhos. Depois de algum tempo, paramos de ver cadáveres. Eu sabia que não era porque os assassinatos tinham terminado. Simplesmente havíamos tomado uma outra rota.

A comida era escassa, e a maior parte do que comíamos era roubada dos campos. Em algumas noites, dormimos sob guarda em celeiros; em outras, não tínhamos escolha e deitávamos na neve. Eu estava exausto, mas, sem um sobretudo para me aquecer, dormir à noite era o mesmo que morrer, então eu lutava para ficar acordado.

Após alguns dias, começamos a ver montanhas à frente e ganhamos altitude. Conforme subíamos, a temperatura caía mais. Ficamos sabendo que atingira trinta graus negativos. A neve arranhava meu rosto, e o gelo congelava minhas orelhas. Foi uma subida longa e dolorosa. Parei de sentir os pés; o enregelamento se instalava. Mais tarde, ouvi dizer que alguns rapazes descalçaram as botas e deixaram partes dos dedos dentro delas.

Continuamos subindo, até que a trilha parou de ascender e iniciou um longo e sinuoso declive. Parou de nevar, e os montes de neve a nossa volta começaram a se desmanchar. Trechos de vegetação apareceram aqui e ali, e, enquanto penávamos, a neve ficou mais fina e principiou a desaparecer.

Passaram-se muitas horas até que recebemos ordem de fazer uma pausa, num campo próximo a um rio bem caudaloso. Em seguida, o sol apareceu por trás das nuvens, e a água instantaneamente se energizou, cintilando e refletindo a luz em milhares de pontos. Foi um momento ameno, puro e reconfortante, e eu pensei na hora que ele me livraria de toda a sujeira, o sofrimento e a angústia. Era água proveniente do degelo das montanhas e muito gelada, mas sua beleza me desarmou. Eu sabia que, se mergulhasse ali, todas as minhas provações terminariam. Foi um instante de serenidade destrutiva, e precisei lutar para resistir a ela.

Marchávamos em média uns trinta quilômetros por dia, e a temperatura logo tornou a baixar outra vez. Normalmente andávamos em campos abertos, mas sob guarda armada o tempo inteiro era impossível fugir. Para onde ir? Que sustento encontraríamos naquela paisagem invernal?

A situação alimentar já se tornara calamitosa. Num determinado momento, um dos guardas me autorizou a trocar, com um civil, meu relógio por um pouco de pão durante uma parada para descanso. Eu tive de fazer aquilo, mas me ressenti do fato de o guarda ter pegado um pedaço.

Quando paramos, vi os soldados armando suas metralhadoras nos tripés. Aquilo sempre nos deixava agitados. Não sabíamos o que planejavam para nós. Afinal de contas, nós éramos testemunhas de Auschwitz. Após um tempo, percebemos que as armas estavam apontadas para a direção oposta à da nossa pequenina coluna, e relaxamos. Estávamos em território inimigo, e eles esperavam um ataque.

Os guardas tinham um veículo para carregar suas bolsas, algumas armas e outros suprimentos que tivessem para nos alimentar. Quando o carro quebrou, eles o abandonaram, e então requisitaram um cavalo e uma carroça, transferindo para eles toda sua carga. Desde o princípio, o animal parecia extenuado. Logo, os guadas começaram a bater nele sem piedade. Apesar de todos os assassinatos que presenciara em Auschwitz, e de todos os cadáveres pelos quais passamos no caminho, eu ainda fiquei afrontado com os maus tratos infligidos ao animal. Pela forma como o chicoteavam, ele não duraria muito. Em minha cabeça, não existe nada mais baixo do que maltratar um bicho indefeso. As pessoas podem se rebelar, os animais, não.

Eu conhecia os equinos, por causa de minha fazenda. Eu saberia manejá-lo melhor, mas precisava convencer os guardas. Se o cavalo morresse, eu lhes disse, eles teriam de carregar todas as suas coisas sozinhos. Se me deixassem conduzir o animal, eu faria com que continuasse vivo. Eles consentiram.

Peguei as rédeas e, com a neve caindo de novo sobre meu rosto, falei com gentileza próximo à orelha do cavalo. Animais domésticos não trazem raiva dentro deles. Conquistar sua confiança é o caminho para que obedeçam às ordens. Trate um animal com carinho, e ele só o ajudará. Ele voltou a andar e fizemos mais oitenta quilômetros nos montes de neve. Então, os guardas deram um tiro na cabeça dele e o deixaram num estábulo. Naquela hora, foi a coisa certa a se fazer. Acabou seu sofrimento.

Peguei uma lâmina, cortei um pedaço de carne da anca do animal e o comi cru. Os guardas apanharam o resto, e eu nunca soube o que fizeram com ele. Provavelmente cozinharam-no. Não consegui levar nem um pouco para os rapazes.

Paramos ali por alguns dias e tivemos tempo para descansar. Em seguida, retornamos à caminhada penosa. Numa determinada ocasião, dormimos à noite numa prisão comum, com barras de ferro e tudo o mais. Era um abrigo, melhor do que um celeiro frio. Em outra oportunidade, dormimos numa cervejaria.

Havia um pequeno grupo de rapazes que ficava perto de mim na marcha. Acho que eu servia de líder para eles. Dois deles eram Bill Hedges e Jimmy Fleet. É estranho dizer, mas acho que Jimmy considerava minha força mental maior do que a dos outros. Ele sofreu bastante durante a marcha, e eu conseguia reanimá-lo. Eu ainda era grato a ambos por terem escondido Hans durante as trocas, mas aquilo já havia virado história. Nós tínhamos nossos problemas agora, e eu evitava me enredar em amizades profundas — o deserto tinha me ensinado aquilo. Talvez amanhã eu estivesse despejando neve ou terra sobre os corpos deles, o que poderia ser pior? Eu mantinha distância, mas Jimmy e Bill tinham me dado cobertura, e eu os protegeria.

Operávamos como uma unidade e desenvolvemos nosso próprio sistema — um *modus operandi*. Ao cabo de uma longa e penosa marcha, recebíamos a indicação de um lugar para cochilar e ficávamos ali. A hierarquia militar não tinha qualquer significado no cativeiro, e menos ainda naquela jornada. As pessoas gravitavam em torno de quem sabia o que fazer. Se havia respeito, era merecido. Eu tendia a dar as ordens, e nós saíamos rapidamente em busca de comida, beterrabas, se tivéssemos sorte. Os outros esquadrinhavam os melhores recantos para dormir. Eu conferia onde os guardas ficavam, qual era a rotina deles, para ver o que poderíamos fazer. Aquele sistema nos permitiu resistir.

Eu me lembro de vasculharmos um celeiro, sem conseguir nada para comer. Caí no sono, decidido a aproveitar a única coisa que havia ali em quantidade: as pilhas de uma linda palha fresca que serviam para dormir.

Meu peso comprimiu aqueles belos talos amarelos, que um dia tinham carregado grãos. Fiquei obcecado com os pensamentos acerca do pão que eles haviam produzido. Durante a marcha, não pensávamos em outra coisa que não fosse comida e, quando dormíamos, sonhávamos com ela.

Naquele momento, eu não conseguia dormir ou ficar confortável. Havia alguma coisa pontuda debaixo da palha. Cavei e encontrei um caixote de batatas. Tínhamos achado ouro. Alguém estava tentando nos ajudar, tive certeza disso. Chamei os rapazes. Ao todo, havia cerca de três quilos de batata. Acendemos o fogo, cozinhamos e comemos tudo o que pudemos. Foi um verdadeiro banquete, maravilhoso. Levamos o resto, quando partimos. Jamais tornamos a encontrar algo assim.

Passamos por Ratibor, na Silésia, e seguimos para a então Tchecoslováquia. Os dias viraram semanas, e nós avançamos pela Boêmia, cruzando Pardubice, no rio Elba, e os arredores de Praga, em direção a Pilsen. Em áreas do território dos Sudetos, onde se poderia dizer que toda essa confusão começou, com a ocupação alemã que deu início à guerra, as pessoas do lugar — tchecas, e não germânicas — jogavam pães para nós, enquanto passávamos. Os guardas tentaram impedi-las, mas ainda pegamos um pouco. Ficamos bastante agradecidos.

A fome dói. Havia sido um dia duro. Os rapazes estavam todos deitados num pequeno celeiro, à noite, quando percebi que a parede divisória não chegava até o teto. Ela tinha pouco mais de dois metros de altura e, após algumas tentativas, consegui subir e passar as pernas por cima, caindo num pequeno anexo em ruínas do outro lado.

Comecei a explorar o local e encontrei uma tigela de gordura solidificada, rançosa, provavelmente destinada aos animais. Aquilo me deu ânsia de vômito, e então coloquei a tigela no chão, pulei para o outro lado e voltei a dormir. Pensei naquilo a noite toda. Na manhã seguinte, quando recebemos a ordem de partir, peguei a tigela. Comi tudo sem parar, e nem vomitei.

A mente tem um imenso poder. Durante aquela marcha, coloquei as coisas mais asquerosas goela abaixo e, a cada vez que fazia isso, procurava convencer a mim mesmo de que se tratava de uma ceia de Natal. Foi assim que sobrevivi.

Saindo de Pilsen, pareceu-me que estávamos sendo levados para a fronteira da Áustria. Naquele momento, comecei a ficar desesperado.

Não tínhamos nada para comer. Eu não queria morrer de fome no cativeiro. Eu podia muito bem me defender sozinho.

Tomei a decisão de fugir sozinho e não contei a ninguém, nem mesmo a Bill e a Jimmy. Se eu tivesse dito qualquer coisa, poderia exercer uma espécie de pressão para que viessem junto comigo. Se eu morresse, eles também morreriam. Eu não queria assumir aquela responsabilidade. Eu funcionava melhor sozinho.

À noite, paramos em algum lugar ao sul de Pilsen, onde nos mandaram dormir num grande celeiro cheio de palha. Os guardas faziam sua patrulha, mas estavam se tornando negligentes, não faziam as coisas com interesse. Fiquei à espreita e esperei. Percebi as brechas em sua rotina noturna e, na primeira oportunidade, escapei.

Cruzei campos e cerrados, meio que esperando a gritaria e, pior ainda, os tiros. Continuei seguindo até alcançar uma distância segura. Então, mergulhei numa vala e dormi até o raiar do dia.

Não havia tempo para desafogo. Eu estava encarregado de meu próprio destino outra vez e corria o risco de ser capturado e morto. A volta para casa exigia um planejamento. E eu não possuía nenhum. Achei que naquele momento isso não teria a menor importância, quando a guerra chegava ao fim e os Aliados ocidentais se aproximavam. Eu tinha um mapa simples, que haveria de me servir.

Eu ainda precisava comer. Aproximei-me de uma casa e a observei durante um tempo, então acerquei-me e vi que a porta estava destrancada. O medo evapora quando se está com fome. Se alguém me visse, estaria tudo acabado. Mas isso não aconteceu. Saí com um pedaço de uns trinta centímetros de pão redondo. Encontrei um lugar seguro, escondi-me e comi tudo de uma vez.

Continuei a seguir na direção sudoeste, usando as estrelas e o nascer do sol para me orientar. Eu caminhava praticamente a noite toda e descansava durante o dia. Eu ainda estava usando meu uniforme de combate e poderia me safar com um casaco por cima, mas nunca achei um. Procurei me afastar de povoados e de estradas, e cruzei a fronteira da Alemanha numa região de campo aberto.

Roubei toda comida que encontrei e peguei nos campos tudo que podia ser ingerido. Não era pior do que na marcha. Eu estava penetrando cada vez mais no território alemão e, após incontáveis noites de caminhada, cheguei a Regensberg.

Vaguei por um amplo pátio de manobras de trens e procurei as inscrições nos vagões, na vã esperança de encontrar algum que rumasse para o norte. Botei na cabeça que deveria tentar alcançar as linhas britânicas.

De repente, ouvi o trovão de grandes aviões acima, e as bombas começaram a cair. Com a movimentação de bens e tropas, eu sabia que um pátio de manobras como aquele onde eu estava seria um alvo estratégico. Desatei a correr e consegui sair por um cemitério, e continuei seguindo em frente. Eu escutava a artilharia antiaérea subindo e as bombas descendo. Uma delas caiu exatamente naquele cemitério, logo depois que saí.

Circundei uma cerca viva e alcancei uma posição camuflada em relação à artilharia antiaérea. Consegui contorná-la e caí num campo aberto. Achei que estaria salvo. Mas não estava.

Ouvi aviões acima de novo e me joguei no chão. Rolei sobre as costas e vi uma Fortaleza Voadora norte-americana caindo em chamas, com uma das asas partidas. Veio um som sibilante de cima, seguido de um baque, que eu achei que era uma bomba, mas não houve explosão. Alguma coisa daquele bombardeiro tinha se espatifado no chão, a uma curta distância. Quando o ataque terminou, fui verificar e encontrei um bastão de beisebol cravado no chão. Achei que ele tivesse sido trazido por alguém da tripulação do bombardeiro, possivelmente para dar sorte. Não adiantou. Não vi paraquedas no céu. Tirei o bastão do chão. Seria uma lembrança que eu levaria para casa.

Não mais voltei ao pátio de manobras e rumei para o norte, a pé. Eu sempre fazia as coisas do modo mais difícil. Eu era assim. Cheguei à periferia de uma cidade, que eu esperava que fosse Nuremberg. Achei que deveria tentar outra vez a sorte nos trens, e fiz uma incursão no centro da cidade, mas os bombardeiros tinham chegado primeiro. Ela estava devastada. Em alguns bairros, havia apenas alguns tijolos sobrepostos. Retornei pelo mesmo caminho em que cheguei e circundei a cidade antes de partir rumo ao norte.

Achei que estivesse me aproximando das linhas aliadas o tempo todo, mas não vira movimentação alguma de tropas alemãs, então talvez estivesse errado.

Minha sorte mudou quando quase cheguei a Bamberg. Saí de um bosque e dei de cara com uma unidade de tanques disposta em formação de combate, com uns cem metros entre cada um deles. Eram norte-americanos. Eu me aproximei com bastante cuidado, mas a céu aberto e confiando no fato de que eles teriam bons binóculos para me ver chegando.

Eles não gastariam a munição de um tanque num indivíduo, e para que atirar num soldado sozinho vindo em sua direção? Se eu fosse inimigo, eles fariam mais um prisioneiro.

Quando cheguei bem perto, gritei que era um prisioneiro de guerra britânico, então alguém colocou a cabeça para fora do tanque mais próximo e me saudou. Ele tornou a desaparecer, e eu imaginei que estivesse falando no rádio. Em seguida, saltou do veículo e me disse para segui-lo. Atravessamos o campo e, após uns duzentos metros, chegamos a outro tanque, onde estava nos esperando o oficial comandante.

Ele não era deste mundo. Tinha duas pistolas e uma faca na botina. E veio direto ao ponto:

— Onde estão esses Krauts desgraçados?

Não sabia exatamente o que dizer, pois eu mesmo estava tentando evitá-los. Eu vinha das proximidades de Nuremberg, disse a ele, e não vi muita coisa. Ele me deu outra olhada, virou para um dos soldados e falou:

— Dê comida e água a esse homem. — E então fui liberado.

Devorei as rações na mesma hora. Não tenho a mínima ideia do que havia ali, mas o gosto era maravilhoso. Em pouco tempo, os tanques começaram a se mover, e eu fui conduzido ao fim da linha. Por fim, colocaram-me num veículo e me levaram de volta, na direção de Nuremberg, para uma pequena pista de aviação. Fui informado de que alguns prisioneiros de guerra seriam reunidos naquele local e que os aviões viriam em poucos dias para nos buscar.

Saltei do veículo e me despedi dos norte-americanos, que partiram para se reunir a suas unidades avançadas. Tinha sido um breve interlúdio. Aproveitei a comida e agora estava sozinho outra vez. Será que eu tinha sido liberado? O lugar parecia abandonado. Não havia outros prisioneiros de guerra. Era apenas um campo. Voltei à luta pela sobrevivência.

Circundei a área, até que encontrei uma casa abandonada, às margens do lugar, e entrei. Era um abrigo, pelo menos, mas não me lembro de ter visto cama alguma. Deitei no chão e me cobri com um cobertor.

Havia viajado centenas de quilômetros pela Europa central, a pé, e cavoucado atrás de comida. Mesmo nos momentos mais sombrios, tive a esperança de uma libertação mais edificante do que essa. Procurei algo para comer pela casa, mas não encontrei muita coisa. Não vi sinal de aviões. Fiquei quieto.

Enquanto esperava, perguntei-me se os outros rapazes que estavam na marcha tinham sido arrebanhados em outro campo ou se ainda continuavam caminhando pelo país afora sob a mira de armas. Anos depois, fiquei sabendo que os guardas os levaram até que eles mesmos corressem para os norte-americanos. Naquela oportunidade, um dos rapazes apanhou a pistola de um de seus libertadores — pelo que disseram — e matou o sargento alemão Mieser na mesma hora. Ele não era dos piores, mas entendi. Desconfio de que o soldado com a mão de couro simplesmente se escafedeu. Quanto aos prisioneiros judeus, os homens que eu havia conhecido — inclusive Ernst — deviam estar mortos. Eu tinha visto tantos cadáveres. Parei de pensar neles.

Sentei num muro na ponta daquele jardim descuidado e olhei para o céu, em busca dos aviões. Esperei bastante, mas não chegou um sequer. Talvez eu tivesse sido abandonado. Depois de algum tempo, um pequeno grupo de garotas alemãs passou por ali. Aproveitei a chance e chamei por elas. Para minha surpresa, elas vieram conversar. A garota que falou mais tempo comigo era loira, tinha uns 22 anos e era muito bonita. Elas perceberam que eu era estrangeiro logo de cara e quiseram saber de onde eu vinha.

Expliquei que era prisioneiro de guerra inglês e que estava esperando um avião para voltar para casa. Não lhes disse onde estivera preso. Já naquele momento parecia que Auschwitz era outro universo. A experiência não podia ser trazida para a vida normal. Mesmo na Alemanha, a minha experiência não se aplicava.

Conversamos durante algum tempo, da melhor forma possível, e eu perguntei se elas tinham alguma coisa para comer. Elas me deram um sanduíche qualquer, que eu aceitei agradecido e comi de uma vez só. Em retrospecto, creio que aquele era provavelmente o lanche delas.

Estávamos em território ocupado pelos Aliados, mas não havia tropas por ali. A guerra ainda não tinha terminado, e elas se arriscaram ao me tratar bem. Estavam curiosas e, depois de conversarmos um pouco, elas entraram para examinar a casa abandonada que seria meu lar temporário. A garota que falou mais me deu o seu endereço em Nuremberg, e seu nome era Gerdi Herberich. Prometi que lhe escreveria agradecendo quando chegasse em casa, e que lhe mandaria um pacote de alimentos. Lamento dizer que nunca fiz isso. Naquela época, eu tinha outras coisas na cabeça, e meu mundo estava se alterando completamente.

A atmosfera calorosa de meu abrigo se modificou logo, com a chegada de um grupo de norte-americanos, que incluía alguns prisioneiros de guerra. As garotas saíram depressa, e eu nunca mais as vi nem ouvi falar delas. Foi uma coisa pequena — apenas um sanduíche ou *Brötchen*, como os alemães o chamavam —, mas representou um arriscado gesto de humanidade em relação a um soldado inimigo. Elas não pediram coisa alguma em troca.

O clima ficou mais tempestuoso, mas os recém-chegados me disseram que eu estava no lugar certo. Eu havia roubado quatro latas de comida de uma outra casa abandonada nas proximidades, guardei uma para mim e dei as demais para os norte-americanos. Elas não tinham rótulos e, quando os ianques abriram suas latas de carne, esperei que na minha houvesse a mesma coisa. Ao abri-la e constatar que se tratava de algum tipo de vegetal aguado, fiquei bastante decepcionado. Mas foi meu sustento. Ficamos uns nove ou dez ali, e tudo o que podíamos fazer era esperar.

Capítulo 17

Demorou dois dias até ouvirmos o rugido de grandes motores de propulsão, que sacudiram aquela casinha desabitada. Corri para fora e vi um Dakota da RAF voando baixo sobre o campo, para fazer uma aterrissagem aos solavancos. Ele mal tinha virado para o lado da faixa de grama, quando um segundo avião se aproximou, quicando algumas vezes sobre o trem de pouso antes de baixar sua roda traseira e correr pela grama.

Não havia encarregado algum, nem torre de controle nem suporte no chão que eu pudesse ver. Voltei rapidamente para dentro, apanhei tudo o que tinha e corri pelo campo tentando antecipar onde o avião iria parar. Pelo tempo de uso, o Dakota estava muito bem-cuidado, mas apesar disso era um burro de carga. O primeiro avião taxiou devagar, virou e parou com seu nariz inclinado para o céu e seus dois motores de propulsão ainda girando.

Mais rapazes surgiram dos cantos mais distantes do campo e correram em sua direção. Abriu-se uma porta na lateral do avião, e um homem vestido com uma jaqueta grossa de couro se espichou para fora e gritou alguma coisa. Não consegui ouvir, por conta dos motores, mas por seus gestos concluí que eles não ficariam parados ali por muito tempo. Fui um dos primeiros que entraram. Pouco me importava para onde estivessem indo, eu iria de qualquer jeito. Mais ou menos uma dúzia de soldados entrou antes que a porta se fechasse, e eu me sentei num dos bancos estreitos que ficavam na lateral do interior de metal estriado. Virei para olhar sobre os ombros e vi pela janela pequenina que outros rapazes estavam correndo na direção do segundo avião, com esperanças de conseguir embarcar.

Em seguida, começamos a taxiar no sentido final do campo, preparando para a decolagem. Sorrisos contagiantes se espalharam pelos vários rostos, e eu vi que não era o único soldado que voltava para casa após uma guerra extenuante. Fiquei sabendo depois que um terceiro avião destinado a nos resgatar teve problemas no motor e caiu em chamas, nas proximidades. Começamos a subir na direção das nuvens e rumo a Bruxelas. Baixei a cabeça e fiquei mexendo no bastão de beisebol que trouxera comigo desde Regensberg, ousando acalentar a esperança de que finalmente estava a caminho de casa. Graças a Deus. Terminou. Eu ainda estava faminto.

Durante o voo, eu me levantei e andei em volta, examinando a vista pelas janelas pequeninas de cada lado. A guerra não estava completamente encerrada, mas ninguém duvidava mais de que isso ocorreria em pouco tempo. Contemplei abaixo os quilômetros de terra europeia libertada e pensei no que aconteceria nos anos do pós-guerra.

Descemos num campo de pouso militar próximo a Bruxelas. Fui levado para um acampamento do Exército próximo dali e recebi alimentação adequada pela primeira vez em semanas. Consegui me lavar, mas sem chuveiro ou banheira. Não fiquei ali mais de que uma noite, e não falei com ninguém a respeito de minha jornada ou do meu tempo no cativeiro. Todos nós tínhamos passado por coisas terríveis; não falávamos sobre elas, e ninguém perguntava.

No dia seguinte, voltei ao campo de pouso e vi um imenso bombardeiro de quatro turbinas, com um globo de vidro para o atirador, à frente e abaixo da cabine, e outro menor na parte intermediária da fuselagem, como se fosse uma corcova em sua traseira. Havia ali uma arma apontada para fora.

Eu sabia que se tratava de um bombardeiro Lancaster, embora jamais tivesse visto um anteriormente. Fui capturado antes que fosse utilizado de modo frequente, mas ele era exatamente como eu o imaginava, pelo que ouvi dos companheiros de prisão.

Ele estava sendo preparado para levantar voo, e eu embarquei junto com os outros rapazes. Não havia assentos, e o avião estava abarrotado.

De imediato, percebi onde gostaria de ficar durante o voo, mas o capitão me disse que a posição do atirador — aquele globo de vidro na dianteira — estava fora de uso. Eu não desisti; braços foram torcidos, favores foram implorados, e, por fim, meu desejo foi atendido.

Fiquei totalmente de bruços dentro daquele vulnerável nariz transparente, e senti a vibração inebriante do equipamento enquanto o chão corria por baixo e nós nos levantávamos outra vez no ar.

Circundamos o campo, apontamos na direção de casa, e, em pouco tempo, a terra deu lugar ao mar.

Vi o que aviões iguais àquele tinham feito em Nuremberg e temi pelo estado em que a Grã-Bretanha se encontrava. Enquanto sobrevoávamos o canal da Mancha, não tive um bom presságio pelo que avistei. Havia escombros e navios naufragados ao longo de toda a costa, e manchas de óleo até onde a vista alcançava. Depois, a água clareou, e, à distância, enxerguei as falésias brancas da Inglaterra na névoa e me dei conta de que eles não poderiam ter destruído tudo. Eu estava chegando em casa.

Logo a seguir, comecei a ver os campos verdes divididos por veredas abaixo de mim e cercas vivas correndo em todas as direções. Fiquei ali prostrado, na frente do avião, e, por fim, surgiu diante de nós um campo de pouso. Descemos aos poucos até que a grama se tornasse um borrão verde deslizante que avultava diante de mim, enquanto quicávamos ao aterrissar.

Paramos, a porta se abriu e, quando já íamos nos desgarrando, o capitão insistiu para que assinássemos a fuselagem com uma caneta, antes de dizer adeus. Ele deve ter pilotado incontáveis missões de combate, mas trazer os rapazes de volta para casa tinha um significado especial para ele.

Meus ouvidos ainda zuniam quando ouvi um som estranhamente familiar, que não escutava há vários anos. Eram as vozes de mulheres inglesas que eu não conhecia e que estavam servindo chá.

Fui levado para um alojamento e finalmente pude tomar um banho de chuveiro. Eles me deram meias, roupa de baixo, um uniforme de segunda mão em bom estado e um par de botas pretas de couro bem pesadas, com tachas na sola e aros de metal no salto. Eu ainda as tenho até hoje. Não fiquei ali muito tempo. Eu tinha estado sob disciplina militar por um longo tempo, e não esperei permissão para partir.

Deixei um bilhete no alojamento, saí do acampamento e peguei um trem para Londres.

Cheguei à estação de Liverpool Street, troquei de trens e segui para Essex, sem gastar um centavo e sem ver os estragos na cidade. Eu só queria voltar para as pessoas que amava. Faltavam um ou dois dias para o Dia da Vitória, e eu estivera fora de casa por quase cinco anos.

Saltei do trem na estação de North Weald e olhei por cima do muro, para o pátio de carvão, e vi um homem com um carrinho transportando sacos de minério. Logo de cara o reconheci: era meu tio Fred, mercador de carvão, que já tinha jogado futebol pelo time do Fulham. Pulei o muro, e as palavras que ele disse quando me viu são e salvo são impublicáveis. Ele terminou de descarregar e disse que me levaria para casa. Falou durante todo o caminho, sem parar. Após todos aqueles anos, voltei à fazenda num vagão de carvão. Ele me deixou no portão, e eu entrei sozinho.

Atravessei a sebe amarelada de arbustos e comecei a caminhada de trinta metros entre os canteiros de flores, na direção da casa de dois andares onde eu fora criado. Aquele lugar estava guardado em alguma parte de minha mente, embora os pensamentos sobre o lar fossem um peso no deserto e nos campos. Como eu não podia voltar para lá, para que me torturar com as lembranças e as emoções do lugar? Mas agora eu podia me entregar a elas.

Eu não tinha avisado ninguém sobre minha chegada. Bati na imensa porta de madeira. Houve uma pequena pausa antes que ela fosse aberta por uma mulher que, embora me fosse familiar, parecia cansada e abatida. Ela suspirou quando me viu, e eu lhe disse:

— Mãe, você envelheceu.

Com o passar dos anos, desejei com ardor que pudesse voltar atrás no que dissera. Ela me abraçou na porta, e parecia não querer me soltar. Eu estava em casa, mas devo ter feito uma aparição impressionante. Minha perda de peso era chocante.

Minha mãe ficou sozinha para enfrentar a vida. Meu pai também fora capturado. Eles disseram a ela que eu tinha sido ferido na África. Em minhas cartas, eu dizia estar bem, mas ela achou que eu tentava não a preocupar. Em seguida, a correspondência regular do E715 parou. As marchas da morte e minha longa viagem pela Europa central tinham começado. Ela não tinha ideia de que eu estava vivo e temia pelo pior. Ela tinha ainda a própria saúde em declínio com que se importar.

Nos poucos anos em que ela ainda viveu, nunca me perguntou sobre a guerra, minha captura ou aquela longa marcha. Naquela época, não se falava sobre isso. Os soldados e suas famílias foram encorajados a esquecer.

Não sei exatamente quando meu pai voltou para casa. Ele havia mentido para se alistar, e fez isso, em parte, com a intenção de cuidar de mim. Ele foi ferido e preso quando os paraquedistas alemães desceram em Creta. Foi levado para a Áustria e forçado a construir ferrovias nas montanhas, apesar dos episódios de pneumonia.

Ouvi dizer que ele voltaria logo para casa, mas aquilo podia não significar nada. Um dia, então, eu estava ocupado num dos pequenos cômodos na parte de trás da casa, quando ouvi um barulho abafado do lado de fora. Alguém estava tentando entrar pela porta dos fundos, mas não conseguia. Eu a abri e lá estava ele, pelejando com a mochila. Ele a jogou no chão quando me viu, e me abraçou pela primeira vez desde que eu era criança. Ele parecia extenuado; eu comecei a chorar e vi que ele chorava também.

Lembrei de meu tempo de criança, em que eu sentava no colo dele e o ouvia cantar: "Vai chegar um dia em que estarei longe/ Não haverá mais pai a guiá-lo dia após dia."

Quando eu era pequeno, a ideia de sua morte me deixava transtornado, e, enquanto ele cantava, eu socava seu peito até que ele parasse.

Jamais o enxerguei como um homem emotivo, mas o vi, quando sua mãe morreu, sair para o meio do campo e chorar toda sua dor. Seu retorno para casa me mostrou que ambos havíamos nos modificado, embora o abraço dele continuasse rápido.

Não presenciei seu reencontro com minha mãe. Apenas imagino como foi. Eles ficaram sozinhos, e era assim que tinha de ser.

Tenho certeza de que ele se arrependeu de tê-la deixado sozinha para ir lutar, quando não era preciso. Não acredito que ele tenha conseguido se recuperar totalmente depois da guerra, mas, se estava sofrendo como eu, jamais demonstrou.

Ele viveu até 1960, mas nunca falou sobre a guerra, nem comparou nossas experiências de captura. Nem sequer uma vez. Acho que ele nunca soube que fiquei preso num campo próximo a Auschwitz.

Não demorou muito para que os traumas começassem a aparecer. Durante o dia, eu ficava na vila amigável de Essex que bem conhecia; à noite, durante o sono, eu era jogado de volta à obscenidade de Auschwitz. Os pesadelos se iniciaram; aquele garoto, em posição de sentido, recebendo do guarda da SS socos na cabeça, enquanto o sangue jorrava de seu rosto. Foram incontáveis as vezes em que revivi aquela cena. Eu acordava com os lençóis encharcados de suor, convencido de que havia entrado escondido no campo judeu e que estava prestes a ser descoberto.

Atravessando o deserto, durante os anos de captura e em Auschwitz, eu dizia a mim mesmo: "Você não tem de pensar, tem de fazer." Era a tomada de decisões baseada no instinto, e isso me salvara. Agora, não havia mais perigo, e eu tinha tempo de sobra para pensar. Os sonhos começaram a me dominar. Eu revivia a impotência de ver e de não agir, e isso acontecia todas as noites.

Naquela época, não havia ajuda para soldados traumatizados. Nem se pensava nisso. Hoje sei que eu estava arrasado, totalmente arrasado. Muitos estavam.

Se, por um lado, minha mãe jamais perguntou sobre a guerra, as pessoas da vila não paravam de me questionar. Elas não queriam saber a verdade, é claro, queriam apenas algumas anedotas heroicas. Elas nada sabiam acerca dos campos de concentração, e, caso eu mencionasse algo sobre eles, isso não provocaria nelas qualquer impacto. Isso não se encaixava naquilo que elas sabiam ou mesmo naquilo que desejavam saber. Em geral, as pessoas se sentiam bastante desconfortáveis ao ouvir esses relatos, e como reação a eles seus rostos perdiam a expressão. Eu chamava isso de síndrome de olhos vidrados.

Ninguém ali compreendeu as coisas pelas quais os soldados passaram. Alguns falaram apenas besteiras. A pergunta que mais me insultava era "Quantos alemães você matou?". Fomos obrigados a fazer as coisas que fizemos, e falar delas desse jeito tirava totalmente seu valor. Eles queriam nos ver tripudiando de coisas que desejávamos esquecer. Os soldados inimigos que havíamos matado pagaram um preço alto, e ficar se vangloriando disso era uma falta de respeito.

Um camarada — que era açougueiro em Epping e que não tinha servido em lugar algum — me disse, cheio de coragem, que mataria a própria mulher com a faca, para evitar que ela caísse nas mãos dos alemães, caso eles conquistassem a Grã-Bretanha. Aquilo não deveria ser dito na frente dela. Pouco tempo depois, ele ficou bastante constrangido quando dei de cara com ambos dentro do trem. Não precisei dizer nada.

Auschwitz já se tornara um planeta distante, mas os sonhos trouxeram de volta alguns rostos. Não havia como indagar a respeito de Hans, mas com Ernst era diferente. Havia algumas coisas que eu me obrigaria a fazer, ainda que não estivesse à altura das tarefas. Eu precisava encontrar Susanne, em Birmingham, e lhe contar o que sabia. Por ora, eu conseguira negociar uma licença oficial e tinha algumas semanas de folga. Foi uma incumbência quase impossível, e eu não pensei direito a seu respeito.

Agora, não me lembro como fiz contato, se escrevi, se encontrei um número de telefone ou se apenas cheguei de surpresa a sua porta. Eu sabia que ela se chamava Susanne e liguei seu nome ao sobrenome Cottrell. Ernst deve ter me dado esse nome desde o princípio. Achei que ela tivesse sido adotada pela família que a havia trazido antes da guerra, então na minha cabeça ela sempre foi Susanne Cottrell. A história dos cigarros foi uma coisa sobre a qual eu e minha mãe conversamos, mas sem profundidade. Ela ficou feliz pelo fato de eu ter recebido alguns, e de eles terem me ajudado. Ela não precisava saber dos campos, e eu não falei deles para ela.

Lembro-me de que encontrei Susanne em Birmingham, mas não posso afirmar isso com toda a certeza. Eu não estava em condições de encontrar ninguém e não planejei o que iria dizer. Em função da guerra e do cativeiro, eu não tinha o tato necessário para dar más notícias com o devido cuidado. Eu nem sabia exatamente por que estava indo ao encontro dela. Acho que ela estava em minha lista, junto com a família de Les Jackson e de outros que busquei depois.

Acredito que fui até a casa dela, mas tudo é muito vago agora. Tenho a impressão de que saímos para caminhar; lembro de estar ao ar livre. Ela tinha uns 22 anos de idade — era agradável mas tímida, e de baixa estatura. E ainda tinha sotaque.

Foi um encontro angustiante. Eu quis que ela soubesse que os cigarros chegaram, que Ernst ficara muito contente ao recebê-los e que eles devem ter lhe dado alguma ajuda e proteção. Eu poderia lhe dizer tudo isso, se conseguisse falar, mas onde a história terminaria? Não havia final feliz.

Eu tinha visões da marcha da morte e dos cadáveres congelados. Passamos por aqueles corpos por muitos quilômetros. Eu sabia que era muito provável que Ernst tivesse sido morto, junto com os demais. Se ele houvesse sobrevivido à marcha, é provável que tivesse sido recolhido em outro campo de morte e perecido depois. Eu não tinha esperanças para dar a Susanne, nem podia lhe falar da morte de Ernst; eu não a testemunhara nem vira o corpo dele.

De repente, eu estava ali ao lado de uma garota que tinha perdido tudo, mas que agora encontrara uma oportunidade de reconstruir sua vida. Por que sobrecarregá-la com a bestialidade de Auschwitz? De qualquer maneira, eu não conseguiria falar sobre aquilo. Havia inúmeros silêncios. Eu ainda pensava parcialmente em alemão. Após tamanha perda de peso, eu devia estar com uma aparência pavorosa.

O encontro foi traumático, e eu parti me perguntando se tinha causado mais mal do que bem. A barbaridade de Auschwitz tinha penetrado em cada poro. Eu estava com a memória saturada, mas não conseguia me livrar das lembranças. Para quem poderia contar? Olhando para trás, eu estava num estado lamentável. TEPT é como a chamam agora — Transtorno de Estresse Pós-Traumático. Levei anos para voltar a ter um pensamento racional. Eu me sentia totalmente estranho.

Um tempo depois, tentei entrar em contato com Susanne outra vez, mas, sem que me empenhasse muito, não consegui e desisti. Eu já tinha causado sofrimento suficiente; era preciso seguir em frente.

No dia 3 de junho de 1945, ganhei um novo caderno de telefones de uma antiga namorada chamada Jane, que era pianista. Ele era pequeno e tinha uma capa de couro, e nele eu escrevi as informações detalhadas que tinha da garota que ainda chamava de Susanne Cottrell: Tixall Road, número 7, Birmingham. Havia também o endereço de Gerdi Herberich, em Nuremberg — deve ter sido um bom sanduíche.

Os parentes de Les Jackson também estão anotados ali. Eles eram os próximos de minha lista de visitas, mas a experiência com Susanne tinha mexido comigo. Demorei meses até conseguir voltar a Aspen Grove, em Liverpool, e encará-los.

Por fim, marquei de encontrar o pai dele, e fomos a um pub, onde ambos bebemos um bocado. Ele havia perdido o filho, e eu sabia exatamente como. Eu estava ali para preencher as lacunas, mas não lhe dei todos os detalhes. Ele não precisava saber que Les tinha se arrebentado em pedaços. Eu disse o que sempre dizemos nessas circunstâncias, que eu estava com ele quando foi morto, e que foi tudo muito rápido. Espero que tenha ajudado. Ele não se emocionou muito, creio que a bebida tenha contribuído para isso. Meu querido Les ainda está lá, em algum lugar na areia.

Nós estávamos totalmente esgotados quando voltamos para casa, e então chegou Marjorie, a irmã de Les. Ela estava linda como sempre. Eu havia dançado com ela antes de embarcar, e tinha seu retrato pregado na parede da cabine. Ela veio acompanhada de um sujeito chamado Evans, e eu compreendi que haviam se casado. A fim de não constrangê-la diante do marido, fingi que não a conhecia e me apresentei; eu também estava me protegendo. Marjorie tinha sido especial, dançara lindamente no salão, mas isso fora há muito tempo. A vida seguira em frente, e mais uma porta tinha se fechado. Dormi na casa deles e parti na manhã seguinte, bem cedo.

A história de Les não havia terminado ainda. Ele tinha uma esposa que morava em Southampton, e, quando voltei à caserna em Winchester, fui visitá-la sem avisar. Eu não deveria ter feito isso. Naquela época, eu não estava raciocinando direito. Na porta, eu me apresentei, e ela ficou aturdida, pedindo para que esperasse do lado de fora. Após alguns instantes, ela reapareceu com seu casaco e sugeriu que fôssemos a um pub para conversar.

De imediato, imaginei que ela tinha outro homem. Não havia nada de errado com aquilo, afinal Les estava morto havia anos, mas para mim foi estranho. Eu tinha ido levar algum conforto, dar os detalhes possíveis, mas ela não estava interessada. Não sei o que eu estava esperando. Pensei que ela gostaria de saber o que aconteceu, de ouvir algumas aventuras que vivemos juntos. Ela não tinha muito tempo e me pareceu distraída e ansiosa. Disse-lhe tudo o que pude, e nos despedimos na saída do pub. Não voltei à casa dela.

Aquilo me chateou, aquele encontro. Os soldados tinham ido bem longe para lutar, e muitos pagaram com as próprias vidas. A guerra tinha terminado há pouco, e eles já estavam perdidos e esquecidos; a tampa fechara sobre suas cabeças. Tudo isso contribuiu para aumentar minha perturbação mental.

Não fazia muito tempo que eu tinha voltado para casa, em Essex, quando recebi um telefonema misterioso. Era de um homem que dizia ter sido prisioneiro judeu em Auschwitz III-Monowitz. Eu não o conhecia bem do campo, ele jamais me pedira ajuda, e eu nunca lhe dera nada, pelo que pude lembrar. Nós o conhecíamos pelo apelido de "Mops". Ele deu um jeito de descobrir meu nome verdadeiro e fez contato por meio da Cruz Vermelha. Fiquei intrigado; eu tinha sido tão cuidadoso. Ele não era nem um dos prisioneiros com os quais eu tinha contato e agora estava ligando de Paris, numa época em que as ligações internacionais eram bastante raras.

Ele me relatou tudo sobre a marcha da morte dos judeus. Disse que contou centenas de tiros a cada dia de caminhada e que muitos foram chacinados. Milagrosamente, ele tinha sobrevivido. Isso confirmou o que eu havia visto, mas era a primeira indicação de que alguém sobrevivera. Escrevi seu nome em meu pequeno caderno de telefones como "Merge", com o endereço de Paris. Jamais falei com ele outra vez, mas duas ou três semanas depois, inesperadamente, chegaram a minha casa quatro garotos judeus. Haviam sido mandados por "Mops". O mais velho tinha 18 anos, os outros três deviam ter uns 14. Eram muito educados e vieram de Ilford. Não eram sobreviventes de campos de concentração e tinham vivido na Grã-Bretanha durante a guerra. Talvez tivessem escapado num *Kindertransport* similar ao de Susanne. Eles não pediram nada, e eu não poderia mesmo ajudá-los. Conversamos um pouco, minha mãe lhes deu de comer, e eles partiram novamente, deixando-nos perplexos.

Capítulo 18

Os oficiais de Winchester me chamaram para perguntar se eu tinha alguma coisa a relatar sobre o tempo que passei como prisioneiro de guerra. Para falar a verdade, eu tinha, sim, mas por onde começar? Pelejei para lhes falar sobre Auschwitz, mas percebi de imediato que eles não conseguiam prestar atenção. Em 1945, eles sabiam tão pouco sobre os campos de concentração, e para mim aquela porta tinha sido fechada com força. Eu não podia arrombá-la de novo.

Disse-lhes o que consegui sobre a escravidão, as surras e os assassinatos aleatórios, as câmaras de gás e o crematório, mas, de volta à Inglaterra, tudo aquilo parecia irreal, e as palavras me faltavam. Se eles sabiam dos campos de trabalho, certamente não tinham ideia de que os soldados aliados foram obrigados a trabalhar dentro deles. Sua linguagem corporal indicava que eles se sentiam desconfortáveis ao ouvir aquilo. Assim como as pessoas em minha vila, seus olhares vagavam perdidos.

Muitos ex-prisioneiros foram levados a acreditar que tinham falhado por terem sido capturados. Ninguém jamais me disse isso, assim diretamente, mas ficamos sob suspeita. Em vez de sermos considerados vítimas dos programas de trabalho forçado nazistas, era como se involuntariamente tivéssemos ajudado o esforço de guerra alemão. Não fomos tratados como heróis voltando para casa, de forma alguma. Desisti e saí.

Depois disso, não falei mais sobre Auschwitz oficialmente. Mais tarde, acho que entregaram formulários aos rapazes que voltaram para casa, perguntando sobre suas experiências como prisioneiros. Sem dúvida, isso serviu para poupar os oficiais do constrangimento de falar sobre o que se passara. Nessa época, isso já não me incomodava tanto. Fizemos o que pudemos para sabotar o trabalho na IG Farben e sofremos tanto quanto qualquer outro que serviu na guerra. Também testemunhamos o capítulo mais negro da história humana e voltamos para casa sem poder falar nada. Nada que alguém conseguisse entender, pelo menos.

Cumpri uma promessa que fiz a mim mesmo e escrevi tudo o que consegui me lembrar de Auschwitz III-Monowitz. Rabisquei os poucos nomes que guardei na memória e os detalhes que reuni sobre as condições de vida no campo, e depois coloquei tudo numa velha pasta de couro e tentei esquecer. Disse a mim mesmo que aquilo tinha terminado.

Não tinha. Havia coisas acontecendo que eu não conseguia explicar direito. De vez em quando, eu ainda encontrava Jane. O marido dela tinha morrido durante a guerra, e ela agora trabalhava como assistente pessoal de um almirante norte-americano lotado na embaixada dos Estados Unidos, em Londres. Ao mesmo tempo, ela continuava tocando piano. Jane e eu sempre tivemos uma amizade impetuosa. Mesmo antes da guerra, discutíamos um bocado, mas nunca pusemos tudo a perder. Fui convidado para jantar em Londres e me juntei a ela e a um grupo grande de amigos. Foi uma noite agradável, e depois a festa se transferiu para o apartamento dela em Beaufort Street, no bairro de Chelsea, onde a diversão continuou, ou pelo menos pensei que tivesse continuado. Não tenho certeza do que aconteceu.

Algum tempo depois, entrei numa delegacia de polícia bem distante, no East End, do outro lado da cidade de Londres. Eu estava atordoado e confuso, e desesperadamente assustado. Acabou que perdi três dias de minha vida. Eles disseram que eu não estava bêbado, e, pelo que me consta, não fiquei inconsciente, mas ainda não conseguia me lembrar daqueles dias.

Além disso, eu tinha um carro do Exército norte-americano comigo. Não sei como o peguei, mas acho que veio de um dos convidados da festa de Jane. Pelo menos o carro não foi danificado, e isso já era alguma coisa. Fiquei bastante preocupado comigo e com os outros. Eu vivia sobressaltado desde que voltara para casa. Se alguém me pegasse desprevenido ou me tocasse nas costas, eu me virava na expectativa de ter de lutar. E me irritava com facilidade. Eu tinha vivido tanto tempo além das normas que tudo era possível. Se eu arrumei confusão ou feri alguém durante aqueles três dias, não tinha qualquer lembrança. A perda de memória me apavorava.

Entrei na delegacia e disse aos policiais o que achava que tinha acontecido. Na realidade, foi tudo meio bobo. Eles não sabiam o que fazer comigo. Eles averiguaram se havia alguém com minha descrição que estivesse sendo procurado. Imagino que eles tenham enfrentado diversas situações estranhas com soldados que retornavam ao lar naquela época. Deixei o carro do Exército com os policiais e voltei para casa sozinho, humilhado e abalado pelo que tinha ocorrido.

Fui desmobilizado no começo de 1946. Voltei a meu vilarejo apenas para ser incomodado pelas pessoas que perguntavam sempre o mesmo tipo de coisa irracional sobre a guerra. Eu não podia lhes dar o que pediam. As pessoas se sentiam fascinadas pelas coisas mais estranhas, como o bastão de beisebol que caiu do céu. Eu o deixei no banco de trás de meu carro conversível enquanto fui buscar comida, em Leytonstone. Quando voltei, ele tinha sido surrupiado. Sempre pensei que deveria ter tentado descobrir quem era seu dono e tê-lo devolvido à família. Eu não estava pensando direito. O bastão sobreviveu, mas seu dono certamente estava morto. Aquilo dificilmente teria dado a seus entes queridos algum tipo de paz ou conforto.

Poucos amigos meus retornaram à vila depois da guerra, e eu senti a solidão de maneira ainda mais forte naquele lugar familiar. A inocência e a alegria de viver que tivemos ali haviam se evaporado. Antes que eu partisse, os meus dias sempre foram curtos demais. A vida tinha movimento, então. Agora estava vazia. Eu me sentia inquieto, cada vez mais fraco, e comecei a sofrer de cólica abdominal. Algo estava errado, mas eu não sabia o quê. Botei na cabeça que tinha de ir a Manchester encontrar Bill Hedges. Cheguei a pensar em ficar lá pelo norte e procurar trabalho.

Por fim, achei Bill, e foi ótimo revê-lo. Ele tinha se casado e, se estava passando por traumas similares aos meus, não me disse nada. Não conseguimos falar sobre Auschwitz em detalhes. Não havia mais lugar para aquilo em nossas vidas. Ele sobrevivera à longa marcha e voltara para casa, o que foi muita coisa, mas nós dois desejávamos seguir adiante, encontrar novamente nosso lugar num mundo que não podia nos compreender.

Nessa época, minhas dores de estômago se tornaram cada vez mais agudas. Quando elas me atacavam, eu chegava a ficar de joelhos, contorcendo-me de agonia, e também passei a sentir dores de cabeça terríveis. Eu padecia de fadiga crônica e tinha a impressão de que estava me despedaçando. Minha língua estava preta como carvão. Eu precisava urgentemente de um médico.

Ele não estava à disposição. Fui levado ao hospital Manchester Royal, onde os médicos ficaram igualmente confusos. Eu tive malária e febre no deserto, disenteria e sarna na Itália, e Deus sabe lá o que devo ter contraído em Auschwitz. Falava-se em tifo por lá, mas essa certamente não era a única doença incubada nos campos.

Eles examinaram meus pulmões e todo o resto, antes que um dos professores chegasse ao âmago do problema e diagnosticasse tuberculose sistêmica. Ele disse que a doença estava instalada em minha garganta, pulmões, estômago e intestinos. Percebi que era sério, mas não me surpreendeu muito, depois do trabalho forçado de tanto tempo. O professor me disse que faria uma grande cirurgia e que eu ficaria de cama por meses, possivelmente por anos. Antes de aprovar a operação, insisti para que o procedimento integral me fosse explicado de forma adequada, e, assim, os doutores se reuniram ao redor de minha cama e o descreveram nos mínimos detalhes.

Achei mais fácil entender a coisa em termos de engenharia. Eles iriam remover um pedaço grande de meus intestinos e religar a tubulação. Era um extenso trabalho de encanamento.

Após a operação, acordei e vi uma cicatriz de aproximadamente quinze centímetros em meu abdômen. Eu esperava que ela fosse longa, mas mesmo assim fiquei chocado. Eles me costuraram, mas em pouco tempo o corte abriu novamente. Eles tornaram a fechá-lo, mais de uma vez, mas a pele se recusava a grudar, e o talho chegou a ter a largura de cinco centímetros. Meu corpo estava exausto. Levou cerca de seis meses para que cicatrizasse perfeitamente.

Bill nunca foi me visitar. Meu pai fez a viagem uma vez. Fui a Manchester em busca de um novo começo, mas principalmente para ficar distante das pessoas e daquela pergunta terrível: "O que você fez na guerra?" Agora, estava lutando por minha sobrevivência e me sentia grato por estar vivo. Não tinha me dado conta do tempo que levaria para voltar a ficar de pé outra vez. Pelo menos no hospital eu tinha a solidão do anonimato que tanto havia buscado.

Os pensamentos sobre Auschwitz estavam se tornando cada vez mais distantes. Não tive interesse algum pela primeira leva de julgamentos dos crimes de guerra, em Nuremberg, que condenaram homens como o marechal do Reich, Hermann Göring, os líderes militares Alfred Jodl e Wilhelm Keitel, entre outros.

O chefe da SS, Heinrich Himmler, já tinha conseguido escapar da Justiça. Ele cometera suicídio logo depois de ser capturado pelos britânicos, em maio de 1945, algumas semanas após meu retorno para casa. Ele foi o principal responsável pelos crimes que vi, os campos da morte e o trabalho escravo. Não tomei conhecimento da morte dele, nem das outras coisas que aconteceram.

O julgamento dos dirigentes da IG Farben, por sua participação nos programas de utilização do trabalho escravo, estava sendo preparado durante o período em que lutei para vencer a tuberculose. Quando me recuperei, o processo ainda estava em andamento.

Ao longo de 1947, alguns dos sobreviventes aliados do E715 prestaram declarações juramentadas que foram utilizadas pela acusação. Ninguém me procurou. Eu ainda estava muito doente, longe de casa, no hospital, e desligado de tudo o que estava acontecendo. Eu não tinha a menor condição, física ou mental, de apresentar meu testemunho.

Após diversas semanas no hospital Manchester Royal, fui levado para o sanatório Baguley, para descansar e me recuperar. Naquela época, hospitais destinados a tratamento de tuberculose eram locais revigorantes, e o ar fresco era o remédio. Eu tinha um quarto só para mim, com portas nas extremidades iguais às dos estábulos de nossa fazenda, onde a parte de cima e a de baixo se abrem separadamente. A parte de cima ficava sempre aberta, assim como as janelas, independentemente do clima e da estação. À noite, eles diminuíam só um pouquinho a abertura, mas isso fazia pouca diferença. Havia uma capa de borracha em cima dos cobertores, para protegê-los da chuva, e, durante o inverno, eles tiravam a neve que caía sobre minha cama com uma pá de lixo. O quarto era, de fato, um teto sem paredes substanciais, de modo que o vento e a neve sibilavam por dentro dele. Os cobertores eram destinados a me manter aquecido, mas mesmo debaixo das cobertas certamente fazia muito frio.

Ficar ali foi a parte mais fácil. O que eu realmente detestava eram as injeções aplicadas duas vezes por dia nas nádegas. Depois delas, vinha um remédio para tomar por via oral que seria capaz de arrancar a pintura das paredes. Talvez por isso não houvesse paredes.

Fiquei pronto para sair no final de 1947. Eu tinha permanecido no hospital por mais de um ano e meio. Logo depois disso, no dia 8 de dezembro, meu pai entrou em contato comigo para dizer que minha mãe estava muito doente e que eu deveria voltar para casa imediatamente. Fui direto para a estação de trens de Manchester e fiquei desolado ao saber que só pegaria o trem para Londres depois de seis horas. Quando ele finalmente partiu, ainda me pareceu uma viagem longa e demorada. Em Londres, precisei trocar de trem e pegar uma conexão para minha vila. Cheguei exausto e tarde demais. Minha mãe já tinha morrido.

Quando voltei da guerra, percebi que ela não andava muito bem. Seus cabelos dourados, que lhe davam a aparência de uma mulher pintada por Ticiano, haviam ficado grisalhos. Ela pagou o preço por nossa guerra.

Meu pai tinha viajado com ela até Epping, para fazer compras. Ela se sentou para trocar os sapatos e caiu do banco. Ele a levou direto ao hospital, mas eles não puderam fazer nada. Em algumas horas, já estava morta. Ela sofrera um aneurisma cerebral — um coágulo no cérebro. Ela era maravilhosa, uma pessoa adorável, e tinha apenas 59 anos.

Após o funeral, compreendi que nada restara para mim em North Weald e deixei a vila de minha infância para sempre. Regressei a Manchester, no norte, e decidi construir ali meu futuro.

Demorou um pouco até que eu achasse um trabalho. Várias firmas disseram que eu era muito qualificado, e, é claro, meu sotaque do sul colaborou para me identificar. Naquela época, no norte, havia um certo preconceito contra rapazes do sul, e vice-versa.

Sempre fui prático. Eu tinha conseguido manter o carregador circulando pelo deserto e mexia em carros e em motocicletas antes da guerra, então comprei algumas ferramentas e arrumei um emprego de auxiliar de manutenção numa firma de nome exótico. Ela se chamava Winterbottom Book Cloth Company, e era sediada em Weaste,

Manchester. Foi um começo. Eles produziam materiais para encadernação de livros e um tipo especial de pano utilizado para fazer desenhos técnicos, conhecido como *Imperial tracing cloth*.

Logo em seguida, conheci uma garota chamada Irene. Ela era uma pessoa verdadeiramente festiva, extrovertida e animada. Nós nos casamos muito rapidamente e fomos morar com a mãe dela, em Burnage, ao sul de Manchester, até conseguirmos encontrar um lugar para viver.

Oito meses mais tarde, a sorte sorriu para mim, e tive minha chance de brilhar. As máquinas a vapor que operavam quase tudo na fábrica Winterbottom haviam quebrado, e o futuro da empresa estava em risco. O gerente de produção, que era onipotente naquela época, mandou chamar os serviços de engenharia de vapor de Bolton, mas eles levariam dias ou mesmo semanas para chegar.

Eu disse que podia tentar fazer o conserto. Eu era querido ali, mas me achavam um tanto esquisito. Era uma descrição justa; na ocasião, eu ainda não tinha voltado ao meu normal. O gerente de produção disse que era ridículo pensar que eu poderia consertar uma peça de maquinaria assim tão complexa. O que eles não sabiam era que, antes da guerra, eu ajudei Sir Oliver Lyle com seus experimentos para melhorar a eficiência das máquinas a vapor, quando trabalhei na companhia açucareira Tate and Lyle. Aprendi algumas coisas.

Eu tinha boas razões para arriscar, mas era uma aposta. Eles sabiam que eu possuía jeito com ferramentas e, por fim, chegaram à conclusão de que não teriam nada a perder. Eu sabia que o encargo era pesado. Precisei levantar um equipamento de cinquenta toneladas com o macaco hidráulico, tirar os suportes, recauchutá-los e então moldá-los num torno mecânico. Coloquei-os de volta na posição e os pressionei suavemente. Após 36 horas ininterruptas de trabalho, fiz a máquina funcionar outra vez. Eles ficaram radiantes; eu fiquei aliviado.

Economizei para eles dezenas de milhares de libras. Meu feito foi notado pelo chefe do escritório, que me deu uma promoção e um novo emprego, numa outra firma de propriedade da mesma *holding*.

O nome dessa empresa era UMP, e eu fui designado como engenheiro-chefe. Minha sorte havia mudado; finalmente eu estava empregando minhas habilidades, compensando todos os anos de instrução que foram interrompidos pelo conflito. Os anos de êxito do pós-guerra tinham começado.

Em casa, eu era menos feliz. O temperamento vivaz de Irene talvez se adequasse a mim antes da guerra, mas logo entendi que eu havia mudado. Não combinávamos. Durante o dia, eu trabalhava e me destacava e, à noite, ainda tinha sofrimentos terríveis. Naqueles anos turbulentos, os pesadelos que haviam rondado minhas horas de escuridão agora desciam sobre mim como uma nuvem pesada e nociva.

Eu não conseguia falar sobre isso com ninguém, nem com ela. Ela jamais entenderia; naquele tempo, ninguém entendia. Quando eu deitava a cabeça no travesseiro, os fantasmas retornavam. Dormir era algo que eu temia. Aquele garoto sendo espancado não era o único pesadelo recorrente. Havia os rostos dos outros prisioneiros judeus torturados — imagens desconjuntadas avultando e evaporando diante de mim. Foram incontáveis as vezes em que eu, durante a noite, voltei à consciência como um mergulhador que emerge de uma caverna submarina, confuso e arquejante. Meu coração disparava, e eu ficava encharcado de suor.

Não havia lugar onde buscar ajuda, e, de qualquer maneira, eu mesmo não teria admitido que precisava disso naqueles dias. Nenhum de nós teria. Minha mulher era incapaz de entender, ninguém a tinha preparado, nem a mim, para uma coisa daquelas, e seria pedir demais a ela.

A lembrança da morte de Les jamais me abandonara, nem os outros incontáveis perecimentos que presenciei. Eu não sonhava com o homem que matara com minhas próprias mãos no deserto, embora a sensação de todos aqueles momentos continuasse sempre comigo, o tempo inteiro. Em vez disso, eu sonhava constantemente com os prisioneiros judeus. Aquelas lembranças impregnavam tudo.

Para piorar, eu sonhava com as horas em Auschwitz III. Os odores medonhos inundavam meu quarto, eu ouvia o murmúrio perpétuo das vozes na noite e sentia de novo como era deitar naqueles beliches. Eu estava escondido naquele lugar escuro e tenebroso, de onde era impossível escapar. Eu sabia que qualquer barulhinho poria tudo a perder. Eu não podia me mexer, nem respirar, precisava ficar quieto; minha vida dependia disso.

Eu já havia tido esse sonho antes, mas dessa vez foi mais apavorante. Eu estava prestes a ser desmascarado e somente o silêncio, um silêncio absoluto, poderia evitar o desastre. Quando o sonho atingiu seu clímax horrendo, Irene, perdida em seu próprio sono a meu lado, gritou enquanto dormia.

Eu precisava interromper aquele som, ou seria apanhado e morto. Ainda adormecido, pulei sobre ela, desesperado para sufocar o barulho. Demorou alguns segundos para que eu acordasse e visse o que estava fazendo: colocara as mãos na garganta dela. Sentei ali na beirada da cama, com o suor pingando de meu rosto, e percebi que ela estava machucada. Ela mal conseguiu falar, e ficou com as marcas vermelhas no pescoço durante vários dias. Foi um momento terrível, terrível. Eu tinha chegado ao fundo do poço.

Alguma coisa precisava mudar. No dia seguinte, fui ao médico e à delegacia de polícia para relatar o ocorrido. Aquilo tinha mexido muito comigo, e eu precisava ir a esses lugares. Quando perdi a memória em Londres, percebi que estava fora de controle e fui à polícia. Dessa vez, foi pior, muito pior.

Achei que estava me tornando perigoso e não teria me importado se eles houvessem me prendido. Uma parte de mim queria que eles fizessem isso. Teria sido uma forma de prevenir ocorrências mais graves. Eles escutaram, mas nada fizeram. Jamais levaram aquilo a sério.

O médico também não foi de grande ajuda e me receitou uns comprimidos. Não sei para que serviam. Muito antes de alguém falar sobre transtorno de estresse pós-traumático, eu estava vivendo o processo. E me sentia sozinho. Não tinha ideia de que muitos outros também estavam sofrendo com aquilo. Nunca me permiti fazer papel de vítima, então o fato de ser vítima de minha própria mente era demais para mim.

Eu sabia que precisava canalizar a dor e o desespero de alguma forma. Eu precisava me curar. A força da mente tinha me ajudado a atravessar a guerra, os campos e a longa marcha de volta para casa. Eu havia dito para mim mesmo que eles não controlariam minha mente, mas agora ela tinha me capturado e estava me destruindo. Era preciso recuperar o controle novamente.

Passei a fazer judô, porque a luta me fascinava. Era uma ponte entre as tradições marciais com as quais eu fora criado, o boxe e a vida militar, e algo mais interessante. Com certeza, o boxe envolvia tática e agilidade, mas agora eu estava aprendendo a usar a força e a raiva do oponente contra ele próprio. Eu não necessitava me esquivar e socar, tudo o que tinha de fazer era encontrar seu ponto de apoio e fazê-lo cair. Treinei até me tornar faixa preta, e a filosofia me atraiu. Eu gostei da ideia de transcender o limiar da dor. A mente é uma coisa maravilhosa. Ela tinha me permitido fazer as coisas que fiz, mas eu conseguiria me curar?

Eu teria adorado estudar o budismo e explorar as religiões orientais, mas não fazíamos essas coisas naquela época. Meu dia de trabalho era bastante intenso, e é provável que isso não fosse exatamente para mim. O retorno à boa saúde levou anos, mesmo décadas. A cura que alcancei não se deu pela fala, muito pelo contrário. Eu me recolhi no silêncio a respeito da guerra e de tudo que fiz e vi. Isso virou passado e foi enterrado, não tinha mais lugar em minha vida. Eu precisava seguir em frente.

Nossas experiências como prisioneiros não agradavam as pessoas. Elas queriam ouvir sobre tentativas de fuga corajosas, e não sobre programas de trabalho forçado. Assim sendo, os filmes sobre os campos de prisioneiros enfocavam os oficiais que não tinham sido obrigados a trabalhar. A experiência da maioria dos prisioneiros comuns foi enterrada e perdida. Eles queriam heróis de combate e batalhas vencidas, e não as derrotas e capturas ignominiosas. Eles queriam momentos de glória, e não histórias prolongadas de resistência, por mais infernais que fossem. Nós fizemos nossa parte e então, naqueles anos do pós-guerra, tornamo-nos invisíveis.

De modo gradual, consegui colocar os piores pesadelos sob controle, de alguma forma. Jamais fui capaz de eliminá-los, mas pelo menos eles já não me derrotavam mais. Sempre gostei de carros velozes, e passei a participar de corridas de automóvel, em busca daquela adrenalina positiva. Tornei-me sócio de um clube que se reunia na pista de Oulton Park, e nós corríamos regularmente com nossos Jaguares incrementados. A vida começou a se reestruturar. Receio dizer que sempre dirigi em alta velocidade, mesmo nas estradas normais e independentemente do clima. A vida normal era lenta e mundana. Eu precisava da intensidade da corrida, e ela me ajudava a diluir as lembranças.

Conforme os anos se passaram e as viagens para o exterior se tornaram mais corriqueiras, fui à Espanha. Por quatro vezes, corri com os touros pelas ruas de Pamplona, durante o festival de San Fermín. Eu entrei no espírito da coisa e me vesti para o evento com camisa e calças brancas, adornadas pelos tradicionais lenços no pescoço e faixas na cintura, todos vermelhos. Sempre fui muito exibido, mas aquilo era muito emocionante. Também fiz mergulho no mar Vermelho, muito antes de virar moda.

Nem todas as minhas atividades eram arriscadas. Voltei a cavalgar e comprei quatro cavalos, tornando-me competidor regular, fazendo adestramento, saltos ornamentais e participando de *cross-country*. Também me engajei em alguns safáris na África, feitos a cavalo. Então, para falar a verdade, tive uma vida boa no pós-guerra. Ocupei todo o meu tempo, não dava para encaixar mais nada. Nem por um minuto pensei que estivesse me escondendo de alguma coisa durante todos aqueles anos. Achei que tivesse purgado e esquecido Auschwitz, que havia seguido em frente, mas aquele lugar nunca me abandonara.

Jamais consegui me sentar com as costas viradas para a porta; ainda não consigo. Estou sempre alerta e pronto. Detesto sentir frio e desperdiçar comida. Tudo isso provém daqueles anos. Os pesadelos nunca mais foram tão extremos e constantes, mas não desapareceram por completo.

Externamente, as coisas iam muito bem. Eu tinha uma bela casa em Bramhall, Cheshire, com quadra de tênis e um grande jardim com milhares de rosas nos canteiros, mas não era exatamente feliz lá. Irene e eu tínhamos poucos interesses comuns. Eu a respeitava, mas nós éramos incompatíveis. Acabamos desenvolvendo uma vida social amplamente independente, começamos a nos distanciar gradualmente, e isso, no final, terminou em divórcio.

Meu pai morreu em 1960. Seu maior orgulho e alegria era a imensa biblioteca de lindos livros encapados em couro, sobre todos os assuntos, que ele colecionou ao longo das décadas. Não pude levá-los para minha casa em Manchester; não era uma viagem fácil naqueles dias, e não tinha espaço para guardá-los. Uma semana depois, um casal de comerciantes *cockneys* veio até a casa em Essex. Queria fazer uma oferta pelo conteúdo.

Eles perambularam por ali, caçoaram e então ofereceram um valor irrisório pela coleção de livros. Foi isso. Mandei-os embora. Empilhei os livros no jardim, a uma boa distância da casa, e queimei tudo junto com a linda escrivaninha de mogno. Os livros pertenceram a ele e deviam ficar ali, onde sempre estiveram. Ninguém mais ficaria com eles.

O fogo ardeu durante três dias e três noites. Tirei um dos volumes das chamas no último minuto e o joguei na traseira no carro. Em seguida, dirigi de volta para casa.

Naquele período, sofremos um arrombamento na casa. Um monte de coisas valiosas foi roubado: relógios, taças de prata e, no meio de tudo aquilo, a velha pasta de couro com minhas anotações sobre Auschwitz. Fiquei sem pensar nelas durante anos, e jamais as reli desde que tinham sido escritas. A pasta era pesada e estava trancada, então deve ter parecido importante, mas não tinha valor para ninguém além de mim. Na hora, fiquei muito mais preocupado com as coisas caras que foram levadas, e não me importei o suficiente com a pasta surrada e os manuscritos.

Como engenheiro-chefe, eu tinha assumido uma posição muito importante dentro da empresa, de modo que, quando ela foi comprada, em 1961, os novos patrões de Venesta preferiram se livrar de mim. Dispensei uma oferta de trabalho em Londres e me tornei engenheiro da Cheshire Sterilised Milk Company. Eu estava tentando recuperar o tempo perdido. E tinha encontrado uma outra maneira de ficar no comando, apesar do que se passava dentro de mim.

Tudo mudou quando conheci Audrey. Descobri o que me fazia falta. Ela preencheu o vazio de minha vida, e tem sido assim desde então. No trabalho, eu sentia que estava assumindo responsabilidades, tomando decisões, tocando a vida e normalmente dirigindo o espetáculo. Olho as fotografias daquela época e vejo um homem de meia-idade confiante, com todos os adereços de sucesso, carros velozes, casa espaçosa, grandes cachorros, cavalos.

Audrey afirma ter conhecido uma pessoa totalmente diferente. Ela disse que eu parecia constantemente perdido, como se procurasse alguma coisa. Ela detectou uma tristeza que eu não admitia nem para mim mesmo e esperava que ninguém percebesse. Em sua memória, eu tinha o rosto magro, e meus olhos estavam sempre fixos no chão. Ela percebeu que alguma coisa não ia bem. E estava certa, ela sempre está. Não era realmente normal. Ela teve o pressentimento de que tinha algo a ver com Auschwitz, mas isso era tudo. Fiquei surpreso com o fato de que ela soubesse tanto. Audrey me ajudou a recuperar a sanidade. Desde então, ela tem sido meu bote salva-vidas.

Havia ainda outro lembrete dos anos de guerra. Meu olho ferido estava piorando cada vez mais. Ele tinha se tornado um problema desde que apanhei na cara, depois de desafiar o guarda da SS. Minha visão ficava subitamente distorcida, objetos grandes se reduziam a nada diante de mim ou, pior ainda, duplicavam-se. Tive de abandonar o críquete e o tênis. Não conseguia mais identificar a direção da bola e, para piorar, não enxergava mais os desenhos de engenharia nas reuniões. Aquilo estava ficando sério e precisava ser resolvido.

Nessa época, Audrey e eu ainda não vivíamos juntos, mas era sábado e eu tinha combinado de levá-la para fazer compras, após uma visita ao oftalmologista. Não era para ser.

O médico fez uma série de testes, lançou luzes brilhantes no meu olho e o examinou utilizando uma série de equipamentos óticos. Quando terminamos, ele deu o veredicto. Não era favorável.

O ferimento no olho havia se tornado canceroso e ameaçava mais do que minha visão. Se não fosse operado dentro de 48 horas, o câncer poderia se espalhar para meu cérebro, e eu morreria. Por volta de uma da tarde, liguei para Audrey e lhe transmiti as más notícias. Eu ficaria no hospital, onde seria preparado para a cirurgia na manhã de segunda-feira.

Meu olho teria de ser removido e substituído por um de vidro. Assim que superei o choque, o médico me perguntou se eu poderia participar de um experimento que permitiria o avanço de seus conhecimentos acerca do funcionamento do olho e dos nervos ópticos. O médico comentou que pediu a um amigo sueco para participar. Eles cortariam os nervos de meu olho com anestesia local, e não geral. Eu deveria falar com eles durante o procedimento, informando o que estava sentindo enquanto era operado.

Chegou o dia da operação. Fechei meu olho bom e olhei para o relógio com o debilitado olho direito, pela última vez. Eram exatamente 11 horas da manhã quando eles me conduziram à sala de cirurgia. Estava totalmente consciente, mas um pouco tonto.

Fui colocado numa mesa que ficava debaixo de lâmpadas brilhantes, e o experimento se iniciou. Não me lembro de ter sentido qualquer dor, mas me recordo do médico penetrando cada vez mais profundamente em meu olho, com sua lâmina fina, e me perguntando enquanto avançava:

— Você vê alguma coisa quando faço isso?

— Não, nada diferente — respondi.

Ele penetrou um pouco mais.

— E agora? — perguntou ao adentrar, e prosseguiu.

Houve mais um leve movimento de sua mão, tão delicado quanto o de um relojoeiro, e meu olho escureceu. Era como se uma pesada moeda tivesse sido posta em cima dele. A visão de meu lado direito tinha se acabado para sempre, e eu fiz um comentário a respeito quando ela se foi. Não me lembro exatamente o que aconteceu depois disso; acho que recebi uma anestesia geral, para que eles pudessem remover o olho por completo.

Ao recobrar a consciência, fiquei aliviado de ver que enxergava com meu olho bom. Eu me recuperei tão bem que não me lembro de ter me sentido excepcionalmente angustiado por causa daquilo, embora Audrey tenha ficado bastante atormentada.

Pela colaboração na pesquisa, eu me beneficiei de outro procedimento experimental. Fui receptor de um dos primeiros olhos de vidro removíveis. Os músculos seriam atados a uma junta na parte de trás da órbita e, assim, poderiam se fixar no olho falso, permitindo-lhe um movimento limitado.

Na ocasião, aquilo foi maravilhosamente moderno. O que se seguiu não foi. Eles encheram meu olho de massa para fazer o molde e me deram um olho de vidro temporário, que não se encaixou. Um tempo depois, fui enviado ao pequeno estúdio de uma artista. Uma jovem apareceu, conversamos brevemente, e então ela me sentou como se fosse começar a pintar meu retrato. Ela olhou para mim com acuidade durante um bom tempo, e depois trouxe um olho de vidro branco, pequenos potes de tinta e pincéis bem fininhos. Como uma artista trabalhando num camafeu, ela misturou as cores para captar cada pequena marca e cada matiz. Ela fez um trabalho maravilhoso, que ficou muito melhor do que muitos outros produzidos mais tarde com métodos mais avançados.

Muitas pessoas não percebem que é um olho de vidro até eu tocá-lo com uma colher de chá para demonstrar. Eu ainda o tiro às vezes, e geralmente o coloco junto a meu aparelho de audição na mesa de cabeceira. Audrey diz que existem tantos pedaços de mim ali algumas noites que ela preferia dormir em outro lugar. Normalmente, ela acrescenta uma perna mecânica de mentirinha para aumentar a piada.

Em junho de 1966, recebi uma carta e um cheque, como compensação por aquilo que o comprovante anexado denominava de "perseguição nazista". Perfazia o total de 204 libras e era assinado pelo tesoureiro geral. Fiquei chocado e indignado. Sempre achamos que o governo não havia nos tratado corretamente, e aquilo apenas confirmava nossa opinião.

Levou um tempo para que os anos de vida corrida terminassem, e isso aconteceu como um solavanco. Eu havia elaborado um novo processo revolucionário de extrusão compacta, capaz de fabricar com mais eficiência tubos de pasta de dente de alumínio e recipientes para alimentos. Era minha própria aventura, e eu havia colocado todo o meu dinheiro naquilo. Eu estava fascinado pelo desafio, mas acabei tomando pouco cuidado com os contratos e com as letras miúdas. O resultado foi amargo, e eu perdi quase tudo. Nessa mesma ocasião, minhas ações despencaram, e os bons tempos chegaram ao fim. Eu sempre fui um desastre com dinheiro.

Havia ainda um grande projeto para mim. A firma Associated Dairies, que veio a se tornar a gigante do varejo ASDA, pediu-me para construir uma fábrica perto de Newcastle, destinada a produzir e embalar leite esterilizado longa vida. Eu concordei em fazê-lo. Comprei o terreno, negociei com as autoridades locais, e em seguida desenhei e construí o que se tornaria a primeira planta totalmente automatizada desse tipo no país. Ela foi inaugurada pelo príncipe Charles e representou um fim de carreira adequado, se não próspero, do qual muito me orgulhei.

Eu tinha começado a reavaliar a vida antes da aposentadoria. Audrey e eu não queríamos dever dinheiro a ninguém, então vendemos tudo e nos mudamos de Cheshire. Compramos uma casa menor na saída do vilarejo de Bradwell, em Derbyshire, cercada de campos. É um lugar onde muros antigos de pedra sobem pelas colinas verdes e dividem os vales. Eles cercam a pista atrás da casa, que faz curvas e inclinações próximas à entrada de uma caverna, seguindo sinuosamente em frente, até encontrar a estrada principal fora do povoado. É um lugar em que vivemos as estações, em vez de testemunhá-las. Ele é esplêndido e, ao mesmo tempo, inóspito. É o melhor e mais feliz lar que conheci.

Capítulo 19

O silêncio prosseguiu. Audrey não sabia detalhe algum de minha passagem pelo E715, da troca em Auschwitz e nem de Ernst. Quando me perguntavam, eu me recusava a dizer qualquer coisa. Aquilo não dizia respeito às nossas vidas no pós-guerra. E permaneceu oculto.

Não havia pessoas querendo saber, e houve poucas ocasiões para falar daquilo. Se me perguntassem, eu não poderia responder. Minha experiência não foi igual à de um sobrevivente do Holocausto. Eu tinha presenciado alguns dos maiores crimes da humanidade, mas não fui atingido por eles. Então o que poderia dizer? Em que lugar iria me encaixar? Naquela época, Ernst era uma das muitas faces macilentas em minha mente, homens cujas mortes talvez não viessem a ser lembradas por ninguém.

Mas algo estava se remexendo. Não em mim, ainda, mas fora. O público estava bem consciente do Holocausto, das câmaras de gás e do crematório. Aquelas imagens terríveis dos campos de concentração tinham começado a aparecer nos documentários alguns anos antes. Os espectadores, já acostumados com o ocorrido, deixaram de ver as vítimas como indivíduos, como pessoas.

Agora era diferente. A atenção começou a se voltar das câmaras de gás nazistas para os próprios programas de trabalho escravo. Eu sabia que as vítimas que tinha visto valiam menos do que escravos para eles. Um escravo tinha valor para seu dono, ao passo que o trabalho que aquelas pessoas foram obrigadas a fazer em lugares como o Buna-Werke da IG Farben representava apenas um método de assassinato. O rádio e a televisão começaram a mostrar, enfocando essas experiências.

Em setembro de 1999, li um artigo no jornal *The Times* sobre um sobrevivente judeu da planta *Buna* de Auschwitz, chamado Rudy Kennedy, cujo nome original era Karmeinsky. Ele apareceu inúmeras vezes no rádio e na televisão, fazendo campanha pela compensação às vítimas dos campos nazistas de trabalho escravo. Embora isso fosse estranho, fui tomado pela ideia de que poderia conhecê-lo e de que poderíamos ter trabalhado juntos na IG Farben. Tentei fazer contato com ele através do jornal, mas nada aconteceu.

Alguns sobreviventes agora mostravam sua raiva, como nunca tinham feito antes. E isso começou a causar impacto. Em agosto de 2000, após anos de contendas, o governo e o empresariado alemão criaram a Fundação Lembrança, Responsabilidade e Futuro, com dez bilhões de marcos alemães, destinada a compensar os trabalhadores escravizados e forçados, e outras vítimas dos nazistas.

Fui convencido a me inscrever e recebi o formulário da Organização Internacional para Migrações, uma das instituições que administrava o esquema. Eles levaram dois anos para recusar meu pedido, e todos os outros submetidos pelos prisioneiros aliados do E715. Não era o dinheiro que me importava, era a falta de reconhecimento daquilo que acontecera que mais me aborrecia. Mais uma vez, nossa experiência tinha sido desconsiderada. Fiz um apelo apaixonado e encorajei os outros rapazes a fazer a mesma coisa.

Entrei numa fase de atividade intensa e escrevi cartas raivosas. Bombardeei os parlamentares, o Ministério da Defesa, e até o primeiro-ministro Tony Blair. Eu tinha decidido que as pessoas deveriam saber que os prisioneiros aliados tinham sido obrigados a trabalhar, algumas vezes em condições terríveis. Não foi uma questão de sair da guerra e ficar esperando pela libertação. Nós também fomos trabalhadores forçados.

Particularmente, eu desejava que o governo britânico tomasse conhecimento do E715, um campo tão próximo a Auschwitz que acabamos fazendo parte de sua força de trabalho. Eu acreditava que nós pelo menos merecíamos um pagamento semelhante àquele recebido pelos prisioneiros de guerra do Extremo Oriente, que tinham sofrido nas mãos dos japoneses. Um tempo depois, recebi um cheque de mais ou menos cinco mil libras, enviado pela Organização Internacional para Migrações. Fiquei satisfeito de ver que meu apelo tinha dado certo, mas muitos rapazes continuaram sendo rejeitados. E isso não estava certo.

Eu me engajava na guerra pela primeira vez desde 1945, mas ainda não havia explorado todas as lembranças do que acontecera. O Museu de Guerra Imperial enviou alguém para falar comigo. Não sei como ela conseguiu isso, mas fez um trabalho de primeira qualidade. De alguma forma, ela me fez falar. Não deve ter sido fácil. Eu passava pelas coisas com muita rapidez. Pela primeira vez, eu pelejava para trazer tudo aquilo de volta. Havia coisas sobre as quais eu nunca tinha falado antes, e tenho certeza de que me confundi algumas vezes, mas havia dado o primeiro passo. Eu estava falando sobre aquilo. Quando a entrevistadora foi embora, percebi que ela não tinha escutado da missa a metade. Eu mal arranhara a superfície.

Certa vez, chegou uma pessoa desconhecida à porta. Era um belo dia, o que em Derbyshire significava que não estava chovendo, e eu me distraía pela casa. Tocaram a campainha, e, ao atender, vi um homem que se apresentou como oficial militar, embora estivesse vestido como civil. Ele entrou e se sentou no sofá. Disse que trabalhava para a organização de ex-combatentes denominada Combat Stress, e então derrubou a xícara de chá que Audrey lhe trouxera, molhando nosso carpete novo. Eu lhe falei para não se importar com aquilo, e ele começou a explicar que sua organização tentava ajudar ex-soldados a enfrentar o trauma da guerra. Ele queria saber se eu precisava de algum apoio. Minha resposta foi breve:

— Meu caro, você está sessenta anos atrasado.

Olhei para a patente em seu cartão de visitas e descobri outra faceta dele. Ele não tinha ido à guerra, pelo que percebi, então o que podia saber? Fui bem direto. Espero não ter sido demasiadamente grosseiro. Nós, os soldados, fomos desmobilizados com um terno barato e sem ouvir um simples "muito obrigado". Eu sobrevivera sozinho aos anos de pesadelos e de angústia, e, agora, na casa dos oitenta anos, alguém vinha me oferecer ajuda. A maioria dos rapazes já estava morta.

Nem o governo nem as forças armadas se importaram conosco depois da guerra. Foi assim que as coisas se passaram. Ou as famílias reconstruíam suas vidas, ou não reconstruíam. Eu não consegui cessar os pesadelos completamente, mas pelo menos eles já não me controlavam mais. O homem da organização Combat Stress não representava nem o governo nem as forças armadas, e estava tentando ajudar. Tempos depois, senti pena dele. Eles fazem um excelente trabalho.

As coisas realmente começaram a mudar em 2003, quando fui convidado a aparecer num programa ao vivo da rádio local, a fim de discutir as pensões de guerra. Eu estava lá sentado no estúdio para falar resumidamente sobre o Serviço Social de Pensões de Guerra. A luz de "No Ar" foi acesa. O programa era ao vivo. Havia mais outros dois convidados a meu lado, o meu microfone foi aberto, e eu sabia o que iria dizer. Então, o apresentador me fez uma pergunta totalmente inesperada. Ele perguntou sobre meu próprio serviço na guerra.

Como geralmente faço, comecei do começo. De repente, eu estava falando sobre a guerra de uma forma muito pessoal pela primeira vez. Comecei pausadamente, mas, conforme fui me lembrando de tudo, termos em alemão afloraram em minha fala. Num determinado ponto, o apresentador precisou me pedir para traduzir uma frase que falei em alemão, para que a plateia pudesse acompanhar.

Logo, as lembranças fluíram, e as palavras saltaram. Eu não me calaria mais.

Percorri toda a história, tal qual a recontei aqui, até que passei a descrever Auschwitz e o trabalho ao lado dos prisioneiros judeus, do alvorecer ao anoitecer, todos os dias. Isso foi diferente. Minha voz ficou embargada, as emoções afloraram, e eu dei uma parada. Seguiu-se uma longa pausa. Eu tinha voltado para lá e pelejava com as palavras. Então me recompus e retomei uma parte menos dolorosa da história, ganhando tempo para me recuperar. Em seguida, mergulhei de volta naquilo tudo. Descrevi o odor nauseante das chaminés do crematório. Eu podia senti-lo enquanto falava. De novo, eu estava lutando. Os outros convidados do estúdio ficaram em silêncio, o apresentador mal precisava fazer perguntas. Disse-lhe que passei anos vendo homens serem chutados até morrer, todos os dias. Dessa vez, alguma coisa tinha sido realmente destravada. Eu me tornara capaz de falar sobre aquilo tudo como nunca fizera antes; isso era novo para mim. Aquele programa levou a outras entrevistas. Velhas lembranças voltavam a todo instante, e não era mais possível engavetá-las. Eu tinha me libertado.

Escrevi para Les Allen, secretário honorário da Associação Nacional de Ex-Prisioneiros de Guerra, e o coloquei a par da situação. Pouco tempo depois, Les mandou um repórter da BBC, Rob Broomby, para me ver. Ele vinha investigando a história dos prisioneiros britânicos mantidos perto de Auschwitz. E também trabalhara em diversos relatórios antigos sobre os trabalhadores escravos judeus e as empresas alemãs. Ele tinha acabado de voltar de Berlim, onde trabalhou como correspondente da BBC. Gostei da abordagem de Rob. Ele era despretensioso e respeitoso. E entendeu.

Rob acabaria fazendo parte dessa história de várias maneiras. Ele vinha examinando o caso da compensação aos prisioneiros de guerra britânicos, que tinham sido obrigados a trabalhar para os alemães. Contei a ele sobre o detento judeu chamado Ernst, cuja irmã tinha vindo para a Inglaterra e que eu tentara ajudar por meio dos cigarros contrabandeados. Também relatei a troca que fiz com Hans e descrevi as noites em Auschwitz III.

Quando o programa foi ao ar, não fiquei totalmente surpreso ao saber que a história completa da troca não foi considerada satisfatória. Mais adiante, ouvi dizer que ele tinha tentado fazer outra coisa com aquela parte da entrevista, mas que não funcionou, e ele acabou desistindo.

Alguns anos se passaram até que Rob, que agora trabalhava com um produtor da BBC chamado Patrick Howse, entrasse em contato comigo outra vez. Era o outono de 2009, e eles queriam gravar uma entrevista sobre minha história para o rádio e a televisão. Dessa vez, o cerne seria a troca em Auschwitz e minhas tentativas de ajudar Ernst.

Nas semanas seguintes, Rob me telefonou novamente e fez mais perguntas. Ele teve a louca ideia de que poderia encontrar Susanne, a irmã de Ernst. Segundo ele, se ela ainda estivesse viva, eles poderiam descobrir como foi a morte de Ernst. Eu não falava com ela desde 1945, e não tinha meios de saber que rumos a vida dela tomou desde então. Se ela realmente estivesse viva, já teria idade bastante avançada, como todos nós.

Procurei meu velho caderninho de telefones de 1945 para tentar achar alguma coisa. Ele estava velho e esmaecido, mas as letras ainda estavam bem legíveis. Na época, escrevi o nome dela como Susanne Cottrell, Tixall Road, número 7, Birmingham. Acho que esse nome fora adotado.

Rob me manteve atualizado acerca da pesquisa para encontrá-la, mas as coisas não iam muito bem. Passaram-se semanas sem contato. A Associação de Refugiados Judeus havia lhe dito que Cottrell não soava de modo algum como sobrenome judaico, e que seu especialista em *Kindertransports* não seria capaz de identificar alguém apenas pelo primeiro nome. Suas tentativas de busca nos registros do Conselho de Refugiados de Birmingham tinham sido igualmente infrutíferas.

O primeiro golpe de sorte para ele veio do registro eleitoral de 1945, que listava três eleitoras que moravam no endereço de Tixall Road. A boa notícia era que todas tinham o sobrenome Cottrell, a má notícia era que nenhuma delas era Susanne. Havia três mulheres relacionadas: Ida, Sarah e Amy. Ele me perguntou se alguma delas poderia ser Susanne, arrolada sob um nome diferente. Eu não tinha como saber.

Aquilo foi desesperador. Eu sabia que Rob estava envolvido no noticiário diário da BBC e que as horas de busca estavam interferindo em suas demais obrigações. Achei que ele ainda resistiria por mais algumas semanas, e depois jogaria a toalha. É isso o que sempre acontece. Naquele momento, só teríamos uma notícia de quatro minutos na TV e uma reportagem um pouquinho mais longa para a Rádio BBC. Não seria exatamente um documentário investigativo relevante.

Então, ele me telefonou com novidades interessantes. Ele tinha conseguido entrar em contato com as pessoas que moravam agora em Tixall Road, número 7. Num país em que as casas mudam de mãos com relativa frequência, ele ficou impressionado ao encontrar morando ali o casal que havia comprado a residência da senhora Cottrell, na década de 1960.

Eles se lembraram de ouvir a história da garota judia alemã que os Cottrell haviam abrigado durante a guerra. Rob ficou exultante, mas aquilo só confirmava o que eu já sabia. Ele não colheu qualquer outra informação. A notícia serviu para dar a ele um ânimo temporário, mas não significou que ela ainda estivesse viva. As pegadas ficaram desbotadas. Procurei na memória mais detalhes daquele encontro traumático, a fim de ajudá-lo, mas não adiantou. Aquele período se transformara num imenso borrão.

Eu não tinha certeza de que ela havia sido formalmente adotada e, se tivesse sido, os documentos seriam privados. O registro eleitoral, os resultados do censo e até a lista telefônica indicavam uma infinidade de pessoas com o sobrenome Cottrell espalhadas por todo o país, mas as horas passadas ao telefone não serviram de nada. Os colegas dele começaram a se perguntar se aquilo não era perda de tempo. Existiam histórias muito mais fáceis de pesquisar.

Havia apenas mais uma coisa para ele fazer. Por desespero, ele começou a ligar para as pessoas com as quais já havia falado.

Ele tornou a ligar para a família de Tixall Road. Desde a primeira conversa, eles tiveram algum tempo para pensar. Haviam falado com seu filho Andrew, que vivia na cidade próxima de Solihull. Ele não só se lembrou de ter ouvido a história da garota alemã, que viera para a Grã-Bretanha como criança refugiada no começo da Segunda Guerra Mundial, como também tinha certeza de que ela ainda vivia na região de Birmingham. Ele achava que ela se casara e adotara o sobrenome James, e tivera um filho chamado Peter. As coisas estavam melhorando. Ele estava convencido de que a tinha visto jantando num pub local um ou dois anos antes.

Aquela notícia era maravilhosa. Rob agora tinha de procurar uma Susanne James, com um filho chamado Peter que ele supunha ter se mudado para os Estados Unidos, onde se tornara um contador bem-sucedido. A busca então se iniciou nos dois lados do Atlântico, embora James fosse um nome relativamente comum.

Mas Andrew tinha fornecido outra informação. Ele estava certo de que até recentemente Susanne tinha morado num endereço em Warwick Road, na área de Acocks Green, em Birmingham.

A rua era imensa. Tão longa, de fato, que havia mais de uma pessoa de sobrenome James registrada em seus endereços nos últimos anos. Um dos números que pareciam promissores pertencia a uma distribuidora de quentinhas, e eles estavam mais interessados em atender pedidos do que em procurar pessoas desaparecidas.

Outra listagem demonstrou ser intrigante. O registro eleitoral de 2001 mostrava uma Susanne E. James num endereço de Warwick Road. O mistério é que havia dois outros nomes registrados como eleitores no mesmo lugar, um dos quais parecia ser do leste europeu. A mulher que atendeu o telefone sem dúvida era jovem demais para ser Susanne e pareceu confusa com a ligação. Não era para menos: havia um sujeito totalmente estranho na linha, perguntando coisas esquisitas sobre uma senhora que ele obviamente não conhecia. No fim das contas, ela se lembrou de que quem lhe mostrara a casa para comprar foi uma pequenina senhora de cabelo grisalho. Aquilo parecia promissor, mas ela não conseguiu se lembrar do nome da mulher.

Mais frustração. Rob me telefonou para dizer que estava quase desistindo, pois investira semanas na procura e até agora tinha pouco para mostrar. Assim sendo, ele e Patrick decidiram fixar uma data para fazer a gravação de minha história para o rádio e a TV, do jeito que estava.

Ele me disse que eles haviam incluído mais um último dia de buscas em Birmingham, como uma cartada final, mas que depois disso não poderiam fazer mais nada. Os noticiários funcionavam sob pressão. Eu tive certeza de que eles não encontrariam a mulher que eu vira há 64 anos, ainda jovem. Ernst, seu irmão, era apenas um dos milhões de seres vitimados. Eu imaginava o que tinha acontecido com ele, e não precisava que me contassem. Não tivemos os resultados esperados naquela busca, mas foi bom enquanto durou. Eles teriam de contar apenas comigo para montar sua história.

A equipe de TV chegou em boa hora. Eu me lembrei de Rob e fui apresentado a Patrick. Ele tinha me causado uma ótima impressão ao telefone e era, como imaginei, atencioso e cuidadoso. Fiquei contente ao ver que ambos traziam papoulas nas roupas, uma homenagem dos britânicos aos mortos nas duas guerras mundiais que ocorre num determinado dia de novembro.

Eles mudaram os móveis de lugar e instalaram as câmeras, de modo que pudessem capturar lampejos de Hope Valley pela janela que ficava atrás de mim. Eles tinham trazido duas câmeras e, embora uma delas fosse consideravelmente menor do que a outra, acabaram transformando minha sala de visitas num miniestúdio. Mostrei-lhes a espingarda que meu pai tinha me dado quando ainda era criança, pendurada na parede, e minhas fotografias montado a cavalo. Audrey serviu xícaras de chá e deixou todo mundo à vontade.

Eu me instalei na poltrona, com Rob do lado oposto fazendo as perguntas. Ele começou a entrevista falando do Deserto Ocidental. Passamos rapidamente pelos combates e por minha captura e fuga do navio torpedeado. Em seguida, tratamos do campo italiano de prisioneiros de guerra e de minha transferência primeiro para a Alemanha e depois, finalmente, para o E715, para labutar com os trabalhadores escravos de Auschwitz.

Ele me questionou sobre a troca com Hans, minhas noites em Auschwitz III e, em seguida, contei-lhe da história de Ernst e dos cigarros camuflados. Comparado com as primeiras tentativas de falar sobre tudo isso, aquilo foi fácil. Cheguei ao final da história de Ernst e dos cigarros, e eles fizeram uma pausa para trocar as fitas.

Continuei sentado com os microfones conectados na lapela e olhei pela janela, para o vale de Bradwell Edge. Eu tinha galopado com meu cavalo Ryedale por aquela serra inúmeras vezes, há tempos, e conhecia cada palmo do caminho. Ryedale era um belo garanhão; cruzamento árabe-hanoveriano, com um 1,73m de altura, era o cavalo mais inteligente que eu havia conhecido. Cheguei a comprar um pônei para lhe fazer companhia que, de tão pequeno, conseguia passar por baixo de Ryedale quando ele ficava parado. Quando eles morreram, cavei um buraco profundo e enterrei um de cada vez no terreno abaixo da janela. Conforme os anos foram passando, desisti de cavalgar. Hoje, para mim, as colinas nas quais eu galopava constituem apenas uma paisagem, na maior parte das estações, bastante dramática.

Naquele dia, enquanto a equipe da TV andava por ali, parecia que todo o colorido da montanha tinha escoado da paisagem. As árvores e os arbustos que dão a textura do outono exibiam uma aparência opaca e fatigada. A atmosfera outonal ainda precisava inflamar as árvores de folhas largas do vale.

As luzes da TV se acenderam outra vez, e nós reiniciamos a entrevista. Precisei juntar minhas ideias com rapidez. Rob me perguntou outra vez sobre Ernst e sobre o que eu achava que tinha acontecido com ele.

Minha mente retrocedeu até os cadáveres embranquecidos e congelados na marcha da morte, os corpos despidos sobre os quais passamos, ao longo de quilômetros, há 64 anos. Senti aquele frio novamente. Eu não tinha um pingo de dúvida de que Ernst teria morrido ali, como tantos outros. Eu estava prestes a recontar a história daquela marcha e daquilo que tinha visto, quando fui interrompido.

— Fizemos algumas pesquisas, Denis — falou Rob. Ele estava recostado em sua poltrona e segurava alguma coisa. — Ernst não morreu.

Fiquei boquiaberto e demorei a entender. Rob estava dizendo que Ernst tinha sobrevivido à marcha da morte. Fotografias foram colocadas em minhas mãos. Procurei pelo meu monóculo na corrente em volta do pescoço. Vi o rosto bonito de um jovem. Eram feições que eu conhecia. O cabelo tinha crescido outra vez, e ele não estava tão magro quanto antes, mas era ele mesmo. O garoto que eu conheci há tantos anos sorria de novo para mim.

— Pelo amor de Deus — foi tudo o que consegui dizer.

Ernst havia sobrevivido, contra todas as previsões. Rob me contou que, de alguma forma, ele conseguiu lutar enquanto tantos outros pereceram. Ele partiu para os Estados Unidos, onde construiu uma vida próspera e feliz. Formou uma família e viveu até os 77 anos. Rob seguiu todas as pistas e fez um resumo da história de vida de Ernst para mim.

— Pelo amor de Deus — repeti. — Isso é simplesmente maravilhoso.

Havia fotografias dele quando criança ao lado de uma menina. Devia ser Susanne. Havia fotos dele nos últimos anos, com um olhar travesso que somente um homem que gostava de se divertir poderia ter aos setenta anos. Numa das fotos, ele estava ao lado de uma mulher bonita, de distintos cabelos grisalhos e rosto simpático. Eu poderia ter sido derrubado por uma pena.

Eu me senti animado e frustrado ao mesmo tempo. Ele havia morrido havia apenas sete anos. Eu me senti tão próximo dele naquele momento preciso, mas sabia que nunca mais o encontraria. E a pergunta já estava se formando em minha cabeça: como foi que ele conseguiu sobreviver à marcha da morte?

Capítulo 20

A equipe da TV queria me filmar do lado de fora, de modo que vesti um suéter mais quente. Fiz várias cenas para o filme, abrindo e fechando portões, e repetindo os movimentos de diversos ângulos. Alimentei os dois pôneis Shetland, Oscar e Timmy, que compramos para evitar que fossem para a França virar bife. Não suporto ver os animais sofrerem. A filmagem demorou demais. Eu ainda não podia acreditar. Ernst havia sobrevivido à marcha da morte, mas como foi que eles desenterraram essa história?

Apenas um dia antes, Rob e Patrick não pareciam estar próximos de uma descoberta. Eles chegaram a Solihull, num dia úmido e sombrio, e pararam o carro na frente de uma confortável casa suburbana. Eles tinham ido se encontrar com Andrew Warwick, cujos pais ainda moravam na casa de Tixall Road. Eles foram levados até a cozinha e, na frente dos dois, Andrew repetiu a história de seu encontro com uma senhora que ele tinha certeza de que era a Susanne que eles procuravam. Para poupar tempo, ele os levou de carro até o local.

O Plume of Feathers era um pub grande e confortável, que tinha um salão de jantar. Tratava-se de um estabelecimento central sempre abarrotado, e não o tipo de lugar em que os empregados conhecem os fregueses pelo nome. Uma mulher que servia no bar disse ter uma vaga lembrança de uma senhora idosa que se encaixava na descrição que eles fizeram, e que ia almoçar ali com uma amiga. Em geral, ela se sentava do lado da janela, mas fazia bastante tempo que não a viam por ali.

Não foi uma grande pista. Quando se aproximou a hora do almoço, a fila de pessoas idosas bem-vestidas que esperavam para pedir sua refeição chegava perto da porta do pub. A maioria das mulheres na fila se encaixava na descrição.

Rob e Patrick, quase sem esperança, saíram fazendo uma pergunta: alguém tinha ouvido falar de uma velha senhora chamada Susanne, que escapara da Alemanha ainda criança, antes da guerra? Já estava ficando ridículo. Eles deixaram seus números de telefone no bar e saíram rumo ao estacionamento desolador se sentindo derrotados. Patrick sugeriu que fossem a uma biblioteca pública e procurassem mais uma vez o registro eleitoral. Mas, em vez disso, partiram rumo a Tixall Road para agradecer ao senhor e à senhora Warwick pela ajuda, e para filmar a casa. Eles perderam o ânimo. A única pista que restava era uma relação com o nome de uma Susanne James que vivera em Warwick Road oito anos antes.

Eles partiram outra vez. Rob tinha dificuldades de olhar o mapa sem os óculos e o abriu por todo o caminho. Patrick parou o carro no acostamento de uma larga estrada de três pistas.

— Isso está ficando estranho — disse ele, recostando-se para olhar o mapa. — Acho que queremos chegar aqui.

E então dedo dele girou apontando metade de Birmingham. Ele murmurou alguma coisa sobre agulhas em palheiros e deu a volta com o carro. Após alguns quilômetros, as sinalizações da estrada começaram a fazer sentido outra vez. Eles estavam seguindo a pista.

Mesmo que Susanne estivesse listada em Warwick Road, havia incontáveis razões para que ela não morasse mais ali. Ela poderia estar morta, ou num asilo. Se ela tinha um filho nos Estados Unidos, poderia ter se mudado para lá.

Eles pararam o carro perto da esquina do endereço de Warwick Road e seguiram a pé. Aquela havia sido uma bela rua residencial, antes que o tráfego a sobrepujasse. Agora, tratava-se de uma estrada arterial sempre cheia, a A41, que ligava Birmingham a Solihull. O fluxo constante de automóveis acabara produzindo uma fissura no bairro. Os moradores de um dos lados da estrada dificilmente tinham contato com os moradores do outro. Não era um bom sinal. A poeira e a fumaça dos escapamentos cobriam a pintura, e até mesmo as folhas nos arbustos. Algumas casas tinham pequenos jardins na frente, que ninguém podia aproveitar por causa do tráfego.

Eles conferiram o endereço mais uma vez, seguiram para a porta da frente da casa e bateram com força. Não houve resposta. Tentaram de novo, e nada. Eles se dirigiram para a próxima casa e fizeram a mesma coisa. Não havia ninguém, e era meio-dia. Andaram pela rua toda sem qualquer resposta. Era o tipo de jornalismo de porta em porta que ninguém mais praticava, e dava para ver por quê.

Havia uma última porta em que eles não tinham batido, e dessa vez alguém estava em casa. Ouviram o som de diversas trancas sendo destravadas. A porta se abriu, e um homem de meia-idade olhou cuidadosamente para fora. Não era o tipo de vizinhança em que as pessoas chegavam sem avisar.

Eles sorriram e começaram a explicar. Eram jornalistas e procuravam uma senhora idosa chamada Susanne, possivelmente Susanne James, que havia fugido da Alemanha antes da guerra. A princípio, ele falou pouco, mas sua linguagem corporal começou a relaxar paulatinamente, e a porta se abriu um pouco mais.

Eles mostraram suas identidades e o deixaram falar. O homem ficou intrigado com as visitas inesperadas. E disse que se lembrava de uma vizinha chamada Susanne James, que tinha se mudado há alguns anos.

— O senhor acredita que ela ainda esteja viva? — perguntaram.

— Sim, até onde eu sei — respondeu ele. Os dois homens na soleira da porta deram um longo suspiro. — Por que a estão procurando? — indagou ele.

Eles explicaram a história rapidamente, e lhe garantiram que ela gostaria de ser encontrada. Isso tinha a ver com o irmão dela e com a guerra. Houve uma pausa, e ele ficou a esquadrinhá-los.

— Acho melhor vocês entrarem — disse ele.

Os dois entraram num corredor estreito. Havia um computador embrulhado no chão, e cabos e fios espalhados por toda parte. Com certeza, a hora não era boa. Prateleiras de livros escureciam a escada. O nome do homem era Michael, e ele foi caloroso com Rob e Patrick. Ele trazia um sorriso irônico no rosto, como se estivesse lidando com uma dupla de garotos levados, e ainda estivesse decidindo se os agradaria ou se os mandaria embora. Eles continuaram falando, a fim de amenizar a situação. E, em seguida, ele mostrou suas cartas.

— Na realidade — disse ele — conheço Susanne James muito bem. Nossas famílias foram vizinhas por vários anos.

Patrick quase deu um sorriso. Houve um novo silêncio. Michael olhou para o carpete e mordeu os lábios por um segundo. Ele parecia inseguro quanto à forma de agir. Rob ajudou, com delicadeza:

— De que modo poderíamos entrar em contato com ela? — perguntou. Houve uma nova pausa, antes que ele tomasse a decisão.

— Eu poderia telefonar para ela — afirmou Michael.

Não havia necessidade de resposta. Michael conferiu o número antes de ligar. Alguém atendeu, e ele começou a explicar. Ele logo esbarrou em alguma dificuldade, então se virou para Rob e disse:

— Por que você mesmo não fala com ela? Tome.

E passou o telefone. Do outro lado da linha, Rob ouviu a voz suave e amigável de uma velha senhora. Eles tinham encontrado a garota que conheci há 64 anos, numa época em que estava lutando pela minha própria sanidade. Ela viera da Alemanha com o *Kindertransport*, em junho de 1939, com apenas 15 anos de idade. Um telefonema inesperado num dia úmido em Solihull tinha começado a desvendar toda a história.

Michael os advertira para o fato de que ela era muito tímida, mas naquele dia ela mesma superou o próprio acanhamento. Susanne deu a eles seu endereço e lhes pediu que viessem o mais rápido possível. Rob sugeriu um encontro dentro de algumas horas, o que daria a ele tempo para pensar. Ele não queria correria.

Eles dirigiram uns dois ou três quilômetros pela estrada, para matar o tempo, e acharam um pequeno restaurante com mesinhas de fórmica lascada. Pediram pastéis de falafel com salada, e Rob tomou uma grande xícara de chá. Ele começou a sorrir de nervoso e teve dificuldade de ficar sentado.

Patrick, firme e confiante, pensava na logística e tentava se convencer de que era apenas mais uma tarefa profissional. Era assim que evitava as decepções. Eles deveriam filmar o encontro ou aquilo assustaria a senhora, que ainda não sabia o que eles desejavam? Nenhum dos dois estava em condições de confiar na própria sorte. Rob começou a balbuciar:

— Acho que estragamos tudo. Você acha que fizemos besteira?

Patrick, que até recentemente tinha sido um produtor de alto nível em Bagdá, era cauteloso em relação à euforia prematura. Com seu sotaque afetuoso de Blackburn, escolheu as palavras com bastante cuidado.

— É o que vamos ver, certo? — respondeu.

O carro entrou numa região residencial silenciosa, cheia de jardins arrumados. E lá estava ela. Uma senhora baixinha, com os cabelos brancos ajeitados e o rosto sincero e honesto, descendo pelo caminho em frente a sua casa. Rob ajustou o aparelho de gravação, na esperança de captar as saudações, mas decidiu que o momento era precioso demais e preferiu se apresentar.

— A senhora não pode imaginar como ficamos felizes de encontrá-la — disse ele, logo assim que entraram na casa e se sentaram no sofá.

Acho que ele não acreditava que poderia encontrá-la, mas mesmo assim não tinha desistido. O telefonema a surpreendera, mas, sem muito tempo para se preocupar com a situação, ela resolveu encará-la. Em seguida, vieram as xícaras de chá, eles se acomodaram no sofá, e a história começou a ser contada.

Susanne nascera em 1923, na bela cidade medieval de Breslau, na Alemanha. Seu nome de batismo era Susanne Lobethal, e seu endereço era Goethestrasse 45-47.

Eles haviam sido uma proeminente família judaica, mas, depois que o pai os abandonou, os tempos se tornaram difíceis. Na véspera da guerra, Susanne conseguiu um lugar no *Kindertransport*, rumo à Inglaterra, mas Ernst não teve a mesma sorte. Ele permaneceu na Alemanha e foi deportado para Auschwitz, em janeiro de 1943.

Eles começavam a compreender agora por que tinha sido tão difícil localizar Susanne. Ela jamais adotou o nome Cottrell na Inglaterra. Minha suposição estava errada, embora ela tivesse grande consideração por Ida Cottrell, que a acolhera maternalmente. Susanne se naturalizou inglesa depois da guerra e passou a usar seu verdadeiro nome pela metade, chamando-se Susanne Bethal, que jamais procuramos em nossas pesquisas. Uma ligação vital que estava faltando. Sem a pista da família Warwick, de que ela tinha se casado e adotado o sobrenome James, tudo estaria perdido. Para confundir ainda mais as coisas, o primeiro marido dela tinha morrido em 1994, e ela tornara a se casar e a trocar de nome. Richard — o novo marido que infelizmente morreu um ano depois dessa reunião — estava sentado em sua poltrona, perplexo com toda a confusão, mas satisfeito com a companhia.

Não conseguimos convencê-la a gravar uma entrevista para a TV, afinal de contas ela era tímida.

— Ah, eu fico horrível em fotografias — disse-lhes ela. Não era verdade. Ela tinha a aparência de uma vovó ideal.

Sentada ao lado deles no sofá, ela confirmou aquilo que eles apenas ousaram sonhar. Contra todas as previsões, o irmão dela tinha sobrevivido. Ele conseguira resistir a Auschwitz e à marcha da morte. "Ernie", como ela o chamava agora, tinha enfrentado uma imensa provação e escapado, e isso teve algo a ver com os cigarros. Após a guerra, eles ficaram muitos anos sem se ver e, então, encontraram-se muito raramente. Ele ganhou cidadania norte-americana e, como Susanne, também cortou o nome de família e passou a se chamar Ernie Lobet, enquanto ela virou Bethal.

Ela se lembrava da carta enviada a Auschwitz, junto com os cigarros, durante a guerra, sem ter muita certeza de que chegariam, mas não recordava de mais detalhes.

Ela estava convencida de que os cigarros o tinham ajudado a sobreviver, mas não sabia exatamente como. Ela se lembrava de ter se encontrado com um soldado britânico alto em 1945, um homem estranho que tinha voltado do cativeiro e que queria lhe contar que os cigarros haviam chegado até lá. Era eu.

Eu passei por uma guerra difícil, por um cativeiro penoso e sobrevivi à marcha pela Europa central para voltar para casa. Na época, eu tinha perdido um bocado de peso e corria o risco de perder a cabeça também. Hoje, tenho certeza de que causei uma impressão horrível e de que pude fazer pouca coisa para aplacar a angústia dela. Há 64 anos, eu entrei e saí da vida dela sem deixar rastro algum.

Depois as gravações, veio uma longa calmaria. Não recebi muitas notícias de Rob e Patrick e comecei a me perguntar o que estava acontecendo. Nesse ponto, Peter, o filho de Susanne que vive nos Estados Unidos com a esposa, passou a ter um papel central na história. Susanne tinha lhes contado que Ernst gravava sua história de vida para a Fundação Shoah, de Steven Spielberg, que guarda os depoimentos em vídeo dos sobreviventes do Holocausto. Ao longo dos anos, esses relatos se transformaram num vasto arquivo das memórias mais sombrias do século. Peter tinha uma cópia da entrevista que Ernie — como vou chamá-lo daqui por diante — concedeu, em 1995.

Rob telefonou para Peter, nos Estados Unidos, e descobriu que Susanne tinha chegado primeiro e lhe contado com grande excitação as novidades da visita. Rob contou a Peter a história que conhecia, na época, e lhe pediu que conferisse na entrevista de Ernie se ele havia feito alguma menção, ainda que passageira, a um prisioneiro de guerra britânico que tentou ajudá-lo quando ele estava em Auschwitz.

Eu havia dito a Rob que não usara meu nome verdadeiro. Se cheguei a me identificar, deve ter sido com o apelido Ginger. Rob passou essa informação a Peter, que se lembrava do tio com grande afeição. Ele concordou em examinar a entrevista, que tinha muitas horas de duração.

Alguns dias depois, Rob voltava do trabalho para casa, mais tarde do que de costume, pela estação de trem de Londres chamada Blackfriars. Já estava escuro, o inverno se aproximava e a brisa tinha uma certa umidade. Para matar o tempo, ele andou até o final da plataforma, que se estende sobre o rio Tâmisa, a fim de apreciar a paisagem. Ele estava olhando para a cúpula da catedral de São Paulo, refletida nas águas escuras, quando o celular tocou.

Era a voz de Peter, numa ligação internacional entrecortada.

— Assisti ao vídeo, e é incrível — disse ele. — Rob, você vai gostar de vê-lo.

Capítulo 21

Após todos aqueles anos, eu estava desesperado para falar com Susanne. Eu precisava saber o que tinha acontecido a Ernie, e como ele sobrevivera. Eu também queria justificar aquele meu comportamento estranho de tanto tempo atrás.

Rob havia me dito que não queria que eu falasse com ela por telefone. Susanne preferia esperar até que seu filho Peter e a mulher Lynn chegassem dos Estados Unidos, dentro de algumas semanas, e então os três viriam a Derbyshire juntos. Pareceu-me um bom plano. Alguns dias antes do encontro marcado, Rob me telefonou para sugerir que todos nós fôssemos a um pub almoçar depois da filmagem. Eu não vi necessidade disso e não queria que nosso encontro se tornasse público. Audrey cozinharia para nós — o que poderia ser melhor? Um pouco mais adiante, ele me falou que ficaram imaginando se nós teríamos muito a dizer um ao outro depois de todo aquele tempo.

Eu compreendi sua preocupação. Não éramos amigos de verdade em 1945. Eu fui vê-la por obrigação e então percebi que não havia nada que pudesse dizer para ajudá-la. Após 64 anos, até mesmo amigos íntimos precisariam conhecer um ao outro novamente, mas nós começaríamos do zero.

Chegou o grande dia. Eu queria fazer um esforço, então coloquei uma gravata de seda azul e dourada, com um colete estampado. Eu nunca pensava muito sobre minhas roupas, mas eles tinham viajado uma longa distância para me ver, e nenhum de nós estava rejuvenescendo.

Rob, Patrick e o operador de câmera chegaram mais cedo. Audrey lhes serviu chá, e nós ficamos conversando. Eles estavam mais nervosos do que eu. O celular de Rob tocou, e ele saiu da sala para que o sinal ficasse melhor. Havia chovido durante a noite, e o ar estava úmido. Ele entrou para avisar que o carro tinha chegado e saiu outra vez para lhes indicar o caminho.

Eu não quis esperar pela campainha, então saí, e lá estava ela, usando um casaco cinza com gola de pele e uma echarpe vermelha. Seis décadas eram um longo tempo, mas ela caminhava com firmeza pela trilha, com o filho e a nora. Ela se voltou para subir os degraus que conduziam à casa, olhou para cima, sorriu e disse:

— Olá.

Apertei sua mão enquanto ela alcançava a porta, e tive a primeira chance de vê-la claramente.

— Susanne — disse eu, inclinando-me para beijá-la, primeiro numa face, depois na outra —, como vai você, querida?

— É muito agradável ver você — respondeu ela. — Muito agradável.

Eu estava segurando as duas mãos dela, para que pudéssemos dar uma olhada decente um para o outro.

— São mais de sessenta anos — disse eu —, mais de sessenta anos. — E os levei para dentro de casa.

— Que lugar maravilhoso este aqui — comentou Susanne, admirando a vista da janela. — Fico muito feliz por você.

Fui advertido de que ela era tímida, mas não me pareceu. Mais adiante, ela contou que as montanhas suaves de Peak District elevaram seu espírito e a deixaram à vontade, conforme o carro se aproximava.

— Você era mais alta quando a vi pela primeira vez — disse eu, brincando.

— Encolhi um bocado — respondeu ela.

— Ah, bem-vinda ao clube.

— Você era muito alto — acrescentou ela. — É a única coisa que me lembro de você.

Deus do Céu, depois de todo aquele tempo era maravilhoso poder vê-la, mas eu revivia tudo com rapidez. Senti que aquele encontro esquisito de 1945 ainda estava entre nós e queria tirá-lo do peito.

— Tenho tentado me lembrar do que disse a você. Deve ter sido terrível, porque eu estava muito destruído e não consegui explicar nada, nem falar de meus sentimentos.

Ela assentiu.

Falamos das cartas para minha mãe, dos cigarros que ela mandara para mim, de Ernie, de tudo.

— Você fez um excelente trabalho — disse a ela. — Aqueles cigarros foram uma verdadeira mina de ouro para Ernst. — Até ali, eu ainda usava o nome dele original.

— Foi o mínimo que consegui fazer durante a guerra — afirmou ela. — Meu irmão era adorável. Tinha um coração de ouro, era impossível não gostar dele.

Contei-lhe a história do dia em que ele quase foi apanhado no *Bude* — o abrigo situado no canteiro de obras da IG Farben. Eu sabia que ele era um sujeito inteligente. Ele manteve o sangue frio.

— Bem, isso é maravilhoso — falou ela. — E durante todos esses anos você ficou sem saber que Ernie sobrevivera?

— Eu não tinha a menor ideia — respondi.

— Todos esses anos? Pelo amor de Deus. — Ela olhou para cima e acrescentou: — Eu só queria que ele estivesse aqui hoje.

— Ah, eu também — retruquei.

Em segundos, a voz dela desapareceu. Ele estava nos Estados Unidos o tempo inteiro, podíamos ter nos encontrado com a maior facilidade. Eu estava a meio caminho da próxima frase quando aquilo me atingiu. Eu me recuperei e tentei seguir em frente.

— Eu gostaria de ter uma foto dele e uma oportunidade de falar com sua família.

— Eles ficarão muito animados — disse ela, mas não consegui ouvir mais nada. De repente, aquilo tudo desabou sobre mim: as notícias de Ernie, as lembranças pavorosas e a emoção reprimida de todas aquelas décadas. Minha garganta travou, cobri o rosto. Eu me curvei como se estivesse asfixiado, abaixando-me na frente de uma mulher que mal conhecia, e senti brotarem as lágrimas que jamais tive coragem de chorar.

— Sinto muito — disse eu, com a voz embargada. Eu ainda estava curvado quando senti a mão de Susanne em meu ombro.

Durante algum tempo, ninguém disse nada. Então, alguém quebrou o silêncio e sugeriu que nos sentássemos para relaxar. Outra pessoa falou em chá. Eu ganhei tempo. E retomei meu lugar de anfitrião. Respirei fundo, recuperei-me, arrumei o sofá, e todo mundo se sentou.

Agora estava mais fácil. Lynn então começou a falar. Ela disse que soube de minha existência desde que conheceu Peter, há muitos anos. Ernie tinha lhes falado sobre o prisioneiro de guerra inglês chamado Ginger.

— Eu sempre soube de sua existência — disse Lynn —, mas não sabíamos que seu nome era Denis. — Ela contou que ouviu a história num fim de semana que passou com Ernie. — Você não imagina como isso era importante para ele. Ouvi a história sobre você quase quarenta anos depois do acontecido. Era fundamental para ele que Susanne soubesse que ele estava vivo. Ninguém amava mais a vida do que Ernie. Ele era muito divertido, um verdadeiro contador de histórias. Ele teve uma vida maravilhosa.

Susanne estava tentando pacientemente me entregar alguma coisa. Agora, com aquela pequena deixa e falando formalmente do jeito que havia ensaiado, ela aproveitou a oportunidade.

— Sinto uma grande alegria de dar a você essa fita que Ernie fez em 1995 — disse ela ao me entregar um DVD gravado.

Como Peter explicou, tratava-se de um pequeno estrato da história de vida de Ernie, como fora gravado pela Fundação Shoah.

— Denis, você vai gostar de ver isso — afirmou ele.

Subimos a escada em espiral até o mezanino, onde geralmente abrimos os presentes de Natal e saboreamos uma bebida ou outra com os amigos e a família. Sentei-me perto de Susanne no sofá, e eles inseriram o disco no aparelho.

Demorou alguns segundos para que a imagem aparecesse, e lá estava ele na tela, numa imagem congelada. Na época, ele tinha aproximadamente setenta anos e parecia muito bem. Seus fartos cabelos grisalhos estavam penteados para trás, e ele usava uma bela camisa azul de colarinho aberto. Reconheci o mesmo rosto simpático que vira nas fotografias e também alguns lampejos do garoto que eu tinha conhecido. Ele estava sentado numa sala cujas paredes eram cobertas por estantes de livros, e havia um pequeno abajur de mesa atrás de seu ombro direito.

Acho que ele se encontrava no meio de seu relato sobre Auschwitz, porque não estava sorrindo.

— Ah, lá está ele — disse Susanne, ao ver seu rosto. Era a primeira vez que ela assistia à entrevista, e eu achei que não seria fácil para ela. Era seu irmão. Mas nós assistiríamos juntos. De repente, a imagem congelada ganhou vida, e Ernie começou a falar diretamente conosco.

Ele contou outra história notável dos campos, sobre dois judeus tchecos, de Praga, que fizeram amizade com um civil, que lhes trazia comida escondida, dada pelas suas namoradas, que ficaram do lado de fora. Foi um preâmbulo fascinante.

Aos poucos, sua história começou a se tornar mais familiar, e tive a sensação de saber onde iria dar.

— Tive ainda outro golpe de sorte — ouvi-o dizer. Ele contou que entregava sopa para os trabalhadores civis alemães. De repente, fez sentido. Eu achava que ele era algum tipo de mensageiro, então aquilo se encaixou. Era assim que ele conseguia andar pelo campo com mais facilidade do que os demais detentos.

Ele relatou que procurava pelos prisioneiros de guerra britânicos. Queria lhes contar que tinha uma irmã na Inglaterra. Disse que vinha observando durante algum tempo um determinado prisioneiro com seu uniforme cáqui. Percebi que ele me descrevia.

Ele afirmou que eu estava soldando alguma coisa e ficou esperando que eu descartasse uma guimba de cigarro. Fazia todo sentido. Enquanto ele falava, eu revivia aquele momento. Ele descrevia ali aquele primeiro contato que fizemos, há tanto tempo.

Ernst me disse seu nome e perguntou qual era o meu. Segurei a mão de Susanne. A resposta foi "Ginger".

— Gingy — repeti, ouvindo aquilo tal qual ele dissera pela primeira vez.

O rosto de Ernie se iluminou enquanto ele falava. Ele ficou olhando para o vazio, com a cabeça virada para o lado, ao descrever meu cabelo ruivo. Os cantos de sua boca se ergueram num belo sorriso quando ele se lembrou do jovem soldado que eu era.

Em sua memória, havia alguns detalhes diferentes. Ele achava que eu tinha escrito o endereço. Tenho certeza de que o guardei de cabeça, mas eis ali tudo claro como o dia. Ele se lembrava de mim, e era isso que importava.

Ele contou a maior parte da história exatamente como eu a relatei aqui. Ele se recordava de que eu havia lhe dado o maço de cigarros quando ninguém estava olhando, e de que alguns meses depois eu o procurei outra vez. Ele cadenciava as palavras, conforme a história chegava a seu fim.

— Ele me entregou uma carta — afirmou ele, suspirando profundamente e expirando para recuperar a compostura —, dez pacotes de cigarros e uma barra de chocolate, de minha irmã. — Havia um brilho em seus olhos.

E lá estávamos nós, Audrey, Susanne e eu, com Peter e sua esposa, ouvindo Ernie contar sua história em minha casa de Derbyshire, 65 anos depois que ela aconteceu. Era uma espécie de mensagem do além.

Ele disse que não sabia se era o único que tinha tido aquela sorte, porque jamais contou aquilo para ninguém. Ele sabia que, se houvesse contado, teria colocado minha vida em risco e a dele também, de modo que preferiu se calar. Fiquei comovido.

O que eu fiz foi uma coisa muito pequenina quando comparada aos crimes que Ernie suportou, mas eu sabia, ao observá-lo, que aquilo representara muito para ele.

— Dez pacotes de cigarros ingleses — disse ele, com ênfase — era como receber de presente o Rockefeller Center.

Ele tinha estado em Auschwitz III, em 1944, a uma distância mínima do próprio campo da morte, e eu recebera uma carta da irmã dele que estava na Inglaterra. Ele parecia tão surpreso repetindo isso ali quanto cinquenta anos antes, pelo que me lembro dele naquela época.

Mas como ele conseguira sobreviver à marcha da morte? Ele ainda não havia explicado. Ajustei meu aparelho de ouvido para não perder uma única palavra quando ele começou a contar o que fizera com os cigarros.

Muitos foram trocados por aquilo que ele chamou de “favores futuros”. Mesmo em Auschwitz, Ernie conservou sua generosidade. Ele deu alguns para o amigo que chamava de Maki, alguns para um homem que viera de Breslau no mesmo comboio, a fim de facilitar a vida dele, e alguns para seu *Kapo*, tentando garantir proteção. E então chegou ao que interessava.

— As solas de meus sapatos começaram a ficar muito, muito finas — contou ele. — É claro que havia sapateiros no campo, e eu consegui colocar solas novas e grossas em minhas botas em troca de dois pacotes de cigarros English Players. — Tudo se encaixava. — Isso — afirmou ele — salvou minha vida na marcha da morte, em 1945.

Foi isso, uma coisa tão simples. Foram os sapatos. Caminhei por cima de todos aqueles cadáveres. Pessoas que escorregavam e levavam um tiro, que sofriam enregelamento e levavam um tiro, pessoas cujos tamancos de madeira feriam seus pés de tal maneira que os deixavam para trás e levavam um tiro. Ernie tinha usado os cigarros para conseguir algo que faria toda a diferença entre a vida e a morte: botas pesadas.

Ele explicou como, comparado aos outros do mesmo campo, ele fora tão tremendamente sortudo. Quando os russos se aproximaram e a SS preparou a evacuação de Auschwitz, ele se encontrava numa situação melhor do que a dos outros. Ele falava alemão, tinha guardado um pouco de pão, trazia cigarros para trocar e usava calçados adequados para uma longa marcha. Quando a SS os arrebanhou para partir, ele decidiu que seria melhor ficar à frente da coluna. Ele sabia que onde quer que fossem, o espaço seria limitado. Os que ficaram no final da fila acabariam tendo de dormir do lado de fora, no gelo.

Ele relatou a neve intensa e o frio cortante, tal qual eu os recordava. Ele calculou que cerca de dez mil pessoas marcharam para fora de Auschwitz III, e mais trinta mil saíram de Auschwitz Main. Elas tinham começado a caminhada de sessenta quilômetros em direção a Gleiwitz, sob a mira dos revólveres, naquele dia terrível.

Ele afirmou ainda que, para a maioria dos detentos, naquela época do ano, com as roupas que tinham, com a saúde debilitada e a degradação que haviam sofrido, a marcha era impraticável.

— Eles caíam como moscas — disse ele —, e qualquer um que caísse era morto.

— Ele não parece triste? — perguntou Susanne quando a fita parou. — Ele reviveu toda a história.

Eles queriam saber qual tinha sido minha reação, mas eu não consegui traduzi-la em palavras. Eu estava muito contente ao ver que ele se lembrava de mim e que eu tinha tido alguma participação em sua sobrevivência.

— Eu não conhecia essa história — afirmou Susanne. — Foi maravilhosa.

Compreendi, então, que para ela também tinha sido uma revelação. Ela fez o que pôde, mas jamais entendeu como os cigarros contrabandeados tinham ajudado seu irmão a permanecer vivo.

— Eu não pude fazer muito durante a guerra — disse-me ela —, mas fico feliz de ter ajudado.

Ela parou por alguns instantes e em seguida me desejou muitos anos de vida e muitas felicidades, o que, em minha idade, é um assombro.

Contei-lhe sobre minhas tentativas fracassadas de reencontrá-la depois da guerra, de buscar a paz ao me tornar mais estável.

— Queria ter mantido contato — falei.

— Sim — respondeu ela. — Teria sido bom quando éramos mais jovens.

Capítulo 22

As primeiras transmissões de minha história propagaram muito bem. Pessoas com as quais eu não falava há décadas me procuraram. O telefonema que mais me agradou foi o de Henry Kamm, ex-correspondente do jornal *The New York Times*, que ganhou o prêmio Pulitzer e que agora vive num moinho reformado, no sul da França. Ele acessou a internet, e, no boletim de notícias BBC World Service, tomou conhecimento da matéria de Rob sobre um prisioneiro de guerra britânico e Auschwitz. Ele ouviu com atenção a menção a um detento judeu chamado Ernst e percebeu que era seu amigo da vida inteira, Ernst Lobet. Fiquei muito feliz ao falar com ele, e suas palavras gentis sobre a forma com que tentei ajudar Ernst elevaram tremendamente meu espírito. Logo depois disso, chegou um pacote da França com vários exemplares de seus livros. Passei algumas páginas e vi que, na frente, havia uma bela dedicatória a mim, escrita à mão. Não pretendo reproduzi-la, mas trata-se de algo que vou guardar como um tesouro até o fim de meus dias.

Desde então, o telefone não para de tocar. Fui convidado a Downing Street duas vezes, almocei na Câmara dos Lordes e ministrei palestras para auditórios lotados tanto em Cambridge Union quanto na Chabad Society, de estudantes judeus, da Universidade de Oxford.

Foram incontáveis entrevistas para rádio, TV e jornal nos meses que se seguiram, e foi tudo muito além do que eu pude desejar. Fui laureado pela Fundação Internacional Raoul Wallenberg, que me procurou para dizer que eles queriam me presentear com um diploma, em reconhecimento àquilo que eu tinha feito, e que estavam enviando o artista Félix de la Concha para fazer meu retrato. Audrey respondeu prontamente dessa vez, querendo saber quem faria o esboço.

Falei para grupos de escola e discursei no jantar de adesão do Holocaust Educational Trust, num local elegante de Londres, uma semana depois que um especialista me avisou francamente, muito francamente, que eu iria perder a visão de meu olho bom. Assim, sob ordens médicas, subi no tablado de paletó e gravata, usando lentes escuras e finas para proteger meu olho remanescente dos holofotes. Rob falou que eu parecia um Jack Nicholson mais velho num dia ruim. Ele me informou que o discurso deveria ser curto, porque não havia muito tempo, e que eu tinha de ir direto ao ponto. Quando fiquei de pé e comecei a falar sobre os eventos no Egito, ele imaginou que seria uma longa noite. No final das contas, eu só ultrapassei o tempo em dez minutos, o que não foi de todo mal. Agora que posso falar sobre tudo isso, sinto que preciso contar toda a história.

Foi uma confusão de atividades. Rob me persuadira a trabalhar no livro nessa época e com frequência me fazia muitas perguntas difíceis, fuçando recantos de minha memória que eu tinha relutância em explorar. Era difícil prosseguir, a experiência era catártica e dolorosa ao mesmo tempo, mas a escuridão se dissipava, e tudo ficava cada vez mais fácil.

A pesquisa de Rob seguia, e ela me apresentava questões interessantes sobre a natureza da memória. Ele insistia em me perguntar se eu tinha visto a inscrição *Arbeit Macht Frei* nos portões de Auschwitz III-Monowitz. Eu tinha, mas ele afirmou que alguns especialistas o questionaram e que nada restou no lugar que seja capaz de confirmar qualquer um dos dois lados. O sinal que todo mundo conhece desses dias fica nos portões do campo principal, Auschwitz I. Após mais de sessenta anos, é esse sinal que está representado na memória coletiva, embora muitos campos o tivessem. Rob alegou que o relato mais influente da vida no campo — o do sobrevivente e escritor Primo Levi — mencionou a inscrição em Auschwitz III mais de uma vez, mas o chefe de pesquisa em Auschwitz não se convenceu. Isso deixou uma forte dúvida em sua mente, fazendo com que ele conferisse aquilo comigo inúmeras vezes, e, é claro, não existem muitas pessoas vivas a quem perguntar. Então, aconteceu uma coisa estranha. Conheci outro sobrevivente do mesmo campo que vivia na Grã-Bretanha. Ele era um homem maravilhoso chamado Freddie Knoller, e eu devo ter trabalhado ao lado dele na IG Farben sem jamais saber disso. Rob conversou com ele também, e ele não tinha qualquer dúvida acerca do lema pavoroso. Eu só o vira algumas vezes, de passagem, mas ele marchara por aqueles portões todos os dias.

Desde o princípio, eu quis conhecer o restante da história de vida de Ernst. Queria saber o que tinha lhe acontecido após Auschwitz e durante sua estadia nos Estados Unidos. Rob havia me mostrado um pequeno trecho do longo vídeo da Fundação Shoah, mas apenas a seção em que Ernie falou sobre mim, os cigarros e o início da marcha da morte. Ele disse que desejava terminar de ver todas as entrevistas antes de me mostrar a história completa da vida de Ernie. Eu precisava esperar um pouco mais.

A pesquisa começou, e, certo dia, no verão de 2010, Rob veio até Derbyshire com algumas novidades impressionantes. Dessa vez, não era sobre Auschwitz, mas sobre o torpedeamento do navio do qual me atirei no Mediterrâneo, em 1941.

Ele afirmou que os registros informavam que os italianos perderam inúmeros navios mercantes no Mediterrâneo durante aqueles meses, mas somente um deles se encaixava na descrição; os outros ou estavam no lugar errado ou as datas não batiam.

Rob se convencera de que o navio em que eu embarcara tinha sido o *Sebastiano Venier*, também conhecido como *Jason*. Ele colocou os mapas e os registros sobre a mesa de jantar e os analisou bem, tinha de ser esse. Isso mudou muita coisa para mim.

No dia 9 de dezembro de 1941, o *Sebastiano Venier* foi atingido por um torpedo lançado por um de nossos submarinos, o HMS *Porpoise*, comandado pelo capitão-tenente Pizey. Centenas de soldados aliados, muitos deles neozelandeses, foram mortos. Hoje provavelmente chamariam o episódio de fogo amigo e o enquadrariam entre os exemplos mais mortais da história, mas, na época, o cálculo foi bem mais simples: guerras não eram vencidas por prisioneiros, e as embarcações inimigas estavam colaborando no envio de suprimentos para Rommel. Independentemente do número de detentos mortos, os navios tinham de ser afundados para salvar as vidas daqueles que ainda estavam combatendo. O bem maior dependia disso, apesar do seu custo. O preço foi pago por homens como nós.

Essa foi a má notícia. A matança ocorrida a bordo, especialmente no compartimento atingido pelo torpedo, havia sido estarrecedora. No entanto, como Rob descobrira, nem todos os prisioneiros que estavam no navio pereceram, e, de fato, a maioria sobrevivera ao ataque. Não pude acreditar, isso me parecia impossível.

Eu subi ao deque logo depois que o torpedo nos atingiu e segui diretamente pela lateral sem pensar, correndo o máximo que pude para escapar do navio atacado. Cheguei a ver a embarcação afundando lentamente, à distância, inclinando-se cada vez mais fundo, até que a perdi de vista. E me convenci de que o navio afundara com todos aqueles rapazes encurralados lá dentro.

Lembrei que o mar ficou mais agitado logo em seguida e que mal pude ver qualquer outra coisa nas ondas. Depois disso, o caçador de submarinos italiano se aproximou, passando entre os poucos sobreviventes, e começou a lançar bombas ao fundo, por todos os lados. Ainda me lembro vagamente do nome do navio, era *Centurion* ou coisa parecida. Olhando os registros, Rob disse que aquele barco era certamente o *Centauro* — um lançador de torpedos italiano —, que carregava o general neozelandês que tinha sido capturado e que ainda estava vivo para descrever o que vira.

Naquele ponto, havia um certo número de pessoas no mar, mas, com o passar do tempo, todas afundaram. Pelo que pude ver a minha volta, não havia mais ninguém na água depois daquilo. Então como seria possível que alguém tivesse sobrevivido? perguntei. Simples, Rob respondeu, o *Sebastiano Venier* não naufragou; ele de fato ficou famoso por permanecer boiando. A princípio, não pude compreender o que ele estava dizendo. Quando eu mergulhei, estava convencido de que o navio afundaria em alguns minutos. Foi uma dessas reações automáticas, não precisei pensar. Agora, eu tomava conhecimento de um drama ainda mais formidável que se desenrolara a bordo do navio, enquanto eu estava na água sendo ameaçado por pesados ataques.

A viagem de ida do *Sebastiano Venier*, transportando suprimentos para Bengasi, tinha sido um episódio terrível para sua tripulação e ele fora o único navio de cinco a conseguir realizar a travessia. Ataques aéreos de Malta e armamentos da Marinha Real acabaram com os demais. A experiência tinha estraçalhado os nervos da tripulação. O capitão italiano, em particular, tinha ficado tenso quando eles se lançaram ao mar outra vez, pois todos sabiam o que os esperava na volta, mesmo que os rapazes aprisionados no compartimento de baixo não soubessem. Eles se afastaram ao máximo, chegando até a costa sul da Grécia, quando, de acordo com o relato de sobreviventes, o capitão avistou o periscópio de um submarino aliado chamando a atenção nas ondas. Ele entrou em pânico e concluiu de imediato que o perigo era iminente. Ele temia que, no momento em que o torpedo atingisse a embarcação, os dois mil ou mais prisioneiros aliados se lançassem no deque e superlotassem os poucos botes salva-vidas que havia a bordo. Ele ordenou à tripulação que abandonasse o navio antes que o primeiro torpedo os alcançasse, a fim de salvar a própria pele. A decisão causou repercussão, lançando-o na ignomínia e selando seu destino.

O *Sebastiano Venier* estava a uns seis quilômetros a oeste de Metoni, no extremo sul da Grécia, quando o terceiro torpedo lançado pelo HMS *Porpoise* atingiu o compartimento número um, na frente do navio, matando na mesma hora muitos dos homens que se encontravam ali encurralados.

Alguns daqueles que deixei para trás fizeram a mesma coisa que eu e se atiraram nas ondas, convencidos de que o navio iria naufragar, mas poucos sobreviveram. O barco se inclinava a estibordo, e muitos dos homens que pularam pelo lado esquerdo da embarcação foram apanhados no jato, enquanto a popa oscilava, e jogados contra as hélices do fundo, sendo esquartejados.

O homem que salvou o navio e os prisioneiros remanescentes foi um alemão misterioso, que até hoje não foi identificado. Ele parecia um tipo estranho de anjo da guarda, brandindo uma pistola Luger e uma chave inglesa pesada. Ele restabeleceu a ordem e conseguiu a adesão dos poucos engenheiros italianos que tinham sido deixados para trás por seus superiores. Então, por intermédio de um sargento aliado, convenceu os prisioneiros a se acalmarem e a permanecerem a bordo. Ele lhes disse que seriam capazes de salvar o navio se trabalhassem juntos, e que o mar agora era seu pior inimigo. Ele encaminhou os homens para a traseira da embarcação, dizendo-lhes que seu peso ajudaria a aliviar a carga — ainda que em termos fracionários — sobre o anteparo dianteiro; e afirmou que a vida deles dependia daquilo. Ele deu instruções para a montagem de postos de primeiros socorros destinados a tratar dos feridos, e manteve os motores funcionando, ainda que muito lentamente. Eu não podia acreditar no que estava ouvindo: era uma história fascinante que eu adoraria ter testemunhado.

Eu já estava na água há uns vinte minutos quando isso aconteceu, e já tinha sido carregado para longe. Com a proa do navio inundada atuando como uma draga, o misterioso alemão conduziu o barco de ré e, muito vagarosamente, percorreu os quilômetros que restavam até a costa. Algumas horas depois, ele o encalhou nas pedras ao som áspero do aço. Houve calorosas saudações aliadas ao marinheiro alemão, que pusera a inimizade de lado para salvar o maior número possível de vidas.

Os botes salva-vidas com o capitão e a tripulação embarcados também demoraram a alcançar a terra firme, e chegaram à costa só para ver o navio esburacado avançando com dificuldade em sua direção e se recusando a naufragar. Se o navio tivesse afundado, poucos partidários seus teriam culpado o capitão por sacrificar os prisioneiros para salvar a si próprio. Do jeito que a coisa aconteceu, com o barco avançando com dificuldade em direção ao litoral, ele foi execrado e deve ter sabido disso. Segundo a história, ele foi preso, levado à corte marcial e executado pela decisão de abandonar o navio assim tão depressa.

O alemão, que desapareceu tão rapidamente quanto surgiu, era um homem completamente diferente; era provavelmente um engenheiro naval, mas sua consideração pelos prisioneiros feridos jamais foi esquecida, e aqueles que o encontraram falaram de um homem de grande coragem e humanidade que, inimigo ou não, salvou centenas de vidas aliadas, embora muitos tivessem morrido tentando sair do navio encalhado em direção à praia.

Eu não soube de nada disso porque fiquei à deriva durante algum tempo, até ser recapturado, e jamais tive contato com outros sobreviventes, embora alguns acabassem passando também pelo "Território da Disenteria".

Eu ouvia o que Rob me contava, mas ainda tentava dominar minha própria memória. Era uma história fantástica. Depois de tanto tempo, ele disse, não era possível ter certeza de nada, mas era muito difícil que se tratasse de outro navio. Fiquei chocado. Para mim, tinha sido um episódio bastante assustador, mas, como tantas outras coisas, acabou sendo superado pelo que se seguiu. Saber que tantos homens sobreviveram àquele desastre foi um alívio. Por quase setenta anos, presumi que eu fosse o único sobrevivente. Então caiu a ficha.

— Eu não precisava ter me jogado no mar.

— É o que parece — respondeu Rob.

— Mas que idiota — falei.

Capítulo 23

15 DE NOVEMBRO DE 2010

O dia começara úmido e cinza, mas, no meio da manhã, olhei para fora e vi que as nuvens tinham se levantado, deixando fragmentos de névoa abaixo de Win Hill, o cume que fica do outro lado do vale. Pelo que diz a lenda, seu nome foi dado pelos vitoriosos de uma antiga batalha. O exército derrotado tinha tomado posição em outro pico próximo, que agora é conhecido como Lose Hill. Nem tudo em Peak District é assim tão polarizado. Agora que domino o dialeto, este é um lugar amigável. Junte-se a isso uma cama quentinha e três refeições reforçadas ao dia, e acho que finalmente posso me gabar.

Rob chegou um pouco atrasado, e, nessa hora, o sol já começava a brilhar por trás das nuvens e víamos pedaços do céu azul por cima de Hope Valley. Ele trazia algo que esperei um ano para ver: a história completa da vida de Ernie Lobet — o Ernst que eu havia conhecido —, contada numa entrevista em vídeo, durante longas quatro horas e meia. Subi a escada em espiral até o mezanino, ansioso para saber o que tinha acontecido com o homem que eu conhecera há tantos anos. Nós nos sentamos em frente à TV, Rob apertou o *play* e Ernie começou do princípio, que, para ele, era um espaçoso apartamento de oito cômodos naquela que, antes da guerra, fora a linda cidade alemã de Breslau. Os Lobethal eram membros de uma proeminente família judia. O pai de Ernie era o executivo-chefe de uma fábrica de corda de tamanho considerável, e a vida deles era boa. Eles tinham inclusive um ganhador do prêmio Nobel na família, o tio-avô Paul Ehrlich, que desenvolvera um tratamento para a sífilis na virada do século.

Ernie descreveu uma viagem ao mar Báltico, com a babá, durante um feriado em 1929, quando tinha apenas quatro anos de idade. Na volta para casa, descobriram que o pai os havia abandonado. Acho que aquela lembrança era dolorosa para ele. O pai convertera os ativos da empresa em dinheiro e viajara para a África do Sul com outra mulher. Foi um verdadeiro escândalo, e a notícia saiu em todos os jornais.

Frieda, sua mãe, e Rosa, sua avó, ficaram sozinhas, sem qualquer ideia do paradeiro dele. Eles se mudaram para um apartamento menor, e, finalmente, a mãe conseguiu rastrear o marido, processou-o e ganhou na Justiça. Como disse Ernie, foi uma vitória de Pirro, porque ela jamais recebeu um tostão.

Os problemas desabaram sobre eles aos montes. A mãe contraiu tuberculose e foi mandada para o hospital. Crianças não tinham autorização para visitar pacientes com tuberculose naquela época, então ele só tornou a vê-la por mais duas vezes, até que ela veio a falecer em 1932. Ele disse que ela morrera de mágoa. Uma família que tivera tanto via tudo se perder, e aquilo era apenas o começo.

— Ele é muito lindo, não é? — afirmou Audrey, percebendo a compaixão em suas palavras, enquanto ele falava da família. Sua avó Rosa pelejou para criar sozinha Ernie e Susanne. Ela era uma mulher formidável, mas a família dela tinha sido muito rica e ela tivera criados durante boa parte da vida. Agora, de repente, ela era idosa e precisava criar duas crianças, um encargo com que ela não tinha condições de arcar.

— Ela tinha muito amor e teria tirado a própria roupa do corpo para dar aos netos — afirmou ele, lutando com a força da memória, como se ela o houvesse apanhado desprevenido.

Por fim, a avó cedeu à pressão dos familiares e colocou as duas crianças num orfanato judaico.

— Era um lugar terrível, terrível — falou Ernie.

Ele odiava cada momento passado ali e se tornou, segundo suas próprias palavras, "uma influência bastante destrutiva". Por ser pequeno e magro, ele era obrigado a comer mais do que os outros, e precisava encontrar meios de se livrar da comida. Ele juntava montes de batatas e caldo de carne num lenço, dentro do bolso, na esperança de jogá-los fora depois. Ele sorriu ao descrever o caldo pingando em suas pernas, quando corria para se livrar dele após o almoço.

Algo estranho acontecia enquanto ele falava. Senti que estava começando a conhecê-lo pela primeira vez e gostei do que vi. Acho que ele era um homem mais sensível do que eu, mas mesmo relatando aquela terrível lembrança da infância ele dava um jeito de sorrir.

Ele fugiu do orfanato inúmeras vezes e, finalmente, foi enviado para morar com pais adotivos. Ele disse que sair daquele lugar foi o dia mais feliz da vida dele. Com seus novos guardiões, tinha liberdade de ir e vir como bem entendesse, mas a Alemanha que ele conhecera estava se desfigurando rapidamente a sua volta. Ele tinha oito anos quando Hitler chegou ao poder, em 1933, e dois anos depois as Leis de Nuremberg proibiram o casamento ou as relações sexuais entre judeus e não judeus alemães, acelerando a queda no abismo.

Com 13 anos, ele se lembrava da bicicleta que a avó tinha comprado para ele, pelo seu Bar Mitzvah, trabalhando sem descanso a tricotar chapéus. A proibição de que judeus trabalhassem nas universidades e nas profissões liberais teve pouco impacto direto sobre ele, mas a Noite dos Cristais — a noite dos vidros quebrados —, não. Ele se lembrou de sua caminhada de 15 minutos até a escola, naquele dia do mês de novembro de 1938, passando por vitrines estilhaçadas e propriedades saqueadas. Quando chegou à bela sinagoga de Breslau, ela já estava em chamas, e o que se falava era que os nazistas estavam prendendo homens adultos judeus.

Depois disso, não houve mais escola. A fala desesperada entre os adultos a sua volta era a de encontrar meios de emigrar, de sair dali. Susanne tinha conseguido um lugar no *Kindertransport* para a Inglaterra, mas Ernie fora deixado para trás. Ele acabou trabalhando num projeto parecido com um *kibutz*, destinado a encorajar os judeus a retornarem a sua terra e a se prepararem para uma vida futura em Israel. Durante um tempo, eles foram tolerados pelos nazistas, mas, por fim, a tolerância dissolvera-se nos primeiros anos da guerra.

Ernie, que tinha apenas 15 anos de idade, voltou para casa, a fim de tomar conta da avó idosa e doente, que agora dependia dele totalmente. Eles se comprimiam num quarto de um apartamento de três andares, pois as normas que restringiam as vidas dos judeus se tornavam cada vez mais rígidas. Até mesmo a quantidade de gás e de energia era limitada, obrigando-os a cozinhar num queimador alimentado com querosene fornecido por um comerciante amigo. Ernie escapou por mais algum tempo das detenções e arrumou emprego numa empresa de recauchutagem de pneus, e assim conseguiu sustentar a avó.

Ao ouvi-lo contar sua história, fiquei impressionado com o fato de ele ter ficado tanto tempo livre. Sempre temi que ele tivesse passado mais tempo nos campos. Foi uma bênção, disse a mim mesmo, mas eu sabia — todos nós sabíamos — onde essa história ia parar. Vizinhos e um dono de loja o ajudavam em segredo, com alimentos extras, mas o cerco estava se fechando rapidamente. Tropas alemãs que voltavam do serviço ativo já traziam relatos do que eles fizeram com os judeus poloneses: as prisões, os guetos, os assassinatos aleatórios. As histórias se espalharam com velocidade, mas eram tão pavorosas que ninguém acreditou — era um lampejo do que estava por vir.

A avó de Ernie tinha sido poupada até ali, embora suas irmãs já tivessem sido mandadas para longe. Então, em janeiro de 1943, o nome de Ernie apareceu numa das últimas listas de judeus que seriam deportados da cidade, e ele foi avisado para se preparar, pois seria levado para o leste. Ele esperava que fosse um trabalho duro, talvez que tivesse de construir estradas ou coisa parecida, mas ninguém sabia exatamente o que vinha pela frente. Ele arrumou a mochila, apanhou todas as roupas de inverno que possuía e esperou.

No fim da tarde, os homens de roupas de couro vieram pegá-lo. Eram oficiais da Gestapo e, a princípio, pareceram civilizados, até que a avó começou a lhes implorar que não levassem Ernie embora.

— Minha avó estava ali de pé e tinha um ar tão sofrido — disse ele, balançando a cabeça depressa e mordendo os lábios para segurar as lágrimas. — Ela ficaria tão desamparada sem mim, e sabia que não poderia se sustentar. Ela implorou mais de uma vez: "Vocês não podem deixá-lo?", perguntou. "Ele é o meu único sustento." Ela não compreendia. Então, eles se tornaram mais rudes. "Ande depressa", eles falaram, e eu sabia que jamais voltaria a vê-la. Ela era uma mulher tão boa.

Era duro vê-lo passar por tudo aquilo outra vez. Mesmo sentado no conforto de minha própria casa, eu me punha no lugar dele enquanto ele revivia aquela despedida terrível e podia senti-la exatamente como ele sentiu. Agora que Susanne tinha partido, a avó era sua única família, e só Deus sabe as coisas horríveis que a senhora teria de enfrentar. Ela era tão frágil.

Comecei a compreender por que Ernie estava contando sua história. Ele a deixara gravada para que outras pessoas, no futuro, soubessem que ele, Ernie Lobet, teve uma avó chamada Rosa, que fora amada pela família. Ele também prestava seu testemunho. Mais tarde, ele ficou sabendo que ela morreu no campo de concentração Theresienstadt.

Não há necessidade de descrever o transporte de Ernie nos vagões de gado, sua chegada a Auschwitz, ou a separação entre aqueles que foram imediatamente enviados para as câmaras de gás e aqueles que foram condenados à morte lenta dos trabalhos forçados. Uma vez dentro de Auschwitz III-Monowitz, ele relatou o momento de absoluta devastação em que os recém-chegados, que tinham vindo com mulher e filhos, percebiam que seus entes queridos provavelmente já teriam sido mortos ou queimados. Como havia ido sozinho, Ernie foi poupado da dor de ver pessoas amadas sofrerem.

Não é necessário dizer que ele teve diversos golpes de sorte que o ajudaram a sobreviver em Auschwitz. Era preciso encontrar um nicho ou uma forma de suplementar a dieta magra para não morrer, ele explicou. Ernie começou a trabalhar cavando as fundações para uma construção. Ele sabia manejar a pá, enquanto muitos outros jamais tinham visto uma igual, mas ele estava sofrendo tanto quanto eles. Em seguida, ele teve uma folga. Um dos guardas o mandou varrer o galpão que eles utilizavam para se abrigar. Havia um forno lá dentro, e ele recebeu a recomendação de mantê-lo aceso. Depois disso, disseram-lhe para ficar de sentinela, para que os guardas pudessem entrar no galpão e se abrigar do frio. Para Ernie, entrar ali e atiçar o fogo era uma oportunidade de se aquecer também. E isso o ajudou a atravessar as piores semanas daquele inverno.

Sempre soube que ele era um rapaz inteligente, e também sortudo, pelo que pude ver. Ele explicou como escondera os cem marcos alemães que tinha conseguido levar atrás do cinto. Suas tentativas de decidir o que fazer com eles devem ter sido uma espécie de jogo, mas ele acabou entregando o dinheiro ao fiscal de seu alojamento por metade de um pão de forma. Foi uma refeição bem cara, mas, por causa dela, ele acabou se tornando um mensageiro dentro do campo, levando os recados do homem. Por conta disso, ele ganhava um pouco mais de sopa e condições de conservar alguma energia. Olhando a sua volta, ele podia ver que a exaustão era assassina.

Os que trabalhavam do lado de fora se desgastavam muito rapidamente. Centenas morreram diante de seus olhos, e ele sabia que seria totalmente impossível sobreviver ao campo sem conseguir alguma coisa extra para se manter vivo. O local onde as pessoas trabalhavam também determinava se elas viveriam ou morreriam. Ernie teve sorte novamente e acabou trabalhando em área coberta, junto com os trabalhadores civis alemães, e isso lhe deu uma chance de lutar, mas foi só.

Enquanto a história ia sendo revelada, ouvi seu relato sobre os cigarros outra vez e seu encontro comigo. Era uma alegria relembrar aqueles poucos momentos especiais, mas eu queria mesmo era ver o resto.

A amizade entre os prisioneiros não era necessariamente uma vantagem.

— A sobrevivência era uma batalha solitária — afirmou Ernie. "Como isso era verdadeiro", pensei. Essa foi a razão pela qual permaneci tão sozinho durante os anos de cativeiro.

Um amigo tinha especial destaque para Ernie, e o nome dele era Makki ou Maggi, para mim era difícil distinguir. Ernie o conhecera no projeto de *kibutz* que eles frequentaram anos antes, onde aprenderam a arar e a semear a terra. Ernie tinha dado a Makki — como irei chamá-lo — alguns dos cigarros que eu contrabandeara para ele, então senti alguma ligação com esse homem.

O que eu realmente desejava saber era o que tinha acontecido depois de Auschwitz, mas quando Ernie iniciou o relato da marcha da morte seu humor se alterou. Tudo o que ele havia construído no sentido de garantir a si próprio uma chance de sobrevivência tinha sido varrido para longe, mas ele estava menos malnutrido do que a maioria, e tinha botas fortes e cigarros como moeda de troca. Eu mesmo tinha visto aqueles cadáveres congelados e havia percorrido a mesma estrada gelada, de modo que sabia tudo sobre aqueles dias pavorosos. Ernie estimava que algo entre quarenta e sessenta mil pessoas tinham sido obrigadas a marchar para fora dos campos de Auschwitz, e que apenas umas vinte mil haviam concluído a marcha. Isso não queria dizer que elas viveriam depois, para ver o fim da guerra, mas apenas que tinham sobrevivido àquele suplício específico.

Ernie soube logo de imediato que precisaria ficar na frente da coluna em marcha, porque onde quer que parassem tudo ficaria lotado. Ele estava certo. Ele foi um dos primeiros a chegar ao campo de concentração de Gleiwitz, onde conseguiu se manter fora da neve e arranjar um beliche para passar a noite. Os que vieram depois tiveram de dormir no chão duro e gelado.

Rob fez uma advertência evasiva para que eu me preparasse para a história extenuante que estava por vir, e eu não podia imaginar como Ernie sobrevivera. Eu tinha sido obrigado a marchar pela Europa central, mas sabia que para eles seria impossível. Aquilo quase acabou comigo, e eu havia começado o trajeto em forma relativamente boa.

Ernie permaneceu em Gleiwitz durante três dias, mas eles sabiam que os soviéticos avançavam rapidamente. Rumores assustadores circulavam por toda parte sobre o que os guardas fariam com eles em seguida. Alguns diziam que eles iriam para os campos de concentração de Buchenwald ou Mauthausen, outros afirmavam que a Suécia ou a Suíça tinham concordado em recebê-los.

— Podia-se acreditar em qualquer coisa — disse Ernie. — Um dos boatos prediletos dizia que iríamos trabalhar numa fábrica de geleia, na Alemanha. Geleia continha açúcar, e todo mundo estava com fome.

Eu podia imaginar como essa ideia era tentadora; falava-se o tempo todo em comida em nosso campo, mas para homens de fato esfomeados como eles deve ter sido uma tortura. Os advogados que estavam entre os prisioneiros sugeriam que eles receberiam anistia.

— Como se pudessem anistiar um povo que jamais havia sido condenado — acrescentou Ernie.

Por fim, eles receberam ordem de se aprontar para um novo transporte e foram embarcados em vagões de gado, sem cobertura.

— Acho que havia umas oitenta pessoas naquele carro — afirmou ele, com os olhos voltados para o chão. A neve ainda caía quando eles partiram, e Ernie logo perdeu a conta do tempo. — Fiquei de pé a maior parte do trajeto, então alguns começaram a morrer, e nós os jogamos para fora, abrindo um pouco de espaço para nos sentarmos. Não sei dizer quantos dias passamos lá dentro. Eu ainda tinha um pouco de pão, mas não havia água.

Eu me sentia muito frustrado ao ouvir tudo aquilo, sem poder fazer nada para ajudar. Eu murmurava conselhos para ele, em voz baixa, e era como se ele pudesse me escutar.

— Um dos homens tinha um cantil — contou ele. — Alguém fez uma corda, nós o amarramos e o penduramos do lado de fora do trem. Enquanto o trem corria, a neve era despejada dentro do cantil. Quando ele se enchia, nós o puxávamos e derretíamos a neve dentro da boca. Foi assim que sobrevivemos.

Eles levaram quatro dias para chegar a Mauthausen, na Áustria. A reputação terrível daquele campo escavado numa pedreira tinha alcançado até mesmo Auschwitz.

— Acreditamos que morreríamos ali, mas estávamos cansados demais, desgastados demais para nos preocupar — disse ele. — Jogaram um pouco de pão para nós, e todos ficamos em linha reta, mas não peguei nada; ninguém pensava em repartir. Qualquer um que tivesse conseguido um pedaço devoraria-o antes que outros o pegassem.

Logo se espalhou a notícia de que Mauthausen estava lotado e de que eles seriam levados para outro lugar. Ernie se reposicionou na cadeira enquanto falava. Eu podia dizer que ele tentava se controlar; seu rosto se contraiu, mas sua maneira de falar continuava calma. O trem tornou a partir, e era como se Ernie não conseguisse contar o que aconteceu depois. Ele deu um longo suspiro, os cantos de seus olhos ficaram vermelhos, e ele balançou a cabeça com incredulidade. Ele tentou forçar um sorriso e então falou sem pensar:

— Perdi a visão. Eu estava com olhos bem abertos, olhava para fora e estava tudo escuro. — Os lábios tremiam enquanto ele falava. — Estava tudo escuro — repetiu. Lá estava ele na traseira de um vagão de gado aberto, na neve, com todas aquelas pessoas moribundas, cego e desesperado.

Agora, ele se debatia como eu nunca tinha visto antes, olhando para o vazio e balançando a cabeça, a voz entrecortada.

— Foi tão terrível — disse ele, lutando para segurar as lágrimas. — O trem rolava e parava e rolava de novo, e não parecia fazer nenhuma diferença. A neve ainda caía. — Ele fez uma pausa e assoou o nariz. Era como se Ernie estivesse envelhecendo diante de nós. O rosto sorridente das fotografias tinha desaparecido. Os vincos que normalmente caíam do nariz em direção ao canto da boca agora pareciam mais profundos.

Ele deve ter ficado totalmente dependente do amigo Makki, que lhe contou que eles haviam saído da Áustria e que os lugares por onde passavam tinham nomes tchecos. Ernie ainda não conseguia enxergar nada.

Enquanto adentravam o país, Makki lhe disse que as notícias sobre eles deviam ter se espalhado porque, quando passavam debaixo das pontes, pessoas do lugar jogavam pedaços de pão dentro dos vagões, tentando mantê-los vivos.

— Quem estivesse olhando dos viadutos certamente ficaria impressionado — afirmou Ernie. — Não sei quantos eram os vagões de gado, mas estavam todos abertos e dentro deles havia um monte de esqueletos juntos com vestes listradas, apáticos como vacas sendo conduzidas ao matadouro.

Eles jamais tinham recebido mais do que uma fatia de pão quando passaram pela Áustria, e foi o mesmo quando passamos pela Alemanha, mas o tchecos fizeram o máximo que podiam. Aquilo me lembrou do pedaço de pão que foi atirado sobre nós enquanto marchávamos exaustivamente pelo país naquela mesma época.

Ernie, desesperançado, agora se encontrava numa névoa permanente; sem Makki, ele teria ficado desamparado e deve ter sentido a vida declinando na escuridão. Ele sabia que um trabalhador escravo cego não tinha qualquer serventia, e seria morto assim que descobrissem. Após sete dias naqueles vagões de gado abertos, eles chegaram a um local perto de Nordhausen, na região central da Alemanha, onde foram retirados do trem e levados para outro campo de concentração deprimente. O nome dele era Dora-Mittelbau, e Ernie jamais o esqueceria.

Ele tomou um pouco de sopa, e sua visão retornou, antes que sua aflição fosse descoberta. Logo ficaram sabendo que o campo fornecia mão de obra para uma fábrica subterrânea secreta, onde estavam construindo o *Vergeltungswaffe* de Hitler — a arma de retaliação que conhecemos como foguete V2. Era a última carta na manga do ditador desesperado.

Ernie recebeu um novo número no campo, dessa vez não tatuado em sua pele, felizmente. Suas roupas, inclusive um suéter que o ajudara a se manter vivo, foram levadas embora, e ele foi destinado a um alojamento onde dormiam duas pessoas em cada beliche. Ele tinha de começar do zero novamente, sem qualquer fonte de comida extra, e já estava nesses campos há tempo suficiente para compreender que, sem aquilo, não conseguiria sobreviver.

Eles foram conduzidos aos túneis onde os foguetes estavam sendo fabricados, e Ernie foi destinado a um comando de trabalho que transportava tijolos para um pedreiro civil italiano. Ele não viu foguete algum nessa parte das cavernas e não se importou. Naquela ocasião, os norte-americanos estavam se preparando para cruzar o rio Reno e os russos já circundavam a cidade natal de Ernie, Breslau, mas ele começava a duvidar de que os aliados chegariam a tempo de salvá-lo. Eu me lembrei de minha própria jornada de volta para casa e daquele momento em que o rio traiçoeiro pareceu me seduzir para levar embora todo meu sofrimento, e me perguntei onde foi que Ernie encontrou forças para suportar tudo aquilo.

— O trabalho era brutal, e a alimentação consistia num litro de sopa — afirmou. Ele disse ao amigo Makki que eles precisavam sair dali, ou então morreriam. Nada poderia ser pior do que aqueles túneis onde eles estavam em Dora-Mittelbau. Eles ficaram sabendo que um determinado grupo estava sendo selecionado para trabalhar em outro lugar. Ambos sabiam que seria sua única chance e se ofereceram como voluntários, sem saber o que estava envolvido no negócio.

Ernie percebeu que diante do que estava por vir, eles teriam mais chance se dissessem que tinham alguma especialidade, real ou imaginária. Ele e Makki se juntaram à longa fila de pessoas que desejavam sair dali e, finalmente, viram-se cara a cara com o homem da SS encarregado de decidir quem ia e quem ficava.

Ernie deu um passo à frente, e o homem da SS perguntou qual era sua profissão.

— Serralheiro — falou Ernie, embora soubesse pouquíssimo daquele ofício. Ele foi conduzido ao meio de transporte. Makki estava logo atrás dele e dificilmente poderia dizer serralheiro também, então, quando o homem da SS perguntou sua profissão, ele respondeu "eletricista".

— Não, precisamos de você aqui — vociferou o soldado, e Makki não foi escolhido.

— Fiquei com o coração partido — falou Ernie, mordendo os lábios e lutando com o peso das próprias palavras. Então, ele não mais tentou se conter, seu rosto se encrespou, e ele chorou, cobrindo os olhos com as mãos. — Eu queria que ele tivesse vindo — disse com a voz entrecortada. — Jamais tornei a vê-lo, e ele morreu apenas porque disse "eletricista". — Ernie arfava com força enquanto soluçava.

Eu me senti desconfortável ao ver aquele momento de íntimo pesar; era como se não tivéssemos o direito de estar ali. Ele estava contando aquela história cinquenta anos depois e ainda tinha o coração partido por causa do amigo. Dizem que cerca de vinte mil prisioneiros morreram naquele lugar medonho, e Makki provavelmente foi um deles. Assim como havia feito pela avó, Ernie estava dando seu depoimento pelo amigo; a vida dele, como a de tantos outros, tinha importância. Eles haviam se ajudado dentro de Auschwitz e durante a marcha da morte, e Ernie o havia auxiliado com os cigarros que eu contrabandeei para ele, mas não foi o suficiente.

Milhões morreram naquele período, e havia pouca coisa que qualquer um deles pudesse ter feito para que se salvassem. Suas reservas de coragem e de iniciativa não os salvaram. Eu sabia, pela minha própria experiência da guerra e do cativeiro, que aqueles que conseguiram escapar devem suas vidas em grande medida à sorte. Ernie soube aproveitar bem suas oportunidades, mas a sorte teve um papel decisivo em sua sobrevivência.

Eu poderia dizer, pelo modo com que Ernie prosseguiu seu relato, que parte de seu espírito tinha ido embora; ele havia cruzado um limiar. Era como se a perda do amigo tirasse o brilho de sua própria história formidável de resistência. Seu discurso foi ficando mais vagaroso, como se ele estivesse assinalando todos os detalhes para chegar logo ao fim.

O meio de transporte partiu levando Ernie, mas os voluntários esqueléticos não foram muito além de Nordhausen, um campo que ficava do outro lado do mesmo complexo miserável de túneis, e ele não se saiu melhor. Eles dormiam em fileiras de beliches comprimidos dentro de uma série de galpões militares. Ele imaginou que, na época, devia haver cerca de seis mil internos naquele campo, todos encurralados dentro da cerca de arame farpado. A comida era tão ruim quanto a dos outros campos.

Era o mês de março, os dias se misturavam uns aos outros, e ele perdera a noção do tempo. Ele sabia, então, que a guerra estava chegando ao fim, mas estava debilitado. Os prisioneiros a sua volta morriam com rapidez, e ele tinha medo de não viver para assistir à própria libertação. Dos seis mil que havia ali no campo, quando ele chegou, só restavam cerca de mil e quinhentos algumas semanas depois.

Todos os dias, Ernie era levado para o túnel num pequeno trem para carregar pedras, mas o trabalho era pesado e lento; todos estavam muito fracos, e nem os guardas se importavam mais. Os mil e quinhentos prisioneiros que haviam restado mal podiam fazer o trabalho de cem homens saudáveis, ele relatou. Então, no final de março, o trabalho parou completamente; não fazia mais o menor sentido.

Os dias se passavam enquanto eles esperavam pelos norte-americanos, mas esses nunca chegaram. Os bombardeiros aliados estavam sempre voando ali em cima, mas procuravam alvos mais importantes do que os campos. Assim, num belo dia, no começo de abril, Ernie ouviu as sirenes de ataque aéreo, e, embora fizesse pouca diferença para ele agora, não havia lugar algum para se esconder. Ele ouviu o barulho das bombas caindo sobre o campo, atingindo alguns prédios dos quartéis, que explodiram. Ele ouviu gritos, viu prisioneiros correndo em chamas e compreendeu que estavam sendo lançadas bombas incendiárias; o gel incandescente das bombas grudava neles. Ele percebeu, então, que algumas explosões tinham danificado a cerca em volta do campo e, apesar de os guardas da SS se esconderem nos abrigos, parecia que muitos deles tinham sido mortos. Mesmo assim, ainda era muito perigoso tentar escapar.

O alojamento de Ernie ainda estava de pé, de modo que os prisioneiros dos outros blocos foram se abrigar ali, e eles se apinharam por uma noite, sem comida, esperando pelo pior. Na manhã seguinte, eles tornaram a ouvir sirenes, e os prisioneiros começaram a entrar em pânico; as pessoas corriam em todas as direções. Assim que saiu do alojamento, Ernie viu que a cerca de arame farpado tinha se afrouxado e abrira um buraco no meio. Todos os homens da SS que ele pôde ver corriam o máximo que conseguiam. Ele viu alguns dos internos pulando sobre o arame farpado e os seguiu; assim que alcançou o outro lado, começou a correr.

Em seguida, ele escutou o ronco baixo dos aviões acima de sua cabeça e bombas sendo lançadas, mas continuou a correr pelos campos, enquanto elas explodiam perto de onde ele passava. Ele se virou e viu que o campo tinha sido atingido. Os pilotos lá no alto não podiam ter a menor ideia de que aqueles prédios militares tinham sido transformados em campos de concentração há pouco tempo. Ele seguiu em frente até sentir que tinha corrido uma vida inteira, e então se jogou dentro de um sulco profundo na beira de uma floresta, a fim de recuperar o fôlego.

Olhando em volta, ele viu o corpo de um civil morto e imaginou, pelas roupas, que se tratava de um italiano assassinado na noite anterior. Estava vestido com uma velha jaqueta militar, calças comuns e um chapéu com viseira. Ernie olhava para ele quando se deu conta pela primeira vez de que finalmente estava livre.

Ele girou o morto e tentou tirar as roupas dele.

— Não há nada pior do que despir um cadáver — afirmou. A rigidez da morte já tinha se instalado, mas ele conseguiu tirar as calças largas e a jaqueta do corpo, e as trocou pelo seu uniforme de zebra. Ele voltava a ser um civil.

Quando Ernie disse essas palavras, um sorriso cobriu seu rosto pela primeira vez, depois de muito tempo. Eu não resisti e sorri junto com ele. Posso imaginar o que aquele momento representou.

Agora, vestindo as roupas do desconhecido, ele olhava em volta e via pessoas à distância, mas ninguém reparava nele. O vento carregava folhas de jornal de pilhas que estavam jogadas no campo. Ele achou que elas serviriam como bom papel higiênico e, quando pegou uma, viu que se tratavam de panfletos que tinham sido atirados de um avião. Ele ficou ali e leu o texto: "Alemães, deponham as armas agora, a guerra terminou. Rendam-se. O seu *Führer* já os abandonou." Aquela foi, ele afirmou, a mais bela mensagem que jamais recebera.

Eu também atravessei a Europa a pé naquela época. E sabendo que ele ainda não estava salvo, suspeitei que houvesse ainda algumas viradas antes que a história de Ernie terminasse. Ele caminhou pela floresta até alcançar uma estrada rural abarrotada de civis alemães que empurravam seus pertences em carrinhos de bebê ou em qualquer outra coisa que tivesse rodas. Ele imaginou que eles tivessem sido bombardeados e fugiram de casa, e notou de imediato que não havia homens jovens entre eles, apenas idosos, além de mães e crianças.

Em seguida, ele avistou uma camponesa robusta que empurrava seus pertences em uma espécie de carrinho de mão. Quando ela viu as roupas dele, chamou-o, pensando que ele fosse italiano. Ele percebeu o perigo na hora, não sabia falar a língua, mas achava que ela provavelmente não sabia também. Ele havia escutado um pouco de italiano nos campos, e murmurou alguma coisa como "Non parlo". Ela olhou para ele com desconfiança, e depois gesticulou para que ele empurrasse o carrinho; assim que ele tomou o lugar dela, viu um enorme pedaço de pão sobre os pertences.

Ernie sorriu novamente ao descrever o tamanho do pão, abrindo bem os braços, como um pescador maluco que fala sobre o peixe de seus sonhos. Olhei a minha volta e vi que Audrey e Rob estavam rindo enquanto ouviam essa história; todos nós ficamos imaginando o que estava por vir. Ele não nos fez esperar. Contou como empurrou o carrinho durante alguns minutos, até que a floresta se adensou e ele então mergulhou sobre o pão, correu entre as árvores e sumiu antes que ela pudesse ver o que tinha acontecido.

Ele a ouviu gritar *"Dieb! Dieb!"* [Ladrão! Ladrão!]. Ninguém estava preparado para caçá-lo pela floresta por causa de um pão, assim, quando ele se certificou de que estava seguro, parou, sentou-se e comeu tudo de uma vez só.

Comecei a acreditar que sua história extraordinária estava chegando ao fim, agora que ele estava sorrindo muito mais e sua cabeça se inclinava para o lado enquanto ele se recordava, com certo alívio, dos dias finais da guerra, depois de tudo o que tinha vivido. Ao longo do caminho, ele encontrou Peter, um homem que ele conhecera nos campos e que também tinha conseguido escapar, e que agora usava roupas civis e fazia o mesmo percurso na estrada rural.

Ernie ainda estava usando o chapéu que tinha tomado do italiano morto e sabia que se alguém lhe dissesse para tirá-lo ele estaria em apuros, pois sua cabeça raspada o entregaria. Peter e ele decidiram rumar para o oeste, a fim de encontrar os norte-americanos, mas, sem ver o sol, ninguém tinha certeza da direção a seguir. Por fim, eles acreditaram que os civis estavam caminhando para o lado certo e resolveram seguir a linha da estrada, protegidos pela densidade da floresta. Até que:

— Parados!

Eles pararam assustados. A ordem tinha partido de um soldado alemão que pulara das árvores. Ele queria saber quem eles eram e para onde estavam indo, e disse que eles não iriam muito longe porque os norte-americanos estavam a caminho. Eles sabiam que tinham a aparência extenuada e que usavam roupas ridículas e estavam com as cabeças raspadas. A única vantagem que possuíam era que ambos falavam alemão fluentemente.

Eles disseram ao soldado que eram trabalhadores civis de Nordhausen, onde haviam perdido as roupas durante o bombardeio; o que estavam vestindo era tudo o que tinham. Eles haviam sido enviados para fazer reparos em veículos militares numa cidade acima. Nas palavras de Ernie, era uma história ridícula. Sem revelar se acreditara neles ou não, o soldado avisou que os levaria até seu superior, então eles não tiveram outra alternativa a não ser segui-lo. Enquanto marchavam, ele se virou para os dois e perguntou se sabiam atirar.

— É claro — respondeu Ernie, já imaginando o que poderia acontecer.

Eles perceberam que o soldado não acreditou muito neles; falavam alemão, mas estavam tão magros que não pareciam alemães de jeito nenhum. Conforme se aproximavam da base, Ernie decidiu que eles teriam de matar o soldado para se salvar, mas não podia falar com o amigo enquanto o sujeito armado andava atrás deles. Não adiantou. Pelo menos o soldado era do Wehrmacht e não da SS, mas a confusão se instalaria assim que eles recebessem a ordem de tirar os chapéus.

Eles chegaram a um posto de comando, onde foram apresentados a um tenente que tinha um só braço. O soldado repetiu a história inventada por eles, mas o oficial a interrompeu antes do término.

— Mais dois homens, fantástico — falou ele. — Posso usar mais dois homens. — Ele ordenou ao soldado que apanhasse uniformes e armas.

Caiu a ficha para Ernie que, após anos em campos de concentração, ele iria terminar usando um uniforme militar alemão e recebendo ordens para atirar em seus libertadores e amigos. Antes que as armas e os uniformes chegassem, o oficial perguntou se eles tinham se alimentado; eles disseram que não e foram encaminhados para tomar sopa. Meia hora depois, enquanto devoravam a comida e se perguntavam o que fariam em seguida, um soldado entrou gritando *"Feind-alarm, Feind-alarm"* [Alarme inimigo]. Aquilo significava que os norte-americanos estavam praticamente em cima deles.

Foi o caos. Soldados corriam para todos os lados, acelerando motocicletas e carros do lado de fora, no pátio, enquanto a unidade se preparava para escapar. Dez minutos mais tarde, Ernie e Peter continuavam sentados ali, debruçados sobre a sopa, sem qualquer soldado alemão por perto. Ernie era um grande contador de histórias e, mais uma vez, fiquei rindo com sua descrição da cena.

Eles saíram do refeitório sem saber para onde ir e então enxergaram os primeiros tanques se aproximando, cada qual com uma estrela branca na lateral. O rosto de Ernie se animou novamente, e ele começou a fazer gestos largos com as mãos, enquanto descrevia a enorme coluna e os soldados com uniformes estranhos por toda parte. Ele ouviu um apito, a coluna se deteve, e um soldado abriu a portinhola da torre do tanque, olhou para ele e disse:

— *Polski*? — Era o primeiro homem negro que ele estava vendo, e ele lhe perguntava se era polonês.

— Não — respondeu ele —, *Konzentrationslager* [campo de concentração]. — A expressão facial do norte-americano indicou que ele não fazia a menor ideia do que aquilo representava. Esse era o momento de libertação com o qual Ernie sonhara por muito tempo, mas o soldado esperava outro tipo de desenlace.

— Vocês têm um pouco de conhaque? — perguntou o soldado, que deve ter ficado um bocado decepcionado com a resposta deles, e então a coluna seguiu em frente, deixando os dois ali sozinhos.

O rosto de Ernie se abriu num largo sorriso, quando ele recordou esse encontro. Eu o olhava como se tivesse passado por tudo aquilo junto com ele e sorria também.

O resto da história de Ernie foi contado em marcha diferente; ele andou bem depressa. Foi para Paris, onde viveu vendendo cigarros nas ruas, aprendeu francês na Aliança Francesa e, por fim, partiu para os Estados Unidos a bordo do *Marine Flasher*, um navio de imigrantes. Ele chorou quando passou pela Estátua da Liberdade e pôs os pés em Nova York, no Dia do Trabalho de 1947. Depois de tudo aquilo, o pobre Ernst foi recrutado pelo Exército dos Estados Unidos, logo após sua chegada, e partiu para lutar na Guerra da Coreia, onde tomou parte na invasão de Incheon. Nos anos seguintes, ele vendeu aspiradores de pó no Harlem e estudou bastante. Assim como eu, ele se tornou engenheiro e, anos mais tarde, fez faculdade de direito. Eu podia ver que aquela era a versão de Ernie para o sonho americano, e, embora a Coreia deva ter sido um choque, ele a enfrentou com serenidade. Eu mal pude acreditar. Foi uma reviravolta impressionante para o rapaz que conheci em Auschwitz.

Fiquei espantado ao perceber o quanto nossas vidas se tornaram parecidas no pós-guerra; a engenharia foi apenas o começo. Ele gostava de correr de carro e desenvolveu grande afeição pelos automóveis esportivos britânicos, começando com um Austin-Healey e depois comprando um Jaguar igual ao meu. Ele se recusou a viver no passado ou a culpar os outros por seu próprio sofrimento, e eu fiquei sabendo que ele nunca falou sobre Auschwitz até chegar a uma idade já bem avançada.

Ele era um homem de boa índole, pelo que me disseram, e acho que teríamos muito o que conversar mesmo sem mencionar aqueles anos terríveis. Henry Kamm, velho amigo de Ernie, disse que ele veio para os Estados Unidos apenas com a roupa do corpo, e, com sua inteligência, energia, força de vontade e ambição, conseguiu criar para si próprio uma vida invejável. Henry disse que Ernie, ao morrer, deixou para trás uma legião de amigos.

No final dessa história, quando perguntaram a Ernie qual o conselho que ele daria às futuras gerações, ele falou:

— Para que o mal triunfasse, bastou apenas que os bons não fizessem nada.

Fiquei emocionado ao ouvir essas palavras. Desde que começamos a trabalhar no livro, repeti essa máxima incansavelmente para Rob, como só um homem de noventa anos pode fazer, e agora lá estava o mesmo sentimento nos lábios de Ernie. Eu tive dificuldades para me conter enquanto ele prosseguia. Era bom demais para ser verdade.

— Você não pode deixar as coisas seguirem — disse ele. — Você precisa lutar por aquilo em que acredita e não deve ser passivo, não pode deixar que alguém faça as coisas em seu lugar. Se tiver de ser agressivo para alcançar seu objetivo e tomar uma posição, então seja.

Com isso, Ernie — o amigo que ajudei mas que jamais conheci de verdade — encolheu os ombros, sorriu e agradeceu ao entrevistador. Sua história tinha terminado, e a minha também.

Por trás da casa, o sol de inverno se escondia no céu, deixando longas sombras e dando a Win Hill uma cor de ferrugem.

— Ernie entendeu — disse eu depois. — Sua experiência lhe ensinou que é preciso lutar pelo que é certo. Fazendo isso, você acaba arrumando um bocado de problemas, mas ele chegou à mesma conclusão a que cheguei.

As pessoas acham que isso não vai acontecer novamente e, em especial, que isso não vai acontecer aqui. Não acredite nisso; não é preciso muita coisa.

Jamais vou deixar de lamentar o fato de não ter procurado por Ernst enquanto ele ainda estava vivo. Se eu soubesse que ele havia ido para os Estados Unidos, teria viajado até lá para encontrá-lo, sem dúvida.

O Grande Arquiteto tinha virado as costas para Auschwitz, estou convencido disso, mas eu sabia, quando falava com Ernie, que o dia ficava um pouco mais brilhante, e isso é algo que você nunca esquece. Hoje, quando já estou velho, pelo menos vejo um rosto naquela multidão sobre o qual posso refletir e dizer: eu fiz o que pude.

Sempre me mantive otimista, mesmo como prisioneiro de guerra, e consegui convencer a mim mesmo de que ainda era o dono de meu próprio destino, de que ainda tomava a iniciativa, por mais estranho que isso pudesse parecer. Ernie e Makki usaram sua inteligência e fizeram o melhor possível com suas oportunidades, e, mesmo tirando a sorte na moeda — a sorte de uma palavra, "eletricista" ou "serralheiro" —, Ernie sobreviveu e seu amigo morreu.

Ninguém pode atribuir a si o monopólio da salvação de terceiros; Ernie Lobet foi o herói de sua própria história, mas me sinto orgulhoso por ter tido uma pequena participação nela, ajudando um homem que atravessou a obscenidade de Auschwitz. Depois disso, foi por conta dele.

Uma parte de mim morreu naquele lugar, mas eu ainda me revoltava mesmo quando não podia fazer quase nada. Admito que desabafei um pouco tarde, mas agora as pessoas estão prontas para ouvir, e eu quero que minha história faça algum bem, foi isso o que eu sempre quis realmente.

Mesmo na minha idade, ainda posso aproveitar um pouco, e sei que tive uma vida muito boa e a vivi intensamente. E, como gosto de dizer, ela mereceu um livro inteiro.

Créditos das imagens

Coleção do autor: páginas 1, 2, 4, 6. Cortesia da BBC News: 7, abaixo, à esquerda. © Getty Images: 3, acima, à esquerda. © Imperial War Museum de Londres: 3, acima, à direita (H23490), abaixo, à esquerda (E1383), abaixo, à direita (E5512). © Dave Poole: 8, abaixo. Cortesia do State Museum Auschwitz-Birkenau em Oswiecim: 4, ao centro, 5. Cortesia de Susanne Timms: 7, acima, à esquerda e à direita. © Yakir Zur: 8, acima. Imagem tirada da entrevista em vídeo de Ernest Lobet fornecida pelo Shoah Foundation Institute for Visual History and Education da Universidade do Sul da Califórnia, www.college.usc.edu/vhi: 7, abaixo à direita.

Editora responsável
Marianna Teixeira Soares

Produção
Adriana Torres
Ana Carla Sousa

Produção editorial
Rachel Rimas

Revisão de tradução
Guilherme Semionato

Revisão
Ana Carla Sousa

Diagramação
Trio Studio

Este livro foi impresso em outubro de 2011, pela Edigráfica, para a Editora Nova Fronteira. O papel do miolo é chambril avena 80g/m^2 e o da capa, cartão 250g/m^2.